残酷と無能力

江川隆男

目次

残酷と無能力

残酷ノ哲学（philosophia crudelitatis）

死の実在性についていったいどのような言説を紡ぎだすことができるであろうか。死とは、死者でも死体のことでもない。死はまた、それらになることでもない。ということは、死は、出来事でもないことになる。死は、むしろそれらよりも以前に〈一つの生〉そのものに特異な仕方で内属しているものではないのか。『死の哲学』（二〇〇五年に河出書房新社から刊行、本書収録）において論じた〈死〉は、身体の物理的・生理的変化としての死滅でもなければ、出来事としての死でもない。死は一般的には、身体の物体的混合の水準における死体と、これによって生起する〈死ぬこと〉という非物体的な意味の水準で成立する〈死－出来事〉とからなる。しかし、『死の哲学』における問題は、そのような与えられた死ではなく、むしろ死を構成すること、すなわち生の実存の様式のもとで死と限りなく等価なものによって死そのものを構成することにある。そして、この等価なものとは、言わばいかなる受動性よりも受動的であるような悲しみの情動、つまり絶対的悲しみとしての残酷である。それらは、けっして喜びに反転も移行もしえないような悲しみであり、したがってこうした反転や移行の可能性の条件が決定的に破壊されたなかでの受動であり、言わば絶対的受苦である。ここにおいて残酷は、まさに自己の存在の仕方としての無能力そのものの情動となる。『死の哲学』は、自己の現実存在と共可能的な、その限りで同時代的な者たちではなく、自己の本質に対してその現実存在が非共可能的になり、その存在の仕方が本質の変形を欲望するようになるほどに反時代的な者たちの方を向いている。こうした様態に固有の障害とは何か。それは、人間本性におけるもっとも本源的な一つの障害、哲学においてしか考えられないような一つの問題、すなわち〈本性-同一性障害〉とでも呼ばれるべきものである。それは、自己の本質とその存在との間に非共可能性が成立するにもかかわらず、一つの総合をなすような生存の様式であり、そこにはたしかに一つの内在性の倫理がある。それゆえ死に関してこのような分裂的総合の問題を論じることは、反道徳主義的な倫理学の思考の仕方にとって必然的な実験だと言える。

身体は、この意味でまさに〈死のモデル〉となりうるのだ。死の哲学は、自己の人間身体とともに自己の具体的存在とその本質との間の分裂的総合を考えなければならない。スピノザにおける現働的本質あるいはコナトゥスとは、自己の本質をその現実存在に一致させようとするア・プリオリな作用あるいは努力そのもののことである。こうした一致がつねに権利上欲望されている限り、それゆえ人間の本質としての欲望は、まさに自己（すなわち個物）の様態的総合以外の何ものでもない。[*1] すなわち、この総合においては、身体の触発の状態に応じて何かを決定するその都度の欲望の変様が表現されるが、しかしすでに身体の活動力能の増大・減少そのものが人間の本質としての欲望の現働的効果なのである。この後者について言うと、現働的本質がそもそも自己の活動力能の増大方向を肯定しようとする努力（コナトゥス）である限り、身体の触発の差異は、その活動力能の増大・減少という仕方でまさに表現されなければならないのである。欲望は、この特異で普遍的な作用による、自己の身体におけるほとんど偶然の、しかしほぼコード化された個々の触発に対する肯定あるいは否定である。言い換えると、自己（すなわち個物）の様態的総合は、(1)もっともア・ポステリオリなものによる身体の触発を受けて、或る決定を具体的になすことができるが、しかし、(2)同時にもっとも特異な欲望としてのア・プリオリな内的衝動なしには不可能である。いずれにしても、問題は、人間の本質とその存在との間のこの様態的総合なのである。

さて、『死の哲学』の問題は、こうした人間の本質とその存在との総合を、本質の変形とその存在の仕方との間の共立不可能な関係として離接的に描き出すことにある。したがって、そこで取り上げる感情は、受動感情の相対的速度を示すような希望や恐怖や恥辱ではなく、むしろ極限の情動としての至福に対応する残酷という絶対的情動である。前者のような諸感情を肯定することとは、感情の時間的体制や悲しみの感情を積極的に用いることである。これに対して後者の極限の情動は、自然主義を感情から再構成しうる諸要素である。では、至福とは何か。それは、人間精神の部分感情であるが、その最高の有能さを表現する能動的な絶対的情動である。これに反して残酷とは、むしろ人間の全面的な無能さに対応した、しかしその限りで人間精神のうちでもっとも散逸した非十全な情動である。感情は、外部の物体による身体の触発を含む限りでまさにその物の対象性の認識の様式の一つであり、その限りにおいて成立する自己認識の何よりも基盤となるものである。『死の哲学』においては、至福も含めて、諸感情についての体系的理解は、スピノザの『エチカ』に完全に依拠している。しかし、残酷の情動についてはそこから逸脱して、感情の幾何学にけっして還元されえないような一つの問い、言わば絶対的受動、あらゆる受動よりも受動的な存在の仕方についての問いが含まれている。感情の極限にはその物の本質を認識の対象とする直観知が存立するが、この直観知が至福をともなうのか、あるいは残酷をともなうのかでまったく異なった欲望になる。至福と残酷は、人間精神が有することのできるもっとも問題的情動である——スピノザとアルトー。至福は、一つの能動感情であり、それゆえ受動感情の諸特性——反転可能性、模倣性、過剰性、動揺性、等々——をもたない喜びである。では、能動とは何か。それは、喜びの形相を理解し所有することにある。能動性とは、まさに十全な観念の特性である。スピノザの『エチカ』には、自然における様態の絶対的肯定が至るところにあり、また多様な肯定の仕方がその対象の数だけある。こうした多様な肯定の仕方の共通認識の一つに、どれほどの深い悲しみの状態にあっても、言い換えると、どれほど身体の活動力能がより低い状態にあっても、様態はつねに肯定されうるし、またその個物の活動力能は増大へと転換しうるという考え方がある。たとえ或る個物の存在に対してそれをはるかに凌駕する破壊的な諸力を有する個物がその個物に現前し作用し続けたとしても、その個物における活動力能の増大への転換〔喜び〕は可能であり、またその転換の極限にまさに至福もある。

しかしながら、非十全な実在性の領域においては、その存在の仕方において喜びへの転換や移行が不可能な状態にある個物も考えなければならない（すぐ後で論じるが、これは、アルトーにおける〈反‐糞便性〉の発生的要素となるであろう）。そこには、受動感情としての悲しみではなく、むしろ喜びへの反転が不可能であるという意味での絶対的悲しみ（無能力）があるが、しかしこれによって或ることを為すように決定される欲望が存在するのもたしかである。ただし注意されたい。

この欲望は、無能力ゆえに自己の現実存在におけるいかなる作用も奪われている。こうした欲望をここでは〈残酷〉と、あるいはとりわけ〈純粋残酷〉と称することにする。スピノザの並行論や様態論においてけっして考えられないような問題、それが残酷に関する〈アルトー問題〉である。というのも、それは、スピノザが言うような、人間身体の触発による「人間の本質の変様」、あるいはその存在の仕方による「その本質の各々の状態」についての問題ではないからである。残酷は一つの派生欲望として定義されるが、しかしもっとも純粋で崇高な計り知れない欲望がこの情動にはある。残酷とは、存在上の触発あるいはその存在の仕方による自己の本質そのものの変形の欲望のことである。スピノザの〈残酷の定義〉を通して、ここで述べたような残酷の哲学について論究する必要がある。「残酷あるいは残忍とは、われわれの愛する者あるいは憐れむ者に対して、害悪を加えようとわれわれを駆りたてる欲望のことである」[*2]［強調、引用者］。残酷は、欲望の派生感情である。人間は、愛したり憐れんだりする者に対して、害悪を加えようとすることがある。しかし、それは、多くの場合、こうした者たちが何らかの禍を受けざるをえないような原因をつくってしまったからであろう。つまり、この場合に害悪を加えようとする者は、その原因に対して怒りや復讐心からその行為を為すことになる。というのも、怒りは憎む者に害悪を加えようとする欲望であり、また復讐は自分に加えられた害悪に報復しようとする努力だからである。このような感情の生起は、これに対応した出来事の到来をともなうという意味でも、きわめて見慣れた秩序を形成する。そこで、まさに〈残酷〉と〈残忍〉とを区別する必要がでてくる。一般的に言って、自分の憎む相手から実は愛されていると表象する人は、その相手に対して憎しみと同時に愛の感情に捉われることになる。ここから残忍の感情を理解することができる。その場合に、もし憎しみの感情がより強力で優勢であったなら、その人は以前と同様に自分を愛してくれるその者に対して禍を加えようと意欲するであろう。これが残忍の感情である。これは、あくまでも怒りや復讐心と混合した限りでのまさに受動感情である。スピノザは、さらに次のように言う——「とくにその愛してくれる者が、憎しみを受けるどんな通常の原因も与えなかったとしたら」［強調、引用者］、それはなおさら残酷である、と[*3]。つまり、これは、すでに述べた他の派生欲望（怒り、復讐）と混合した残酷心（残忍）のようなものではなく、まさに〈純粋残酷〉とでも呼ばれるべきもっとも特異な、しかし普遍的な一つの〈欲望‐情動〉である。残酷は、この意味においてまさに至福の能動感情に対する絶対に受動的な、しかし純粋な情動だと言えるであろう。この限りで残酷の情動は、(1)たしかに各個の人間の特異な本質の変形かつ変容にだけ向けられた存在の仕方であるが、(2)しかしまた人間一般の言わば共通本性に対する、しかしけっしてその結果が生じることのないような変形あるいは変容の欲望の様式でもある。

至福に対する残酷は、まさに自己の本質の変形を欲望することにある（非‐糞便的欲望）。というのも、存在は、糞便的、あまりに糞便的だからである[*4]。この糞便性を別の言葉で規定できるように思われる——「物の自然のなかには、それよりももっと有力で強力な他のもの存在しないようないかなる個物も与えられない。どんなものが与えられても、その与えられたものを破壊しうる他のもっと有力なものが与えられる」[*5]。これは、すべての個物に妥当する言明であるが、特定の人間を破壊しうる他のより強力なものがその者に圧倒的に現前し続けるとしたら、どうであろうか。ここでは、活動力能の減少から増大への、すなわち悲しみから喜びへの実在的移行はそこではまったく不可能であり、それゆえ特定の時間と空間におけるその者の存在の仕方による肯定性は完全に焼尽している。その者においては、自己の現実存在に対する希望は最初から失われ、恐怖は絶えず絶望しか生みださない。しかし、ここでは、こうした存在上の無能力がその本性に対して或る別の力能を獲得するように思われる。すなわち、その者は、自己の存在の状態において人間本性そのものを憎むことはできるであろう（ここでの〈存在〉（existentia）、〈本質〉（essentia）、〈本性〉（natura）の思考上の区別について簡単に述べておく。〈本質〉とはその個物の活動力能のことであり、〈存在〉とはその個物の本質を表現する外延的諸部分からなる現働態のことであり、〈本性〉とは個物におけるこうした本質とその存在との総合態のことである）。その存在の仕方を介して自己の本性そのものの変形を欲望すること、これが純粋残酷の内的衝動である。**個物の本質は自己の存在との一致への作用に決定されており**、したがって**個物の本質には自己の存在への無際限な愛が含まれている**。自己の現実存在を維持しようとする自己の現働的本質が無限定な持続を肯定することは、自己の存在への無際限な愛が含まれているのだ。自己の本質は、いかなる意味においても自己の人間存在に憎しみを与えるものではない。しかしながら、そうした自己の本質に対して過酷な非物体的変形を加えようと自己の現実存在のもとで駆り立てられる欲望があれば、それは、まさに絶対的な純粋残酷である。残酷は、たしかに現実存在においては無能力の情動である。しかし、残酷は無能力の表現ではないし、また無能力は残酷の内容ではない。残酷は表現形相など有することができないし、またこの無能力は被表現の内容になりえないものである。残酷は、一方で表現の不可能性のなかでの情動であり、それゆえ他方で言わば必然的に流産し続けるその被表現の変形への欲望となる。悲しみが表現する実在的移行に対応するのは、身体の存在する力能の減少過程である。この過程は、まさに一つの実在的変様である。人間は、具体的には、この過程を〈希望／恐怖〉の感情の体制のもとで受動する。そして、その過程の多くが恐怖の現実態である絶望によって占有されるとき、ひとは言わば〈死に至る病〉に感染することになる。それは、例えば、道徳化した他者の存在を感染経路とするものである。これに対して〈不死に至る病〉は、怒りや復讐、恥辱や絶望といった存在上のベクトルを有した感情ではなく、自己の存在の仕方からその本質の変形へという残酷の情動に感染することである。この〈不死に至る病〉のもっとも重要なテクストは、何よりもアルトーの「演劇と科学」である。[*6] このように、至福に対する残酷から始まって、相対的移民に対する絶対的難民、残酷演劇におけるアルトーの問題、死の分裂症化、無能力の力能、別の身体へ、等々によって構成されるのが『死の哲学』である。

無能力ノ哲学（philosophia impotentiae）

死者の舞踊は、器官なき身体の舞踏に取って代わる。あるいはむしろ次のように言うべきかもしれない——舞踏のすべては、器官なき身体への落下過程となる、と。生成は消滅に、生は死に、上昇あるいは発生は落下の距離に、増大は減少の速度に必然的に裏打ちされている限り、死の哲学は、こうした消滅、死、落下、減少過程を思考の対象性にしなければならない。それは、言い換えると、〈別の身体へ〉という移行の問題を本質的に構成する限りでの〈身体の哲学〉でもある。〈別の精神へ〉という問題は、多くの哲学者の思考を刺激してきた。しかし、これまで誰が〈別の身体へ〉と問うただろうか。それは、まさにスピノザとアルトーだけが考えることのできた問題である。死は、身体がたしかに有機体としての諸器官の機能を失うことであり、この意味において器官のない物体に変化することである。このことは、例えば、人々の間では「自然に還る」といった言い方で理解されている事柄である。しかし、生体から死体への変化は、その者の同一性の自己伝達という意味をほとんどもたない。それは、むしろ自己の差異の表現である。身体の触発は、多様な度合を有している。しかし、触発は、その瞬間にすでに別のものに変異している。つまり、その触発の度合は、第一に強度として直ちに消滅し始め、かつ第二に内包量として直ぐに別の度合へと移行し、別の諸度合と混合する。あらゆる強度は、〈強度＝0〉との内包的距離しか有せず、その度合の生成と同時に〈強度＝0〉へと下降していく。言い換えると、〈強度＝0〉としての器官なき身体は無限に多くの強度を産出するが、しかし、それらの強度は多様な速度のもとで〈強度＝0〉へと落下する運動を有するだけである。器官なき身体は〈強度＝0〉としての強度の産出の原理であるが、その存在はただ落下する諸強度からのみなるような、言わば不毛な反生産の原理である。この存在の仕方は、人間身体という有機的身体に限ったとしても、その本質に必然的に含まれている。すなわち、このことは、自己の身体の多様な触発における諸強度の絶対的な落下過程が死体以前の死の多様性をそのまま形成していると考えることにある。

　有限な現実存在であるがゆえの人間本性の可滅性は、死体や死者になることとはまったく別の実在性を有している。それがこの落下であり、消滅への絶対的過程である。人間身体の多様な触発は、質としての度合を有する限り、そこには強度の差異が内含されている。身体の触発的多様体は一方では持続において生起するが、しかし他方ではその生起と同時にその触発そのものはすべて〈強度＝0〉へと落下していくのだ。身体の存在の仕方はまさに触発的多様体であり、その触発は感覚の質と強度との総合そのものである。残酷は、自己の器官なき身体への落下の情動であり、したがってこの限りにおいて言わば感覚質を決定的に欠いた度合、つまり質なき強度、内包量なき強度である。死について哲学的に思考することは、生成変化の相対的運動についての言明ではなく、その都度の絶対的速度について論究することと一つである。何故なら、物の自然においては、差異の肯定あるいは生成の存在しか内在しないからである。自然は、まさに差異の肯定としての触発的多様体そのものである。人間は、他の無限に多くの個物と同様に様態の一つにほかならない。身体は、触発の様態である限り、〈強度＝0〉へと落下する強度を有するだけでなく、他の度合と混合しうる内包量と外延量を有するのだ。これによって身体が有する諸量はたしかに可視化され管理されうるが、しかし強度の落下過程は器官なき身体に生成消滅として登録されうる。この登録は、言わばあらゆる生産と消費を両端にもち、これらに先立って器官なき身体を包摂するような言わば離接的総合――あるいは死の分裂症化――である。

　今日、哲学の言説から情動をともなった言表が失われているように思われる。ということは、哲学の諸言説のうちに、概念が感情の最近原因になったり、情動が観念の発生的要素になったりすることがないということになる。そこでは、もっとも重要な認識の喜びも、単に中立化された知覚としてしか存在しないことになる。例えば、優越的価値のもとで発せられた「同一性」という言葉を聞くと悲しくなり、また「差異」についての積極的な言明に触れると喜びに刺激される、このような触発なしにおそらく内在的な差異の哲学を構成することはできないであろう。何故なら、差異の観念に喜びの情動がともなわない限り、それは差異の実質的な肯定にはならないからである。そして、こうした情動がともなわない限り、前‐哲学的な内在性の倫理平面は、けっして創建されえないであろう。スピノザには存在上の〈希望／恐怖〉の感情の体制から個物の本質の直観による至福へという人間の実践的問題があるが、アルトーには存在の恐怖とその絶望から人間本性の変形へというまさに残酷の欲望過程がある。ドゥルーズはたしかにこうした前者と後者をそれぞれ受動的無意味（あるいは恐怖演劇）と能動的無意味（あるいは残酷演劇）との間の差異として論じ、それらの関係を明確に区別しているが、しかしながら、言語性を前提とした意味や無意味のもとでそれらを描出することは表層的なものにとどまっているように思われる。情動は、情感や情緒とは違って、身体の触発の観念上の直接的表現と考えられる限り、意味や無意味とともにあるいはそれらを媒介にして表現されることはないからである。自己の本質の変形に対する〈残酷‐情動〉は、むしろ〈身体／意味／言葉〉の間にまったくの共立不可能な関係性を生起させるような欲望である（これについては、本書所収の「〈批判／臨床〉の平面論」を参照せよ）。すなわち、その身体の触発は、超越論的領域（あらゆる言語作用の条件としての意味あるいは無意味）を絶えず生成させる、その意味での有機的な身体に帰属するが、しかしそれとは異なる〈別の身体へ〉と自己を変化させる衝動を必然的に含んでいる。永久革命と言われるものが存在するとすれば、それは、人間の本質を変形しようとする絶対的過程なしには成立しえない。それは、存在の変質を目的としてその変革に終始することでも、また様態のたゆまぬ水平的な改革を維持することでもなく、落下する強度を批判的なプラグマティックの対象にすることにある――身体を含んだマテリアリスムがもつべき〈過程因〉、形骸化した内部組織に対する破壊的な〈外部性の形相〉、超越論の外部としての自己の〈別の身体へ〉。

〈残酷ノ哲学〉は、無能力についての言説に必然的につながる。それは、言い換えると、すべてが言わば同時代化した〈哲学的劇場〉(theatrum philosophicum)のもとで論じられていることに対する〈別の身体へ〉が有する言表からなる。まさに現代のネット社会は、たしかに人間身体を有した欲望がうずまいてはいるが、しかしその活動はすべてスペクタクル化され、表層上の知覚の供給で充たされた受動状態でしかない。換言すると、それは過ぎ去った現在と新たな現在との間でしか成立しない表象像であり、そこには一度も現在であったことのない純粋過去はどこにも存在しない。それは、またほぼ言葉の言語活動による表面の形成でしかないのも事実である。いまや差異の哲学は、もっぱら差異の戯れとなり、言わば差異化の概念の内部的形相しか、つまり概念的差異しか生みだすことができない。[*7] したがってフーコーがかつて未来形で述べた有名な言明、「しかし、いつの日か、おそらく時代はドゥルーズ的なものとなっているだろう」は、いまや現在形として言われるべき事柄であるかのようである。[*8] しかし、何故そのように同時代化してしまったのか。それは、差異の哲学が、差異の肯定の超曲面を、すなわちあらゆる次元における内在性の平面を描き出せていないからである。この前-哲学的な差異の肯定平面が創建されなければ、存在価値の位階序列、否定性の優位、多義性の否定思想、超越への意志、反動的ニヒリズム、等々の前-哲学的な価値の生息空間に対抗して、それらを地図的平面上に位置づけることはけっしてできない。差異の肯定の超曲面、それは、まさに同様に前-哲学的な内在性の平面あるいは実在的空間における〈n-1〉多様体として創建されなければならない。カントの超越論的領域にはたしかにア・ポステリオリ性が有り余っていたが、差異の哲学的劇場には今度はブリコラージュの構造論あるいは有機的な理念論が有り余っていると言える。差異の哲学は、倫理学としての差異の肯定の絶対的平面を打ち立てることができるであろうか。いずれにしても、身体の実在性の圏閾——〈別の身体へ〉——は、劇場化した単なる差異化の思考とはまったく異なる諸言表を有するであろう。

　こうした哲学的劇場に対して〈工場ノ哲学〉(philosophia fabricae) を対置することができる。[9] 哲学的演劇による舞台平面の創建は、今度は差異の工場に、差異の実在的産出に関する身体の唯物論に委ねられたのだ。というのも、差異の肯定に先立って、その実在的産出の質料的過程こそが〈工場〉という名に相応しいからである。それは、肯定されるべき差異の生産であり、差異の肯定の原因であり、またそれと同時にその消費と結果でもある。何故なら、工場から産出されるのは、差異それ自体ではなく、つまりけっして差異化されえない差異ではなく、言わば差異の差異化の過程だからである。差異の肯定は、この質料的過程の形相そのものである。ここでは、まさに差異の肯定という形相面と差異化の実在的生産という内容面が工場の生産過程として問題化されている。こうした事柄は、差異化の生産工場が有する存在意義である。ところで、差異の内在性の絶対的分岐点は、この工場内に存在するであろうか。すなわち、工場の生産の総合の諸概念は、内在性の平面を打ち立てたであろうか。存在論的無意識、大地、非生産的な器官なき身体、等々、それらは、資本主義の〈意志の無〉という超越主義に対抗するような欲望の絶対的平面を創建できたであろうか。実はこれらも、大地をモデルとする限りにおいて資本主義の相対的な極限あるいは切断のうちに、すなわち脱領土化の根拠として絡めとられてしまったのではないか。それらは、いずれにしても、世界の差異的工場化あるいは工場の差異化の基底にすぎなかったのではないか。意志の仮面を被った欲望による機械論は、表象的で表面的であり、物象化的で、依然としてあまりに存在論的である。言い換えると、それは、未だに大地や土地を前提とした、それらを経巡る思考でしかないからである。唯一の希望あるいは恐怖は、それらを残酷という欲望の身体に、つまり無数の器官なき身体の触発にもたらすことにある。しかし、そんなパンデミックが器官なき身体上にはたして生起しうるであろうか。

差異の肯定や差異化の生産は、実はその力能を示すことではなく、むしろ存在上の無能力を構成することになる。それらは、実際には現実存在における無能力を曝け出すことになるのだ。これは、換言すると、まさにもっとも分裂的な総合、すなわち人間本性そのものの〈非-同一的総合〉である。アルトーは、次のように言う。人間の身体が死ぬのは、身体の変形や変化を忘れて、存在につつを抜かした結果である。人間の身体は、不死であり変化する――「或る身体から別の身体へ／身体の衰えた無力の状態から／身体の強化され高められた状態へ」。この言表に注意されたい。身体のこの無力の状態から強化された状態は、けっして同じ現実存在の内部での移行などではない。つまり、「身体の強化され高められた状態」は、同じ存在におけるより大きな有能性の獲得をまったく意味しないということである。それは、人間本性における存在から本質への移行であり、またそれらの過酷な、つまり共立不可能な、しかし必然的な総合、まさに分裂的総合のことである。これがアルトーの残酷の思考である。それゆえ、第三の〈残酷ノ哲学〉には、劇場と工場の思考にけっして還元されえないいくつかの要素による触発や概念や知覚がある。〈残酷ノ哲学〉は、一方では劇場と工場につねに付随する精神分析的な死の表象を除去するが、他方では哲学的劇場に内在性の諸問題とその唯一の問いとの力能を回復させることになる——「死は、むしろ問題論的なものの最後の形式、問題と問いとの源泉、あらゆる答えを越えた問題と問いの永続性の印であり、あらゆる肯定がそこで養われるあの〈(非)-存在〉を指示する「どこで」と「いつ」である」[*10]。これはドゥルーズにおける死についてのもっとも重要な言説であり、哲学としての劇場はこの死の内在性の肯定的平面を再創建する必要がある。残酷はむしろ劇場の最後の情動の形式であり、この情動による死の構成的平面がなければいかなる生の存在の様式もそのドラマも描き出すことはできないであろう。

　差異の産出とは、言い換えると、強度の差異そのもののことである。与えられることと産出することは、まったく異なる。「あらゆる強度は、それ固有の生のうちに死の経験をもたらし、またこれを包含している。そして、おそらく強度は最終的に消え去り、あらゆる生成はそれ自身が死への生成となる！　このとき、死は現実に到来する」[*11]。あらゆる強度は、それ自身の生を有するが、それと同時にそのうちに必然的に死の経験をもたらすものでもある。それはおそらく意識されえない死であり、こうした死は強度の落下として存立するあらゆる生の部分性に関する事柄である。それは、全体に対する部分ではなく、自己におけるすべての部分である。〈工場ノ哲学〉は、生産と登録と消費しか考えない。ところで、ここでのもっとも重要な問題は、実はこれらのどの段階でも必然的に産出される〈ゴミ〉についての新たな概念形成である。アルトーは〈糞〉と言ったが、それも含めていまやわれわれは存在の〈ゴミ〉と言わなければならない――存在のすべてに〈ゴミ〉の匂いがする、と。購入時よりも廃棄するための額の方がより高くなるような、そんな世界を考えることができる（原発というゴミ（廃炉）は、まさにその事例そのものであり、そうした時代の暗き先触れである）。あらゆる生産には必然的に糞便的存在がともなうということが、残酷の哲学によって明らかになる。

　恥辱は、悲しみの派生感情であり、道徳的な疾しさ、すなわちまさにニーチェが言うような、〈疾しい良心〉のもとでしか生起しえないような感情である。したがってそれを用いる者、つまり悲しみの感情を利用する者は、自然主義によって告発されることになる[*12]。それゆえ恥辱は、その発生的要素としての悲しみによって或ることを為すよう決定される欲望が純粋残酷の欲望へと変質する機会にならなければならない。自然は、つねに能産的である。しかし、その自然がつねに人間にとって有益な所産的自然であるかは、まったく別の問題である。政治が存在以前にあるのは、それが人間本性の問題だからである。革命は、力や能力の問題の発揮ではなく、むしろ無力や無能力における問いの構成である。それゆえそれは、人間本性の変形あるいは変容の問題である限りで永久でなければならないのだ。『死の哲学』は、一つの強力な内在性の平面を描こうとしたのではなく、むしろ実在的無能力がかろうじて描き出せるような希薄で稀少な平面を形成しようとした。しかし、その無能力は、最大の力能を有する。それは、たとえ他者によって奪い去られた能力であったとしても、まさに欠如なき無能力である。それは、たとえその現実存在において無能であったとしても、それゆえに本質を変形する欲望を生起させることができるのだ。本質の変形は、すでにこの生起そのもののうちにある。したがって、ここでの消滅あるいは死は、例えば、内在性の平面が避けるべき死や消滅とはまったく異なるものである。[*13] 残酷と無能力は、人間の単なる闇の部分などではない。これらは、むしろ落下過程の未来の様相でさえある。

　ギリシア悲劇は、ニーチェによれば、道徳的昇華や医学的浄化を目的としたものなどではなく、むしろ喜ばしいもの、肯定されるべきものであった。残酷は、人間本性の変形として作用する限りで、言わば一つの地理悲劇であり、また工場でしか上演されえないものである。残酷は、それが必然的に無能力と死の問題に投射される以上、最大の力能と不死のもとでの生の様式を描き出すことになる。〈残酷ノ哲学〉は、劇場と工場を否定するのではなく、死と無能力の問題をそこにおいて上演し産出させようと強制するであろう。しかしながら、人間の欲望は、ほぼ純粋残酷の衝動に触れることができない。人間精神を有するものがまさに人間であると理解するなら、各々の人間本性は、相互にほぼ一致しえないであろう。それだけでなく、人間身体における触発の様式をモデルにしない限り、諸感情における非十全な実在性の相対的運動も、純粋残酷というその絶対的速度も、認識されえないであろう。皮肉なことに、パンデミックがすべての人間に共通の問題あるいは決定不可能な命題を提起することになる。それらは、言い換えると、自由意志の対象にならない問題や命題のことである。しかしながら、パンデミックにおける共通性は、痛みを媒介とした一致、言わば仮象の一致でしかない。パンデミックが非-被災地の不在を意味し、これが実現される場合、われわれは至るところで絶対的難民に生成変化し、その欲望は直ちに純粋残酷となる。ニヒリズムは、いかなる大いなる出来事も生起させることなく、ここにおいて決定的に消尽する。無能力からなる存在の仕方とこれによる残酷な本質の変形とが、あるいは差異の肯定の絶対的様式だけが、人間本性が自然に内在する様態なのである。このパンデミックは、地球上の問題ではない。それは、ただ人間とその社会だけの問題である。残酷と無能力は、つねに或るものの先触れである。その本質に存在が含まれずに存在する様態、こうした様態からなる現実存在する人類は、たしかに大地と大海と大気の多様な先触れについての触発やその観念を有しているはずである。

これまでに〈器官なき身体〉(corps sans organes) という表現と内容とが、あるいは人間身体の存在と本質とが完全に反転するほどの音声は、ただ一度しか実現されたことがない。アルトーは、こうした反転を完全に理解していた——「そのとき人間は裏返しになって踊ることを再び学ぶだろう/大衆の舞踏会の錯乱のように/そしてこの裏は人間の真の表となるだろう」[*14]。その音は、まさに身体の身体であった。それは、アルトーのラジオ放送の音である。〈corps〉の後に少しの合間があり、〈sans organes〉と発せられる。その一瞬の合間は、まるで有機的身体から諸器官を奪うための中間休止のような時間である。それは、たしかにたった一度の空気の揺れであった。しかし、その振動はこの大気のなかに今も保持され、その強度は唯一の落下過程を描き出している。器官なき身体の舞踏、それは、一つの喜ばしき暗黒舞踏である。

＊1　「欲望とは、人間の本質が何らかの与えられた変様によって或ることを為すように決定されると考えられる限りおいて、人間の本質そのものである」（スピノザ『エチカ』、畠中尚志訳、岩波文庫、一九七五年、第三部、「諸感情の定義」、一）。

＊2　スピノザ『エチカ』、第三部、「感情の諸定義」、三八。

＊3　「残酷」（crudelitas）と「残忍」（saevitia）の区別については、スピノザ『エチカ』、第三部、定理四一、備考を、また「怒り」（ira）と「復讐心」（vindicta）については、同書・同部、定理四〇、備考、および「感情の諸定義」、三六、三七をそれぞれ参照せよ。

＊4　「糞が臭うところには／存在が臭う」、「つまり糞をしないためには、／存在しないことに／同意しなければならなかったであろう、／しかし彼は存在を／失うことに対する決心ができなかった、／つまり生きたまま死ぬことに対する」（Antonin Artaud, *Pour en finir avec le jugement de Dieu*, in *ARTAUD Œuvres*, Gallimard, 2004, p.1644［以下、*AŒ* と略記］（『神の裁きと訣別するため』、宇野邦一訳、『神の裁きと訣別するため』所収、河出文庫、二〇〇六年、一九－二〇頁））。

＊5　スピノザ『エチカ』、第四部、公理。この公理における個物は、一定の時間と空間に関して言われる現実存在のことである（同書、第五部、定理三七、備考、参照）。

＊6　A. Artaud, «Théâtre et science», in *AŒ*, pp.1544-1548（「演劇と科学」、佐々木泰幸訳、『アルトー後期集成 Ⅲ』所収、河出書房新社、二〇〇七年、四一〇－四一八頁）。

＊7　「生殖的思考、強度的思考、肯定的思考、非－カテゴリー的思考――そのどれもがわれわれの知らない顔、一度も見たことのない仮面である。（……）哲学といっても、思考としての哲学ではなく、劇場としての哲学である。劇場といっても、身振りが見られることなく記号をつくるような、多様な、つかの間で瞬時の舞台をもったパントマイムの劇場である」（Michel Foucault, «Theatrum philosophicum», in *Dits et Ecrits, Tomes II*, Gallimard, 1994, pp.98-99［以下、«TP» と略記］（ミシェル・フーコー「劇場としての哲学」、蓮實重彥訳、『ミシェル・フーコー思考集成 Ⅲ』所収、筑摩書房、一九九九年、四二八頁））。

＊8　M. Foucault, «TP», p.76（三九六頁）。

＊9　Cf. Gilles. Deleuze, Félix Guattari, *L'Anti-Œdipe*, Minuit, 1972, pp.31［以下、*AŒ* と略記］（『アンチ・オイディプス』、宇野邦一訳、河出文庫、二〇〇六年、上・五三－五四頁）。「皮膚の下の身体は、一つの過熱した工場である」（A. Artaud, *Van Gogh le suicide de la société*, in *AŒ*, p.1459（『ヴァン・ゴッホ――社会による自殺者』、鈴木創士訳、『神の裁きと訣別するため』所収、一六一－一六二頁））。さらに続けてアルトーは、たいへん興味深いことを述べている――「過ぎ去ろうとしているのは、高い発熱の二度のぶり返しの間の健康である。／それは、良好な健康の反乱の二度のぶり返しの間の発熱である。／いつか発熱と良好な健康とによって武装したヴァン・ゴッホの絵画が（……）」。これは、もはや過去となった古い現在にも、また新たな現在にも還元不可能な発熱と健康の有り様を示している。この限りでこうした発熱と健康は、まさに純粋過去の諸様態そのものとなる。つまり、それらは、一度も現在であったことのない過去の様相であり、またけっして過去にならない現在の様態ことである。ゴッホの〈絵画－身体〉は、この意味での発熱と健康の粉塵を巻き上げる微粒子からなる。こうした工場こそが、たしかに自己の過熱した身体なのである。

＊10　G. Deleuze, *Différence et répétition*, PUF, 1968, p.148（『差異と反復』、財津理訳、河出文庫、二〇〇七年、上・三〇三頁）。

＊11　G. Deleuze, F. Guattari, *AŒ*, p.395（下・二二二－二二三頁）。

＊12　「〈自然主義〉のもっとも深い恒常性の一つは、悲しみであるものすべて、悲しみの原因であるものすべて、自己の能力を行使するために悲しみを必要とするもののすべてを告発することである。ルクレティウスからニーチェまで、同じ目標が追及され、達成された。〈自然主義〉は、思考を肯定に、感性を肯定にする」（G. Deleuze, *Logique du sens*, Minuit, 1969, p.323（『意味の論理学』小泉義之訳、河出文庫、二〇〇七年、下・一七九頁））。

＊13　「しかし、ここでもまた、存立性の平面が消滅のあるいは死の純粋平面にならないために、どれほどの用心が必要であることか」（G. Deleuze, F. Guattari, *Mille Plateaux*, Minuit, 1980, pp.330-331（『千のプ

ラトー』、宇野邦一・他訳、河出文庫、二〇一〇年、中・二二八頁)。

*14 A. Artaud, *Pour en finir avec le jugement de Dieu*, in *AŒ*, p.1654（四五頁)。

死の哲学

「死の哲学」主要概念集

序論　悲しみの情動群に向けて／無能力の最大の力能――アルトーの偉大さ

I　不死に至る病

第一節　絶対的悲しみのマイナー幾何学

今日、実践哲学とは何であるのか／〈自然界の一義性〉についての自然哲学と〈反自然の融即〉を規定する実践哲学／無能力のマイナー幾何学――いかにして、悲しみ、憎しみ、怒り、妬み、復讐心、等々を、あるいは否定なき無能力を表現するのか

第二節　欲望する並行論・分身論

ドゥルーズ＝ガタリと分裂綜合的思考／精神的‐物理的な合一論から分裂的‐身体的な分身論へ／欲望する並行論・分身論（その第一の規定）／系列の並行論からリゾームの分身論へ／自我の死――ブロックとパラ・グラフの問題

II　死の遠近法

第三節　本質の外皮を引搔く

人間の身体が死ぬしかないのは、ひとがその身体を変形し、変化させることを忘れたからである。／それ以外は、人間の身体は死にもせず、砕かれもせず、墓場に葬られもしないのだ。／……／人間の身体は不滅であり、不死である。そしてそれは変化するのである。／……／或る身体から別の身体へ／身体の衰えた無力な状態から／身体の強化され高められた状態へ。

（アントナン・アルトー「演劇と科学」、一九四七年）

われわれは、この生において、とくに幼児期の身体を、その本性の許す限り、またその本性に役立つ限り、もっとも多くのことに有能な別の身体に、そして自己と神と物とについてもっとも多くのことを意識するような精神に関係する別の身体に変化させようと努める。

（バルーフ・デ・スピノザ『エチカ』、一六七五年）

「死の哲学」主要概念集

強度／強度＝0

強度は、とりわけドゥルーズ的な問題圏においては、あるいは平行論の問題構制においては思考と身体とイマージュの三つに関わる。思考の問題において強度は、もっぱら外延量と内包量に対する第三の量概念や「延長の母胎」として考えられ、その特性は物理的で表象不可能な概念として提示されることになる。強度とは、差異を肯定すると同時に、その差異が包含する内包的距離として規定される「不等なものそれ自体」のことである。そこにおいてわれわれに存在の深さを知覚させるのは感覚される強度の漸減であるが、その先では強度の差異の外延上での取り消しが直ちに現われるのである。しかし、イマージュなしに、あるいはイマージュを供給する身体的運動なしに探求されたこの〈強度〉概念が或る一つの身体に、つまり器官なき身体に関係づけられるとき、強度はまさにこの身体への落下・消滅という問題においてその真の本性が明らかになる。身体は死のモデルだと言える。したがって、強度をこうした死のもとで考えるならば、事態は一変するのである。強度は二重に死を迎える（第六節）。身体の存在において強度は、その身体の存在を中心として外延量（横＝左・右、縦＝上・下）と内包量（奥行＝地・図）として展開されるが、しかし、そこでの強度はつねにカント的な〈否定性＝0〉へと、あるいは〈否－存在〉（つまり、存在しないもの）へと解消され取り消される方向性にある。これに対して身体の本質において強度は、こうした量と質から解放されて、その本質が存在を含まない様態の本質として〈強度＝０〉へと、あるいは〈非‐存在〉（つまり、存在しないもの）へと落下し、最後には消滅する——死の生成となる——のである（第五節）。この落下は強度の本性、必然性である。身体の存在において、たとえわれわれの感覚の度合がより高い方向に向かう場合であっても、そのより高い度合をわれわれが感覚し経験するのは、強度の本性において、その固有の水準が〈強度＝０〉へと漸近すること（つまり〈強度＝０〉との間に「最短」あるいは「最近」という内包的距離をつくること）に、すなわち絶対的に落下することによってである。最後に、この落下の際に吐き出されるのがイマージュであり、ここでイマージュははじめて肯定されるべきものとなるのだ。そこでは、すべてのイマージュは死のイマージュとなり、死の経験はこうしたイマージュから構成されることになる。内在的実体としての器官なき身体、すなわち〈強度＝０〉とは、その本質が存在を含むものの別名である。したがって、本書で主張される様態のレヴェルでの自己原因の発生は、次のような言い方になる。それは、その存在の仕方が本質の変形を含むもの（実体の場合とは、本質と存在の順番が入れ代わることに注意されたい）が器官なき身体を投射し備給することである、と（第六節）。

自己原因（様態としての）

スピノザは次のように言う。「私は、自己原因とは、その本質が存在を含むもの、あるいはその本性が存在するとしか考えられないものだと理解する」（『エチカ』、第一部、定義一）。自己原因とは、実体について言われる原因の概念である。何故なら、実体とは他の原因あるいは外部の原因なしに存在しうる唯一のものだからである。したがって、自己原因として考えられる実体のその本質とは、まさに存在そのもの、すなわち絶対的に存在する力能のことである。それゆえ、実体の本質とその存在との間の区別は、実在的区別でも、様態的区別でもなく、思考上の区別にすぎないと言われるのである。これに対して、様態とは実体あるいはその属性の変様のことであり、様態の本質はその存在を含まないと考えられる。三角形の本質が概念的に定義されたとしても、実際にその三角形が存在するとは限らないし、人間の本質が「社会的動物」や「笑う動物」として表象的に言明されたとしても、現実に人間が存在するとは限らないからである。何故なら、様態が存在するためには必ず外部の原因(右に挙げた例で言えば、作図する者、出産する者)が必要となるからである。さて、本書で提起されるアルトー問題(第四節、第六節)とは、スピノザの哲学を構成するこうした重要な概念を用いて表現するとすれば、様態としての一個の人間が、外部の存在によってではなく、自己原因として、しかしあくまでも様態のもとでいかにして自分で生まれ自分で死ぬことができるかを、すなわち、自己触発を超えた〈自己再生〉を提起することである。それは、いわゆる生成変化の問題であるが、とりわけこの場合は、様態としての自己原因は必然的に「別の身体」への変化という分身論(あるいは存在の仕方と本質の変形との二重性)の問題を構成するのである。

存在の仕方／本質の変形

哲学的に何かを書くということは、意識的であれ無意識的であれ、絶えずその事柄の本質についての規定的言明、すなわち何らかの定義なしには不可能である。さて、本質はおよそ次のような二つの仕方で定立されるだろう。一つは、名目的に規定された本質である。それは、例えば、人間の本質を「社会的諸関係の総体」や「言語を操る動物」や「笑う動物」などのように共通の表象を用いて規定することである。しかし、ここからその本質のア・ポステリオリな実在的定義に向かうことができる。つまり、それは、このように名目的に規定された本質、すなわちその表象的本質を、われわれの或る存在の仕方の変移によってその存在の本質までもが変形してしまうようなかたちで、一つの連続変化の相へともたらすことによってである（第三節、第四節）。もう一つは、力の概念などによってア・プリオリかつ実在的に規定されるような本質を定立することである。それは、或るものの本質を最初から一つの変様の力、あるいは本質の変形と定義することである（序論）。私がここで強調する経験主義的並行論、すなわち分身論は、まさにこうした意味での二つの〈本質の変形〉に対する存在の仕方の強度的水準を決意＝決定することにその最大の意義を有している。さて、スピノザ的に言えば、様態の本質は存在を含まないが、こうした様態の存在の仕方による本質の触発は次のような方式になるだろう。特定の存在の仕方、例えば、受動感情から能動感情への移行部分を含んだ精神は、現実存在している間に自己の本質を触発するに至り、その限りでまさにその感覚・経験はわれわれの死後も実現され行使されるのである。しかし、私が肯定する分身論のもとで問題提起しなければならないことは、こうした自己触発ではなく、もっとも強い意味での、つまり文字通りの〈自己再生〉である。新たな様態の理論における自己原因とは、その存在の仕方が本質の変形を含むということである。それゆえ、存在の仕方と本質の変形との間の区別は、単なる思考上の区別であるが、しかし超越的に行使された思考上の区別なのである（第四節）。

並行論（分裂－身体的）

精神と身体について言われる並行論とは、これら精神と身体との間の実在的因果関係――すなわち、精神が身体に対して能動的に作用したり（そのとき身体は受動的になる）、またその逆にも作用したりすると考えること――を否定して、両者の間にはむしろ系列上の並行関係が成立すると考えることである。「観念の秩序と連結はものの秩序と連結と同じである」（『エチカ』、第二部、定理七）。したがって、並行論では、身体が能動的であれば、精神も能動的であり、精神が受動的であれば、身体も受動的であるというように捉えられることになる。本書でとりわけ提起されるのは、こうしたスピノザにおける並行論の思弁的適用、すなわちすべての属性における様態の間の並行論（存在論的並行論）から、思惟属性における様態（観念）と延長属性における様態（その対象）との間の並行論（われわれが知りうる唯一の認識論的並行論）への展開ではなく、その形成という実践的課題を負った経験論、つまり経験主義的並行論である。実践的形成である限り、それは、いかなる水準でその並行関係を実現するのかがとりわけ問題となるが、しかし、並行関係それ自体はこうした経験論から言えば、単なる結果にすぎないだろう。何故なら、そこでは精神の側での批判の問題と身体の側での臨床の問題が想定されうるが、本書におけるそれらが含む最大の問題は、どちらもその存在の水準を変化させて、それによって精神の本質を触発し、さらには身体の本質を変形することが企てられるという点にあるからである（「欲望する並行論・分身論」の三つの規定）。それは、心と体の間に単なる〈精神的－物理的（フィジック）〉な平行論を定立することではなく、器官なき身体を起点とした〈分裂的（スキゾ）－身体的（コルポレル）〉な並行論、すなわち分身論を生産することである（第二節）。

アルトー「真の身体の投射」

序論

悲しみの情動群に向けて

〈人間の救済〉は、一つの問題ではなく、一つの解である。あるいは或る問題の影にすぎない。では、その問題とは何か。それは、真に問われるべき問いを含んだ問題であるのか。いかにして人間本性を変えるのか、すなわち、いかにして人間の精神と身体の本質を変形するのか、おそらくこれが人間の救済を一つの解や影とするような問題である。しかし、これだけではこの問題が問いの力を有しているとはまだ言えないだろう。何故なら、問われるべき力をもった問題は、この場合、人間の本性の変化あるいは人間の本質の変形を実在的に可能にする要素をいかにしてわれわれ自身が発生させるのか、あるいはいかにしてわれわれ自身がそうした発生的要素に生成変化するのかというように再提起されなければならないからである。では、本質の変形を発生させる実在的要素としての人間の存在の仕方とはどのようなものであろうか。救済の問題とは、現にある人間の存在について言われる事柄ではなく、むしろ別の何かに生成変化しつつある人間に存在を刻印することであろう。それは、現にある人間の本質がこの新たな存在の刻印とともに変形されるようになるということである。この存在の刻印はたしかに恐怖を生み出すかもしれないが、しかしその本質の変形はむしろ残酷を以ってなされるのである。

私は、存在とは存在の仕方であり、本質とは本質の変形のことであると考える。存在の仕方と本質の変形は実在的に区別されない。それらは、自己原因として考えれば、思考の区別であり、様態と考えれば、様態的区別である。ここでは、この二つの区別が用いられることになる。さて、われわれにとっての問題は、人間の特定の存在の仕方あるいは生存の様式によって人間の本性や本質がそこから作用を受けて、そこに何らかの触発あるいは変形が生じるということである。何故なら、本質の力能は、単に知的に直観されることにではなく、まさに実在的に変形されることにあるからである。私は、歴史的社会的構造や習慣の様式が変わるよりも、人間の本質が触発・変形することを望む。そのためにはどうしたらよいのか。今日の哲学をいま形成することができるとしたら、こうした問題意識なしにその達成はありえないのではないだろうか。今日、哲学とは何でありうるのか。いかなる諸学の結果にも、諸科学の成果にも依存することなく、それらに抗して、どこまで、いかにして思考することができるのか、それが試されているのである。いかなる時代に対しても、反時代的であるような思考を、あるいは感性を形成すること。〈知性改善論〉と〈感性改善論〉は、まったく同時になされなければならない。あるいは感性の変革論を本質的に含んでいないような哲学は、いかなる知性改善論も構成することができないだろう。神の裁きから訣別し、人間の存在の意味が道徳的試練から解放された後に本質的に残るものとは何か。それは、人間の本性や本質を変形するための器の質に関する検査であり、存在の仕方の試験＝試練である。[*1]

さて、死はつねに外からやってくるということは正しい。外部の原因によって生まれたものは、必ず外部の原因によって死ぬのだ。言い換えると、これは、死は絶えずわれわれにとって災いとして、災害としてやってくると考えることである。しかし、それは可能性のなかで、わずかでも選択肢が残されたなかで死を捉えていることに等しい。「死ぬかもしれない」、「殺されるかもしれない」、あるいは逆に、「生き残れるかもしれない」、「生き延びられるかもしれない」、と考えることである。死そのものにパースペクティヴを設定することができない以上、われわれにとって死を論じることとは、つねにその外側からの考察にしかならない。何故なら、死は誕生と同様、外部の影響に完全に依拠しているからである。その限りでは、死はわれわれのうちに存在しない。そうではなく、死と言われるものと等価なもの——絶対的悲しみ、死の経験、生成変化、死のモデル、等々——が、われわれの生の真っ只中に存在すると言うべきであろう。例えば、現にある身体をつねに「別の身体」へと変形させようとするときにのみ感覚されるもの、それが死の経験である。スピノザはおそらくそう考えたのだ。本書は、こうした意味で生において死と等価なものから〈一つの死〉を構成する試みでもある。それは、死を論じるのではなく、死についての作品を書くこと、死そのものを、あるいはむしろ死と等価なものを構成することである。それは、死体をめぐって形容詞的に思考することでもなければ、出来事としての死を無批判的に暢気に考察することでもない。死の哲学は、死の構成からもっとも遠いこうした立場から、あるいは哲学の名を借りてはいるが、実際にはスポーツ競技や科学ゲームのような内実しかもたないような思考や判断力や意見から訣別しなければならないのだから。

われわれは、身体の物理的生理的変化としての死滅も、出来事としての死も論じない。出来事としての死とは、身体的混合の次元において死体へと向かうことではなく、出来事という非物体性ゆえに、いかなる物体とも混合せず、もっぱら意味の次元において成立する一つの特権的な出来事である。私は、それらに代わって第三の死を対置する。何故なら、前二者には、一つの死の構成がまったく欠如しているからである。それは、死の瞬間を通常の時間——何らかの等質的な周期的運動によって数えられるような時間——のなかで限定しようとすること、つまり個体の死滅の瞬間をクロノス的時間（「運動の数」としての時間）のもとで規定しようとすることではなく、また自己の死の可能性を知りうる存在者は人間だけだと考えて、単なる死滅を超えた人間の死あるいは私の死の固有性を強調することでも、出来事としての死（非人称的な〈死ぬこと〉）を他の出来事に対して特権化することでもない。そうではなく、つまり死をさまざまに形容することではなく、まさに死を構成すること、すなわち経験において死と限りなく等価であるようなものによる死の構成である。ここで言う等価なものとは、第一には、生の存在の仕方を強化し、その生の活動力を増大させるような喜びの情動群ではなく、またそれと同時に、こうした喜びに少なくとも反転・移行可能であるような受動的悲しみではなく、けっして喜びに反転・移行しえないような悲しみ、あらゆる受動性よりも受動的であるような悲しみの情動群である。それは、出会いの可能性の条件が決定的に失われたなかでの、〈悲しみ - 苦痛〉として表現されるような様態の変様群である。こうした意味での或る種の必然的な苦痛は、おそらくわれわれの感覚のなかでもっとも純粋なものであろう。そうであるからこそ、この苦痛に抵抗しようとするあらゆる知性や感性が生み出す強度的緊張あるいは距離は、ニーチェが言うように、「彼がいま眺めているすべてのものを新しい光のなかで輝かせる」[*2]ことになるだろう。苦痛はたしかに人間本性における強度を示しているかもしれない。しかし、それだけで、この苦痛を一つの事実として理解してはならないし、また存在のもとでの生の問題の解決を示していると理解してもならない。何故なら、存在に塗れて本質との関わりを失ったとき、この苦痛はただちに無痛となり、それによって身体と精神の能力は否定と欠如というまったくの無能力状態に陥ることになるからである。〈苦痛‐強度〉は、身体の本質の変形に固有のその身体の存在の仕方が感覚する苦痛でなければならないのだ。

無能力の最大の力能――アルトーの偉大さ

本書での問題意識は、一般性の低い概念から〈エチカ〉における心身並行論の問題を再構成することによって、ここからしか表現されえないような死あるいは不死の問題構成をおこなうことにある。あるいは、自然における情動（アフェクトゥス）（感情）、とくにわれわれの喜びの感情の増大のための出会いの組織化を、つまり出会いの有機化をむしろ非有機体的な変様の無‐底へともたらすような悲しみの情動群に関するマイナー幾何学を形成することによって、死と不死と生の問題を論じることにある。そして、死の哲学とは、第一に死を神聖化することを止め、第二にそれによって死の観念を歪め、死そのものを曲げることである。あるいは、少なくともそれらに対する倫理的な努力である。それが死を分裂症化するということである。したがって、死の哲学を言わば〈残酷ノ哲学〉(フィロソフィア・クルーデーリス)と称することもできるだろう。少なくとも私は、そういうものとして死の哲学を見出したいのだ。何故、そんなことを考え欲望するのか。不死に至る病があるとすれば、それは、欠けるところのない実在的無能力というこの崇高な病、人間の救済という問題を完全に反道徳的・無神論的に実現するために罹った伝染病以外にありえないからである。アルトーの「無能力」、それはいかにして全知・全能の無能力者たる神とはまったく違う力能であるかをわれわれに示している。「私が命を絶つとすれば、それは自分を破壊するためではなく、自分を再構成するためである。自殺とは私にとって、力ずくで自分を取り戻し、自分の存在に容赦なく闖入して、神のあてにならない前進を追い越すための一つの手段であろう」*3。自殺は、自己破壊ではなく、自己の再構成である、自殺のあるところには、むしろ人間の再構成がなければならないのだ。死体になる前に死を迎えるということ、それは、自己再生であり、身体の一つの不死である。思考の無能力は身体の最大の力能につながっているのである。

われわれは〈破砕〉しなければならない。〈砕く〉という出来事は、われわれにはまったく手が出ないほどにすっかり出来上がった或るもの(=本質)を消化可能・理解可能なもの(=存在)にするための動詞態などではない。そう考えるとすれば、それは、単に上から下に向かって差異を解消するような行為を示しているにすぎないのだ。つまり、そこには〈破る〉という出来事がまったくともなっていないというわけである。とりわけテクストを〈破く〉という活動が、現代において〈砕く〉という行為にあまりにも欠けているのだ。砕くと言いながらも、実は何も砕かずに、むしろそのことは、血と骨だけで真に書かれたものに対して、どうでもいいような肉を付着させることであり、言い換えると、死によって失うものがもっとも大きい存在の肉をそのテクストに付け加えることである。こんな調子であるから、テクストを破くことなど夢のまた夢である。ここでは、テクストの非物体的本質はそうした肉に対して完全に引き離され抽象化されているが、これが同時に示していることは、そうした本質は単に一般的な不変的本質として定立されたものにすぎないという点である。要するに、私が言いたいのは、存在のもとでの砕く行為は、本質を破るというその変形作用に関わる活動として二重化される必要があるということである。

表象的本質や概念的本質といった破かれるべきテクストの本質に対して、ひとはまったく別の本質を対置することができるが、しかし、それが単に別の表象的本質や概念的本質ではないという保証はまったくない。それゆえ、テクストの本質の破き方は二つある。一つは、既存のそういった不変的本質を連続的な変形へともたらすこと、もう一つは、それ自体が変様の力あるいは変形の力であるような本質を定立することである。エクリチュールの存在の仕方としての〈砕くこと〉には、若干の作品主義への意志が、しかし物体構成としての作品、結晶化した作動配置によって非物体的なものを変形するということへの多大な意志が秘められていなければならないのだ。この砕くこと、それはアルトーの「打撃」であり、ハンマーを振り下げてから振り上げることである——それにしても、ただアルトーだけが……。砕かれて結晶化したもの（つまり、砕かれることによって或る潜在性を獲得したもの）、それは身体についての一般性のもっとも低い共通概念であり、この概念だけが本質の変形に必然的にともなう残酷な〈叫び〉の周囲を回転することができるのである。本書を成立させている問題構成に関するもっとも重要な概念的要素は、第一に、生における、生と死の混濁やそれらの可能的な相互浸透ではなく、死と不死の実在的混合であり、第二に、絶対的悲しみあるいは権利上の無能力による本質の触発あるいは変形であり、最後に、分身としての別の身体である。

I　不死に至る病

第一節　絶対的悲しみのマイナー幾何学

今日、実践哲学とは何であるのか

私は、まず次のような問いを提起したい。すなわち、今日、実践哲学とは何であるのか、と。あるいは、今日、実践哲学とは何でありうるのか、と。実践哲学は、初期ストア派の哲学のような、出来事と身体をその考察の中心に据えた自然哲学と同様、一群の道徳主義や科学主義から解放されるに従って、今日ではまったく異なった意義をより多く獲得しつつあるように思われる。それは、つねにどちらか一方に優越性をおくような、かつての理論／実践という二元論に回収されないだけでなく、また、理論も一つの実践活動だと考えて、それまでの理論的知性をまったく疑うことなしに、すなわちそうした知性に対するいかなる改善論も提起することなしにそうした知性を実践あるいは道徳的な実践命題に還元するという、歴史的知性（記憶の秩序に基づく）や習慣的感性（表象像の秩序に基づく）を大前提としたような常識化からもより多く解放されていなければならないように思われる。

実践哲学と言うときのこの〈実践〉という言葉が獲得しつつあるその今日的な意味とは、端的に言えば、存在による本質の変様、つまり存在の仕方あるいは生存の様式による本質の触発・変形である。要するに、特定の原理や概念を現象や事実に適用して、「……とは何か」という問いに応答するようにして、「……はそうなってるんだ！」という風に語る一切の「なってる話（ばなし）」から、つまり、実践なきあるいは変形なき説明——既存の知性と感性を前提として単にそこにひたすら一般的言説を放り投げていくこと（スピノザが言う意見（オピニオン））——から哲学的活動をどこまでも切り離して、一般概念あるいは説明体系を適用するだけの思考に抵抗できるようなパラ・グラフ（意味や価値の変形とそれらについての概念形成を含んだ言説群）を開始することである（ニーチェのアフォリズムにはこうしたパラ・グラフがあふれている）。言い換えると、例えば、一つの現働的な闘争や闘いを、別の現在的な暴力に向けたり、或る目的としての支配にぶつけたりするだけでなく、それらとまったく同時に潜在的な人間の諸条件に作用して、それらを触発・変形すること、要するに、派生的な諸力の物体性を構成的に用いて、非物体的な根源的暴力を触発・変形することである（闘争の二重化）。ひとはそういう闘争、闘い方を砕いて、新たな潜在性を巻き込んだかたちで結晶化しなければならないのだ。しかし、この唯一の事例としての結晶化は、死の後に残るもののことであり、自己の外延的諸部分からなる存在が崩壊して失われた後も、つまり死後も、触発され変様し続けるその個的な特異本質のことである。これが本質に対する存在のもっとも興味深い意味の一つである。〈不死〉とは、実は唯一この触発・変形の部分についてのみ言われるべきことなのである。したがって、この〈死の哲学〉においては、問題は次のように再提起されることになるだろう。こうした不死の観念に対して死はいかなる意味を有しているのか、あるいは死の観念はこうした思考に対していかに変化するのか、と。

さて、習慣上の形式的葬儀にまったく相応しいかたちではあったが、しかし逆に、あたかも必然的で非形式的な哲学的生の様態、つまり単なる言葉の意味（セーマイノメノン）や文脈に依存した行為に還元されないレクトン（表現されるもの）の様態——あるいはレクトンの気息——をその死に向かって主張しているような一つの出来事があった。それは、たしかにフーコーの一つの〈出来事－死後〉である。一九八四年六月二九日、フーコーの死体を埋葬する日の早朝、ピチエ＝サルペトリエール病院のうしろの小さな中庭には数百人の人々が集まっていた。そして、「かすれて、よく通らず、悲しみゆえに変わってしまった声が突然、聞こえてきた」。それは、フーコーの『快楽の活用』の序文の一部を読み上げるドゥルーズの声であり、群集は静かにその声に耳を傾けていた。[*4]

「（……）はたして自分はいつもの考え方とは〈別の仕方で思考すること〉ができるか、いつもの見方とは〈別の仕方で知覚すること〉ができるか、そのことを知るという問題が熟視したり熟考したりするために不可欠であるような、そんな機会が人生にはあるのだ。（……）哲学——哲学的活動という意味での——が、思考の思考自体に対する批判的作業でないとすれば、また、自分が知っていることを正当化する代わりに、〈別の仕方で思考すること〉が、いかにして、またどこまで可能であるのかを知ろうとする企てに哲学が存立していないとすれば、今日、哲学とは何であるのか」[5]。ここでフーコーが哲学について主張したことは、先に私が述べた実践哲学の新たな意味そのものである。フーコーが肯定する〈別の仕方で〉とはこうした意味での実践のことであり、単に時代に迎合して、同時代の諸学を補完し批評するだけの現代哲学ではなく、来るべき反時代を形成するような今日の哲学を実質的に定義できるその発生的要素は、こうした〈実践〉概念以外にはありえないだろう。〈別の仕方で〉とは、実現可能な諸項から可能な仕方で、つまり選んでも選ばなくてもいいという仕方で或る項を選び取ることではなく、本質に対する唯一の〈実践〉を選択すること、一つの生の実験を下書きすることである。そこでは、この一つの生の様態は、自己の存在の仕方がその本質（＝抽象化されたもの）に対してつねに無差異ではなくなるという意味で、必然的に別の仕方という存在を示すのである。

言い換えると、それは、「芸術作品としての生」を迎え入れることであり、たとえ権力に対して抵抗する力をどんなに奪われていたとしても、それでもなお問題提起的であるような生を、あるいは問題構制的な様態を構成し続けるものである[6]。その意味では、各個の存在の仕方あるいは生存の様式は、けっして歴史的社会的な諸条件によって規定され条件づけられたその一例、一つの例解（サンプル）などではない。或る人間の存在、その実存がもしそのようなサンプル状態に陥るとすれば、それは、人間の本質＝力能（つまり、人間に固有の変様力）とその人の現実存在とが完全に引き離されて、その本質が抽象化されていることを示していることになる。どういうことか。子によって何も変化も受けないような親、生徒によって何も変化しない先生、こんな親や先生は子供たちにとっては単に抽象化された人間でしかありえない。子供はたとえそのすべてが受動的であっても、純粋な変様態であり、その変様がマイナスの方向に固定したという意味で言われる大人たちとは実は受動性の意味がまったく異なるのである。人間の本質に関する定義をこうした意味での〈大人〉から奪取すべきなのだ。しかしながら、子供たちは、こうした大人の予備軍であり、したがって、重要なのは、単に〈子供である〉という限りでの子供たちではなく、〈子供になる〉という子供性であり、具体的には、幼児期の身体である。子供性とは、本質を変形して、新たな本性を、つまりその本質と存在との新たな綜合をつくるための不可欠な要素である。スピノザは、一方では、子供時代を、自己のなしうることから自己自身がもっとも引き離された時期と考えたが、他方では、こうした幼児期の身体の本性に関係づけられる限りでしか別の高次の身体への移行を認めないのである。われわれは、非−大人であることのすべてを〈子供になること〉の問題へと転換する必要があるのだ。

こうした観点から言うと、実は本質が存在に絶対的に先行していようと、逆に存在が本質に先立っていようと、大した変わりはないのである。人間の本質を変形することについての固有の〈事例(ケース)−存在〉、つまり存在の仕方は、われわれにとっておそらく、ドゥルーズ＝ガタリが言ったような、〈子供になること〉である(これについては後で論じる)。闘争はつねに二重でなければならない。しかし、現実的な諸項の間での闘争は、それらのなかの単なる一つの項にすぎないように思われ、また一見すると、まったくの無能力のようにしか見えない一つの「芸術作品としての生」によってのみ二重化するのである。単なる表象的な現在的行為に還元されず、そこからはみだしているような現働的な活動は、あらゆる闘争、衝突、衝撃を二重化するのである。つまり、人間の現働的な存在の仕方のなかでの革命闘争とその存在の本質についての変形活動という二重性である。ただし、この二重性は、例えば、恐怖と残酷という二重性ではなく、恐怖から残酷への変動そのものを含んだ二重性である。本質は永遠不変なものとして定立されるからこそ本質だと言われるかもしれない。しかし、そもそも「社会的諸関係の総体」という意味での「人間の本質」[*7]を変形するということを革命の最大の使命とするような存在の変革こそが、革命の名に値するのである。もし本質が、少なくともスピノザにおけるように、変様の力として把握されているだけでも、その本質の状態は受動あるいは能動という存在の仕方によって劇的な変化を受けることになるのである。

出来事の実在性がその現働化あるいは実現化にまったく依存していないとしても、出来事がもつその非物体性の変化は反－実現という本質に対する変形活動に依存し、逆にこの非物体的な変形（関係の変形）を現働化＝物象化のもとでの実在性として問題構成することに革命（存在の変革と本質の変形）の意味がある。死はこの両者に関わるのであり、死の生成はこの二重性の生成そのものである。恐るべき問題提起的な様態は、つねに自然に反した関与を自然に対して行使するように思われる。ニーチェにおけるトリノでの存在の陶酔が示す明晰性、アルトーにおけるイヴリィでの本質の沸騰が示す超－明晰性は[*8]、まさにこの様態に相応しいものであろう。すでにア・プリオリに固定化した社会性が浸透している、親と子の関係、夫と妻の関係、同志・友人との関係、原因と結果の関係、知性と感性の関係、精神と身体の関係……、これらのうちの一つの関係さえも、歴史的な常識・良識に抗して変えられない者――端的に言うと、スピノザにおける若干の並行論さえも意識しない者——が、どうして社会的な諸関係全般を変形できるというのか。

〈自然界の一義性〉についての自然哲学と〈反自然の融即〉を規定する実践哲学

伝統的な形而上学に対する反形而上学の運動は、別の形而上学によってなされるのではなく、むしろ今日の自然学あるいは自然哲学によってなされる必要がある。すなわち、それは、それだけで自己完結するがゆえに、「の後に」（メタ）を拒否し、既存の形而上学を排除する〈大自然〉についての学である（例えば、初期ストア派の自然学、アルトーにおける「第一自然学」[*9]）。その限りで〈大自然〉主義とはいかなる形而上学も生み出すことなく、〈自我〉なしに、つねに自己において再開することのできる「神あるいは自然」を表現するのである。ここでは、存在は、個別性についてではなく、特異性についてのみ唯一同一の意味において言われるのである。しかしながら、理想主義、反動的な諸感情、国家への同意と国家的合意、記号化への意志、表象的思考、こうした個別性の組織化に不可欠な要素を提供するような存在と道徳の形而上学から、われわれはいかにして逃れることができるのだろうか。

個別性のいかなる組織化も、当の個別性の本質（類的本質、一般性）に対してはまったく無差異である。例えば、社会的動物あるいは理性的動物と言われるような個別性動物は、目的論、存在の多義性、否定性の優位を原理とした多様体の構成員にとっての、人間の本質でしかないのである。言い換えると、それは、存在が本質に対して偶然的であるということである。しかし、これとまったく逆に、本質が存在について差異的であり、また存在が本質に対して無差異ではないという一義性の事態が考えられるだろう。こうした出来事は、われわれに思考の不可能性や無能力を強いるかもしれないが、しかし、それでも一つの必然性であり、人間の感情までも貫く自然界の必然性を示しているのである。この点についてスピノザは、次のように述べている。「自然のなかには、自然自体の欠陥に帰せられうるようないかなるものも生じない。何故なら、自然はつねに同一であり、また自然の力と活動力能は至るところで同一だからである。すなわち、すべてがそれに従って生起し、ある形相から他の形相へと変化するもととなる自然の法則あるいは規則は、至るところでつねに同一だからである。したがって、いかなるものであれ、その物の本性を認識する様式は、また唯一同一でなければならない。すなわち、それは自然の普遍的法則あるいは規則による認識でなければならないのだ。したがって、憎しみ、怒り、妬みなどの感情も、それ自体で考察されれば、それ以外の個物と同様に自然の必然性と力から生じるのである。このようにして、感情は、認識されるべき一定の原因を認め、また、ただそれを観想するだけでわれわれに喜びを与えてくれるような他の物の諸特質と等しく、われわれの認識に値する一定の特質を有している[*10]」。

悪天候は好天候の欠如ではないし、灰色に黄色の不在を見るひとはいないだろう。同様に、憎しみは愛の欠如ではないし、妬みは同情の不在ではない。感情は、不当に貶められ蔑まれてきただけでなく、知性とは対照的に進歩とはまったく無縁のものだと思われてきた。あらゆる感情それ自体が、知性や理性を欠いた愚劣なものとして、つまり〈人間の本性〉の欠陥を示すような

〈人間の獣性〉をまさに表わしたものとして考えられてきた歴史が現に存在し続けているのである。しかし、感情は、こうした理解に反して、まさにわれわれの〈内部の神〉のごときものであり、われわれ自身と外部の事物との間の不可視の関係を自己の身体の状態に即して表現しているのだ。スピノザは、自然界における存在の多義性を批判して、自然の法則あるいは規則、つまり自然の必然性はすべてのものについて同一であるという様相の一義性によって、存在の一義性の平面を主張する。スピノザのこの理解は単に自然物にとどまらず、最終的には人間の感情にまで及ぶものである。感情は自然の力の一つの表現なのである。部分的であれ全体的であれ、われわれの身体に生じるあらゆる変様——そしてそれを表現するその変様の観念——は、それ自体で観れば、まさに自然の変様そのものである。しかしここには、否定なきあるいは欠如なき無能力が、けっして能力の有能さに移行しえないという意味での無能力が含まれているのだ。それは、絶対的受動、つまり絶対的悲しみを規定するような一つの実在的力能である。スピノザはこうした力能をけっして語らなかったが、しかしわれわれは考えなければならない。共通概念を媒介として、喜びの感情から直観知に至る、スピノザにおける経験論、つまり力動的なマイナー幾何学に加えて、ここでは、変様の極致であるが、しかしすべての共通概念を本質の叫びに変えることのできるような、流体的な、しかし本質へと逆流する身体を考えなければならないのである。

　自然の共通の秩序を超えて、つまり自然に反して自然に関与すること、逆流する様態的変様、一つの「反自然の融即」、それが情動のマイナー幾何学の究極の意義である。[*11] 絶対的悲しみのマイナー幾何学はより強くマイナーな変様を対象とするが、しかし、こうした悲しみはもはや奴隷や圧制者や聖職者のものではない。何故なら、それは、彼らのように可能性を用いないし、用いることがもはやできないからである。そもそも可能性それ自体がそこでは消尽されているのだ。しかしそうだからといって、つまり、受動性のいくつかの特徴——反転、模倣、過剰、動揺、等々——をもたないからといって、喜びの能動性に転換したというわけではない。それはむしろ、アルトーのように、恐怖という受動性を克服した残酷の能動性に結びついているのだ。コナトゥスは、単に現在ある自己を維持しようと欲する力ではなく、生成変化に関わる自己を実現しようとする力である。しかし、もはやその実現の条件からは徹底的に引き離されているのだ。しかし、絶対的受動性が、能動性への存在しない奇妙な回路、あたかも突然変異のごとく発生した回路、つまり最短の経路を通ってこの力を逆流させるのである。それは、自己の実現、自己の表現が存在上の無能力のもとで本質へと逆流することである。その限りで、こうした存在の喜びに反転不可能な情動＝悲しみが表現する変様は、自然に反した変様であり、一つの反自然の融即を定義するものである。それゆえ、悲しみについてのマイナー幾何学は、自然界の一義性とこの反自然の融即との間の折り目に関するもっともマイナーな幾何学、つまり残酷の幾何学を描き出すのである。

・

無能力のマイナー幾何学——いかにして、悲しみ、憎しみ、怒り、妬み、復讐心、等々を、あるいは否定なき無能力を表現するのか

われわれがもつ感情は、われわれ自身が存在者の間で生きるしかない以上、そのほとんどが受

動的である。こうした受動感情は、つねに動揺し、反転し、移行し、流れ出し、感染するが、それでもこれら一連の運動は、たしかにわれわれ自身の身体の外部に存在している他の事物や身体との出会いの可能性、出会いの組織化のもとにあるだろう。つまり、そこでは、つねに出会いの可能性の条件を用いた後で、それの必然的な組織化＝有機化が示されるのである。これはとりわけ感情の存在に視座を置いたものである。しかし、スピノザは、神や精神を論じたのとまったく同じ仕方で、そして線や面や立体を研究するのと同じ方法でわれわれの諸感情を考察するのである。ここには、たしかに感情の本質についてのマイナー科学、マイナー幾何学があるが、しかしながら、このマイナー幾何学は、人間の神への知的愛にまで到達し、永遠性の問題さえも表現するのである。そのためには感情の存在から出発する必要があるのだ。何故なら、存在の究極の意味、一つの生の真の出来事は、一切の道徳的価値づけを離れて、本質の触発に、つまり自己触発の諸経験に存するからである。

さて、スピノザは、「或る人を憎む者は、その人に対して悪〔害悪〕を加えようと努力するだろう。ただし、そのために自分自身にそれ以上の悪が生じることを恐れる場合はこの限りではない。また反対に、或る人を愛する者は、同じ条件からその人に対して善をなそうと努力するだろう[*12]」、と述べている。要するに、ひとは自分が憎む者には災いを、また愛する者には幸福を、それぞれ与えようとしがちだが、しかし、もしそのことによって自分自身により大きな悪や災いが降りかかることを恐れとともに想像するならば、そのひとはそうした悪巧みあるいは善の行使を断念するだろうということである。自分が憎んでいる相手を殴りたいと思ったが、しかし、殴ることによってそれ以上の災いや暴力が自分を襲うかもしれないと恐れを以って想像するならば、おそらくそのひとは殴ることを自制するだろう。つまり、そこでは、殴るという行為、暴力の行使という現象は起きず、ひとはうまく抑止力が働いたという風にさえ解するだろう。そこでは悪あるいは悲しみに属する事柄はもちろんのこと、実際には何事も起こらない。一見すると平和がその場所を支配し、人間の良心がそこでは勝利し、善が実現しているかのように見えるだろう。

しかし、この事例が示しているのはまったく逆のことである。たしかに表面的には平和で争いごとは何も起きていないが、しかしこれは、何かの積極的な善の働きによってそういう状態になっているのではなく、むしろより大きな悪を恐れてのことである。したがって、より大きな害悪への恐れという抑止の感情力が働けば働くほど、反対にこの場合の悪は、つまり憎しみの感情と害悪を加えることへの努力＝欲望は、可能的な意味において完全に潜勢化し、それゆえその潜在性ゆえに同種の悪が次々と無際限に蓄積していくことになるだろう。例えば、或る国家は、あえて潜在性と現働性の区別をつけずに、他国がもついかなる潜在的脅威も明らかに直接的な現働的脅威だと見なすことによって、その悪が無際限に蓄積する前により大きな力で以ってその脅威に対して害悪を加えることができるだろう。これは、先のスピノザの感情の論理を用いたものである。それゆえ、現在の地球上最大の国家は「それ以上の悪が生じること」をもはや恐れる必要がない以上、彼らが憎むものに対して容易に害悪を加えることができるのだ。国家を承認し、それに同意を与えている受動感情、あるいはそうした「感情の情念的体制[*13]」は、存在を多義的に理解し、否定性を媒介として多様で複数あるものを捉えるような共通感覚的思考と同時に成立するのである。

しかし、もし或る人を憎む者が、その人に対して害悪を加えようと努力することから完全に引き離されているとしたら、つまりそれほどまでに精神からも身体からも自己の活動力能が奪われているとしたら、これをいかなる事柄として理解すべきであろうか。自然的条件のなかでは、われわれは、悪しき出会いや悲しみ、あるいは非十全な観念しかもてないよう余儀なくされているような存在である。それにもかかわらず、われわれは、こうした条件のもとにあっても、何とかして少しでもよい出会いを組織化して、喜びを増大させることによって、運命の権利のもとから自己の権利のもとへと自らの存在を移行させようと努力するのである。それこそが、自己保存(コナトゥス)というわれわれのアクチュアルな本質が実際に問われる場面であろう。自然的条件とは、スピノザの公理を用いれば、「自然のなかには、それよりももっと有力で強力な他のものが存在しないようないかなる個物も与えられない。どんなものが与えられても、その与えられたものを破壊しうる他のもっと有力なものが存在する」[*14]、ということである。これは、まさに可能な現実性を構成する一定の時間と場所に関して言われるような個物を念頭においてスピノザによって表明された、自然界に存在するすべてのものにとっての〈可能性の条件〉である。

こうした可能性の条件のなかで、われわれは少しでも喜びを増大させようと、存在する他の物体=身体との出会いにのみただひたすら配慮し、自分を中心とした環境としての時空間を有機化しようと努力する。それはたしかに可能なことであるし、実現されうるような事柄でもある。しかし、そこで出会われるものは、可能性の条件のもとで条件づけられたもの同士の間で生起するような事物である。あるいはこう言うべきかもしれない。受動感情は、実はどこかでこうした可能性そのものや可能性の諸条件を肯定し続けているのだ、と。ドゥルーズが主張するスピノザの経験主義とは、一つには、喜びという受動感情を起点として、共通概念の形成の次元を開くことで、こうした可能性の条件の克服を経験論の次元で主題化することにある。言い換えると、それは、強い意味で部分的に、この可能性の条件から可能性を枯渇させ、これによって条件づけられたものからその可滅性を排除することでもある。何故、そんなことが必要なのか。そもそも「自然の共通の秩序」のもとでは、あらゆる人間に対して表象的な知や共通の感覚や良識が平等に分配されているのだという点が完全に想定されているからである。すなわち、想像知、人格神、死の神聖化、存在の多義的な了解、アナロジカルな知性、等々を、これについて肯定する者も、批判する者も、ともに共通の結果として受容しているからである。それゆえ、このスピノザ的経験主義の闘いもここにその意義を有することができるのである。

しかし、完全にその可能性を、つまり現に存在するその悲しみの感情から喜びの感情への反転・移行可能性を絶たれた無数の個体群が存在することも確かである。存在し始めたと同時に、自己自身よりも圧倒的に有力で強大な他のものがつねに現前しているような個体は、そもそも自らの存在に関する一定の時間と空間が問題化される以前に、あたかも本性上能動的な悲しみに触発されているかのような、活動力能の絶対的減少・下降に、あるいはその活動力能そのものの破壊に曝されていることになるだろう[*15]。それは、他者のまったくいない世界である。ここには、喜びへの移行の可能性がないだけでなく、可能化するものとしての他者が存在しないのである。こうした事態は、本性上表現されえないものであるかもしれないが、それでも、存在の一義性の平面に関わっており、その平面の無底さの度合をもっともよく表現するような悲しみの情動と、引き裂かれた一般性の外部で形成される概念、あるいはわれわれの精神に妥当でもなければ、われわれの精神をけっして構成することもないような観念とを、肯定的に、しかしそれらの実在的変化を折り込んだかたちで表現することによってしか成立しえないものである。

〈残酷の定義〉――スピノザは、ドゥルーズによれば、たとえ悲しみのなかにあっても、いかにしてこの悲しみから喜びへの移行を可能にするような出会いを積み重ねるかを問題にして、一般性のもっとも低い共通概念の形成というかたちで一つの新しい実践哲学をつくり出した。しかし、これに対してアルトーの問題は、まさにいかなる概念もなしに、しかし同時にいかなる否定も欠如もなしに、或る実在的な無能力を行使すること（例えば、叫ぶこと、あるいは叫びをともなって息をすること）によって、どのようにして身体の本質を震え上がらせるような演劇を、つまり〈残酷の演劇〉を生起させるのかということである。前者には恐怖の問題があるが、しかし後者には残酷の問題がある。スピノザには存在の恐怖から本質の至福への平民の問題があるが、アルトーには存在の無能力による人間の本質の変形という難民の問題があるのだ。前者では〈永遠の相〉のもとに身体の本質を考えることが問題となるが、後者では〈連続変形の相〉のもとに身体の本質を投射することが課題となるのである。自己を中心にして外部の物との出会いを有機化することなどとても不可能であり、それとともに身体と精神の活動力能の増大（＝喜び）への移行、転換の道は閉ざされ、その可能性はまったく尽きてしまったような状態にあるが、それでも自己の実現の力能たるコナトゥスは発動し続けている。たとえ喜びの対象との出会いの可能性がまったく失われているとしても、自己の実現の力能は、自己のその本質へと逆流して、存在のなかで対応するような表現をいっさいもたないとしても、そのすべてが変化するような自己触発、自己変形というもっとも特異な出来事をいかなる受肉もなしに実現する——つまり、反‐実現する——のである。二つの側面から、こうした絶対的悲しみあるいは欠如なき無能力に関する幾何学を描くことができる。一方では、共通概念の現働的な意味ではなく、その潜在的な意味（他者殺し、利他殺し）を本質に投射することによって、それを触発し、本質の自己触発を促すことのできるような不死の経験論を定立することによって。他方では、アルトーの無能力において、共通概念を形成しなくても、あるいはむしろ概念なしに、人間の本質を触発する、いやそれ以上にその本質あるいは本性を無残にも変形するような分身——残酷俳優、つまり真の身体を投射する者——を備給することによって。この世界、この地球上には、実際は悲しみの過程の方がより多く実在することだろう。しかし、現実のこの過程は、絶望という〈死に至る病〉として道徳化された他者存在をその感染経路とするものである。これに反して、〈不死に至る病〉はとりわけ自己の本質に対して感染する残酷という独特の病である（これについては、スピノザにおける第三種の認識（直観知）に至ろうとするいかなる努力も例外ではない）。〈不死に至る病〉とは、人間の本質に対する病である。〈不死に至る病〉とは、人間の本質に対してことをなそうとする意志と、その本質を触発・変形しようとする感情あるいは欲望（至福、残酷）とをもつことである。存在の間での伝染ではなく、また本質の間での共鳴振動もなく、存在から本質への感染と、この感染の実質的要素としての残酷が問題なのである。こうした意味での感染と残酷、それらは「一つの真の病」であり、不死に至ろうとする伝染病である。アルトーはこれが病であることを明確に自覚していたからこそ、残酷という言葉を用いたのである。本質の変形、それは残酷以外の何ものでもない。何故なら、人間の本質を憎む者が、他の人間によってではなく、実はその本質によってしか自分が愛されていないと感じる場合、彼はそれに対して愛と憎しみの衝撃に同時に襲われるが、しかし憎しみ(無能力)が優勢を占めるならば、彼は自分を愛してくれるその本質に対して破壊あるいは変形を加えようとするからである。この感情は残酷と称される。[*16]

第二節　欲望する並行論・分身論

ドゥルーズ＝ガタリと分裂綜合的思考

スピノザはすべての人間を、言い換えると、すべての「正常病者」[*17]を敵にまわしていると言えるだろう。そこで私は次のように考えたい。つまり、この正常病に対する批判の経験が一つの実在的な経験となって、〈精神分析的思考〉とけっして和解しえない〈分裂分析的思考〉を形成する誘因となるにちがいない、と。ここで言う分裂分析的思考とは、反道徳的な、エチカの思考のことである。それでは、「正常病」とは何か。それは、意味と価値という、物体のようにはけっして製造も破壊もされない非物体的なものに関する一つの生活習慣病、記憶習慣病であり[*18]、目的論、多義性、アナロジー、可能性、否定、意識、善悪、表象、言葉、家族的関係、カップル関係、科学的知性と宗教的感情、生殖活動、等々に取りつかれること、あるいはこれらの言語に取りつかれること、実在性のすべてをこれらのうちに囲い込むこと、言わばマジョリティに固有の不治の病、共同主観的信念をかたちづくる表象知や心というものの出現である（しかしながら、マジョリティの真の価値は、こうしたものによってではなく、逆に、反目的論、一義性、必然性、無意識、肯定性、概念、情動、無神論、反道徳、反科学、消尽したもの、絶対的悲痛、残酷、感染性、等々だけがもちうるような高貴さや勇敢さをどれだけ人々に喚起することができるかによって、むしろ決まるのである）。しかし、ここで私は、スピノザだけが健康であると言いたいわけではない。そうではなく、むしろスピノザは、発狂した概念創造を企てる一人の分裂的な経験論者、反‐規範的な認識論者だということである。

ここにあるのは、病気と健康との間の単なる質的な差異ではなく、否定を媒介として無能力の多数性を生み出すような病者と、肯定としての諸能力の多様性を産出する病者との間の差異である。ニーチェが言う「病者の光学」とは、こうした差異を照らしだすような光の認識論のことである。ここには、同一性のさまざまな特性ではなく、まさに差異の本性を照らし出す光が存在するのである。重要なことは、この新たな病は特定の或る病を排除する一つの病だということである。これは、正常病を、そして多義性と理想主義を排除する、病者の光学、光の認識論である。死でさえも、ここでは別の死と対立するだろう。この光は、闇と対立するのではなく、むしろ別の可視的な光と対立するのである。それは、この可視的な光の体制に反するものたちに〈見ルベキモノ〉、見ることしかできないものを照らし出してやるのである。この限りで言えば、スピノザやニーチェ以上に、この認識者にもっとも相応しいのは実はアルトーである。彼は不死に至る「一つの真の病」を完璧に捉えていたのだ。アルトーは、ジャック・リヴィエール宛の手紙のなかで次のように書いている。「読者は、時代の一つの現象ではなく、一つの真の病を信じなければならない。つまり、存在の本質に、表現における存在の可能性に触れる病、そして一つの生の全体に適合する病を信じることが必要なのです[*19]」〔強調、引用者〕、と。人間本性を残酷な変形にもたらすことのなかにしか、あるいは本性の悲鳴、本質の叫びのなかにしか、われわれの存在の意味も、人間の救済もないと言うべきだろう。これは病気という仕方でしかわれわれに与えられないのである。不死に至る病とは、身体の存在とその本質との間に張られた一つの強度の名である。

アルトーは、同じ手紙のなかでリヴィエールに対して、「何故、嘘をつくのですか」と問う。「何故、生の叫びそのものである事柄を文学的局面におこうとするのです。何故、魂の根こそぎにしえない実質からなったもの、実在性のうめき声のようなものに虚構の外見を与えようとするのです。(……)われわれは嘘をつく権利をもっているが、しかし事柄の本質についてはもっていません」。同じような問いを提起できる。何故、叫びの音調性をもった文体を豚のように醜いエクリチュール一般の産物にしようとするのか。何故、存在という糞便のなかだけで問題を解決しようとするのか。何故、物体の表面だけに、つまり糞袋の表面だけに、あるいはその表面の言語だけに問題を切り縮めるのか。何故、身体の問題を糞袋としてだけ扱うのか。何故、身体の本質をその身体の存在の分身として捉えようとしないのか。何故、無意識を意識に関してのみ理解しようとするのか。何故、無意識を思考と身体についての肯定的な要素として考えないのか。何故、非物体的なものの変形の備蓄庫として無意識を備給しないのか。

そこで精神分析を考えてみると、それはたしかに人々のなかで機能してきたし、現在でも十分に人々のなかで特定の効用をもっているだろう。ただしそれは、その本性上すべてを幻想によって、表象像と言葉の言語によって解決し、それゆえ表象知のなかにわれわれの精神を固定する限りにおいて、あるいは精神という一つの非物体的な宇宙を多義性と類比で満たす限りにおいてのみ機能しているにすぎないように思われる。その限りで、つまり欠如と剰余の道徳学である限りで、精神分析は有効なのである。言い換えると、一義性の哲学のそのパースペクティヴから言えば、精神分析は、やはりどこまでも〈存在のアナロジー〉やこれに対応した〈イマージュの思考〉――枚挙にいとまがないが、例えば、転移や対象aといった精神分析の基本概念がどれほど厳密な比例性（異なった諸項の間を移行するために前提となる、関係＝比の同等性、アナロジーの橋、存在の闇のなかでの跳躍、等々）の思考のもとで成立していることか――に対応し、かつこれらを分有する意識に対する形而上学的な「無意識」に関する象徴的な営みだということになる。事実、精神分析的思考は、こういった存在のアナロジーや多義性、イマージュの思考や言葉の言語と必ずしも対立しないし、それらの思考に対して新たな問題提起や批判を展開することも、それらを破壊することもないだろう。

これに反して、ドゥルーズ＝ガタリが『アンチ・オイディプス』のなかで提起する「分裂－分析」（schizo-analyse）は、正常病やその思考（優越性、多義性、アナロジー、否定性、目標、記号、等々に依拠したもの）と、これを前提とした広義の精神障害、そしてとりわけこれらを用いる人々とを批判すると同時に、まさに〈存在の一義性〉（あるいは〈認識の一義性〉――これはスピノザにおける遠近法主義をなしているものである）を形成することに、言い換えると、現実にこの一義性を産出し配分するような精神の超越論的「無意識」を形成することにある。とりわけガタリが導入したこの「分裂分析」によってドゥルーズは、精神分析と必ずしも一致しないが、しかしそれと和解可能な諸結果を生み出していたそれ以前の哲学的思考を徹底化して、まさに精神分析的思考とけっして和解しえない地点での思考を、つまり〈分裂分析的思考〉を獲得したのである。一言で言うと、それはスピノザ主義と分裂症との偉大なる綜合──「実在的なもの〈現実界〉の一義性」あるいは「無意識についてのスピノザ主義[*20]」──である。スピノザ哲学は分裂症によって新たな実在的強度を獲得し、分裂症はスピノザ主義のうちに完全な表現の形式を見出すのである。この経験、すなわち正常病者の生と死を批判しようとするこうした分裂分析的経験は、各個の様態、その生存の様態のなかの沈黙した、しかし叫びの音調性をもった部分的強度を感覚し、また精神の無意識の生産と、身体の存在の分身としての器官なき身体の発生とに関してその実在的な諸要素となるものである。

精神的－物理的な合一論から分裂的－身体的な分身論へ

われわれは、精神と身体の経験主義的並行論を、つまり分身論を形成するために、まずこう言おう。〈分析せよ〉、そして〈形式化／理論化せよ〉、決定的に衰弱した思考、死せる精神分析よ、あるいはむしろ、あらゆる面でスコラ化した現代の死せる分析思考よ。こうした分析思考は、概念を創り出そうともせず、正常病とその表象像にぴったりと寄り添って、ただひたすら論理とタームだけでことをなしていこうとする。つまり、概念のない単なる理論的見解しか生まないような、〈意見せよ〉である。しかし、分裂分析の仕事はこれとはまったく違う。それは、分析というよりも、むしろまったくの綜合である。〈あれか、これか〉の排他的な関係ではなく、〈あれであれ、これであれ〉という、非共可能性の関係を可能世界なしに唯一同一の世界で把握しようとする離接的綜合は、この意味において、厳密には〈分裂‐綜合〉(schizo-synthèse)の一つのタイプである。それは、〈分析せよ〉、〈意見せよ〉に取って代わる、〈破壊せよ〉、〈生産せよ〉であり、この二つの活動＝動詞の綜合である。ドゥルーズ＝ガタリは、分裂分析におけるこの〈破壊せよ〉という第一の否定的な仕事が、〈生産せよ〉(これは、各個の欲望する諸機械——関係が外在化したなかで、結びつきのないもの同士が結びついて作動する結合体——のその存在の様態を見出すこと、社会的領野を備給すること、〈強度＝0〉(すなわち、器官なき身体)を備給することである)という第二の積極的な仕事と切り離せないと言うが、それはここでの生産がまさに破壊の衝動を意識した欲望の生産だからである。

さて、スピノザには、実は精神分析の対象となりうるような精神やその心的過程(精神の可滅的部分、意識一般)から、精神分析の対象とはけっしてなりえない精神(身体の本質に関わることのできる精神)への実在的な変動過程の問題が実践哲学として構成されていると言える。しかし、スピノザのなかに心の深層としてのフロイト的な無意識を見出そうとする努力がつねに無駄に終わるのは、スピノザにおける無意識が意識を超えた精神の無意識であり、それゆえ同時に身体という肯定的な〈無‐意識〉だからである。それは、既存の諸概念の運用を規定する適用の秩序のなかで見出されるものでも、単にア・プリオリにわれわれに与えられるものでもなく、身体とともに形成され、産出されるものだからである。「ひとは、身体が何をなしうるのか、また単に身体の本性を考察することから何が導きだされるのかを知らない[*21]」。『エチカ』において、この有名な言葉が現われる長い備考のなかでスピノザは、まさに精神は意識に還元されず、またこれと同時にわれわれの意識に定位した認識も「身体が何をなしうるのか」を知らない（言い換えると、意識は〈身体が現に何をなしているのか〉さえ知らないのだ）ということを示している。つまり、身体における或る「決定(デテルミナチオ)」が精神におけるその「決意(デクレトゥム)」と本性上同時だということ、言い換えると、われわれの活動は、意識のなかで自覚された〈自由な決意〉――スピノザはこれを、目を開けながら夢を見るようなものだと言う――に基づいてなされるのではなく、神経症的な意識やコギトを超えた、精神の決意＝身体の決定によってなされるということである（この意味において、無意識とは、実在的区別という〈間(あいだ)〉の問題であると同時に、この区別――対立なき区別――そのもののことであろう）。これによってまさにスピノザに固有の無意識の問題が提起されることになるだろう。すなわち、この経験主義的並行論そのものがすでに〈エチカ〉における無意識の形成を示しているということである。[*22] 無意識の生産、それは欲望する並行論の形成によって達成されるのである。

さて、ドゥルーズのスピノザ論の最大の特徴は、スピノザにおける経験主義的側面を諸概念の「形成の秩序」のもとで実践哲学として明らかにした点にある。[*23] 言い換えると、これは生についての一つの完全な合理論を〈不死〉についての高次の経験論へと、あるいは自然界の一義性から反自然の融即へと表現の水準の価値転換を遂行することである。スピノザの一義性の哲学は、単に哲学史における存在の一義性の理論上の系譜のなかで落ちついた定位置を与えられるようなものではない。それは、〈一義的存在〉概念の経験論的形成のもとでしか思考されえないような、それ自体が一つの決定的な出来事であり、また、この〈一義的存在〉それ自体があらゆる出来事に対する唯一同一の出来事として捉えられなければならないのである。しかしながら、今日、スピノザの実践哲学から、とりわけその並行論の議論からこうした経験論の批判性がほとんど見失われているように思われる。並行論は、現にそう在るところの精神（つまり、一般的に心（こころ）と呼ばれるようなもの）と身体（つまり、一般的に体（からだ）と呼ばれているもの）との間の関係を単によりよく説明するだけの概念などではなく、〈他のものに－生成する〉ところの精神と身体を現実に生み出し、それゆえあらゆる意味と価値の変形についての概念、それらの新たな形成についての概念でなければならず、またそれらの概念の新たな受肉の体制についての問題論でなければならない。それは、いわゆる「存在論的並行論」（属性を異にするすべての様態について言われる並行論）から「認識論的並行論」（観念とその対象との間の一般的な並行論）へと、そしてまたこの認識論的並行論の個別的事例であると同時に、われわれの具体的な心身関係を規定する心身並行論、つまり「精神的－物理的」（psycho-physique）並行論[*24]へとその解像度を上げたとしてもけっして感知できないような、形成の次元のもとで考えられる並行論であり、様態の決定＝決意の次元で生産される並行論である。言い換えると、それは、経験主義的並行論、欲望する並行論であり、いかなる比例性も、つまりいかなる関係＝比の同等性（〈a：b＝c：x〉）も前提することなく、それら一切の既成の関係性に対する絶対的な遠近法主義をともなった、破壊と生産を条件として転移する並行論、すなわち〈精神的－物理的〉に取って代わる言わば〈分裂的－身体的〉（schizo-corporel）並行論――要するに、〈分身論〉――である（ガタリならば、さらにこの並行論それ自体はまったくの肯定的な意味において「非物体的」だと言うだろう[*25]）。

私がここで提起するこの欲望する〈分裂的‐身体的〉並行論は精神における〈批判の問題〉と身体における〈臨床の問題〉との並行論であり、ここではたとえ表現が問題になったとしても、それは生産の問題として提起されていることを忘れてはならない。たしかにクレール・パルネが「批判と臨床は厳密に同一視されるべきだろう」と言っているのはまったく正しい。[*26] しかし、この「厳密に」とは、あくまでもそれらが〈並行論をなしている限りで〉という意味に理解する必要がある。ここでの批判の問題とは、表象像と言葉の言語から、あるいは想像的なものと象徴的なものから、生成と強度を内容にもつ〈観念‐欲望〉へと精神の力能、つまり思考の力の水準を変形することである。また臨床の問題とは、〈鏡〉そのもの、例えば、ラカンの鏡像段階を生み出す鏡、他者としての鏡、ライプニッツにおける形而上学的な生ける鏡、反射あるいは表現する鏡、等々の徹底した破壊作業であると同時に、幼児期の身体の本性をより強力に表現する限りで、現在の現働的な身体を「別の身体」へと変化させることである。この二つの問題は〈エチカ〉の必然性、そして恐怖が克服された残酷の必然性のなかでのみ完全な並行論をなすことができるのである。[*27] それゆえ、マジョリティの言語たる分節言語、文法的に分節された言葉の言語への批判なしにこの臨床の問題はありえず、それと同時に、言葉の意味ではなく、非物体的なものの変形という出来事を産出する身体、つまり「別の身体」を問題化することがなければ、批判の問題はどこにも存在しないことになるだろう。[*28]

こうした意味での並行論は、単にア・プリオリにわれわれに与えられるようなものではなく、われわれ自身が形成するものであり、欲望のうちで欲している内在的実体を構成するもの、すなわち生産的無意識のことである。このように考えていくと、スピノザにおけるこの実践的な〈欲望する並行論〉を提起することによって、われわれは分裂分析的思考が内包するより創造的な哲学的諸問題を明らかにすることができるだろう。それにしても、われわれは並行論という言い方に違和感を覚えるべきではないだろうか。スピノザ自身は、並行論という言葉で自らの哲学説を主張したことはない。それはむしろライプニッツが用いた言葉であり、彼の並行論の定義とは以下のようなものである。「私は、魂に起きることと物質に起きることとの間の完全な並行論を確立した。この並行論によって私は次のことを示したのだ。つまり、魂とその働きは、物質とは区別される何らかの事物であるが、しかしその魂は物質的な諸器官をつねにともなっているし、魂の働きの方も、これに対応しなければならないような、諸器官の働きをつねにともなっている。また、このことはその逆も成り立ち、しかもつねにそうなっているだろう、と[*29]」。しかし、スピノザの哲学のなかに並行論と言われるものが確実にあるとすれば、それは、こうした意味での対応、応答、付随といった概念に還元される限りで理解されるような、二つの物、あるいは二つの系列の物の特定の関係だけを表わすものではないだろう。原因と結果の間の不変的な〈関係＝比〉を前提として、素朴な因果性の〈関係＝連関〉しか想起させないような並行論は、もはやわれわれにとっては、哲学の力も、倫理学の力能も、もはやもちえないだろう。経験主義的並行論は、こうした概念に対する批判とこれをすべて身体の臨床の問題とにするような分身論に転換する地点を有しているのである。要するに、並行論とは〈分身論〉のことである。さらに言うと、並行論は分身論の結果の一つにすぎないということである。〈別の身体〉を起点としたとき、並行論はまさに分身論になるのである。スピノザの哲学について、並行論という措辞そのものを用いることを、あるいはライプニッツ的な知性の次元のもとで並行論を理解することをそろそろ止めなければならない。さらには、一般性の高い概念からより低い概念への自然の移行を、あるいは概念から直観への適用の行為を止めなければならない。批判と臨床がつねに〈別の身体へ〉という問題意識をともなっているならば、こうした並行論は端的に分身論と言われるべきなのである。

欲望する並行論・分身論（その第一の規定）

それでは、こうした意味での並行論・分身論のプロセスを具体的に考えてみよう。第一に、不完全性や欠如や否定といった概念を排除して、身体を肯定する批判的関係（あるいは、より積極的に言うと、実在性の〈度合の差異〉の観点）という契機を設定することができるだろう——言い換えると、これは、いつ、どのようにしてひとは実在の領域を定立するのかという問題提起が可能となるような場面である。スピノザは次のように述べる。「私は、精神が混乱した観念によって自己の身体あるいはその部分について、以前より大きなあるいは小さな存在力を肯定すると言う。何故なら、諸物体についてわれわれのもつすべての観念は、外部の物体の本性よりもわれわれの身体の現働的状態をより多く表示するが、感情の形相を構成する観念は、身体あるいはその或る部分の活動力能あるいは存在力が増大したり減少したりする、つまり促進されたり阻害されたりすることによって、身体あるいはその部分が呈する状態を指示あるいは表現しなければならないからである」[30]。ここには、身体と精神に関する否定や不完全性の概念は存在しない。それだけでなく、ここで言われる完全性は不完全性と対をなすような概念ではない。つまり、より小さな完全性はより大きな完全性の欠如や不在をけっして意味しないということである。たとえ悲しみの感情であっても、それは、単に喜びの欠如でも、認識の錯誤でもなく、肯定されるべき一つの積極的な移行状態（われわれの活動力能の減少）を示し、この実質的移行を表現する出来事としての〈悲しむこと〉に固有の強度（あるいは欲望）、例えば、怒り、復讐心、憎しみ、妬みと、それらによる行為への決意とを有するのである——この線上の一つの極限にテロルがあると言える。身体は、外部の物体によってその完全性の流れが加速されたり塞き止められたりするような一つの流体であり、外部の物体の本性よりも自己の身体の本性を中心として、全方位的に、しかし遠近法主義的に開かれたその触接空間を渦巻状に組織化するのである。要するに、こうした感情の強度のみを或る身体上に張り巡らすような存在の様式があるということ、あるいは、こうした諸感情からしか出発することのできないような、身体の生存様式があるということである。忘れてならないのは、こうした悲しみに関する諸々の強度も、自然の必然性であり、嵐や雷が「大気の本性」に属するように、自然の本性に属する諸力だということである[31]。

ここでスピノザが言う「肯定する」とは、同一の身体の二つの状態の比較やそれらの観念の比較を介した営みでもなければ、そうした比較の結果を待って規定されるような活動＝動詞でもない。「肯定する」とは、それ自体、実在性を含む或るものの領域、受動感情のなかに含まれた或る積極的なものの領域を定立することである。それゆえ、ここではいかに小さな存在力でも肯定されるのである。しかし、肯定されるべき様態の個体化は存在力の最低の度合のもとで終わるわけではない。何故なら、すべてのものを特異なものとして産出する内在的実体（神）の必然性は、まったくの受動性というこの最低の度合のものにまで達したが、ここからさらにこの同じ必然性のもとで、しかし別の異なった展開や決定（形成の秩序）のなかでの様態の個体化までをも肯定するからである。外側から認識作用や志向性をもち込むことによって、スピノザにおける精神を意識に、観念を志向性に還元したり、あるいはスピノザにおける観念を単なる観念論（イデアリスム）に直結するものと考えたりする限り、形成の秩序において並行論を構成する二つの要素は決定的にずれたものとして捉えられるかもしれない。しかし、そう考えてしまう内的な理由がもっぱら一方の要素たるべき精神——ただし最初から意識と等価だと見なされた精神——の側にあるのも事実である。何故なら、意識は身体がなしうることにけっして追いつかないからである。つまり、身体の過程には、意識が目標として追いつこうとするような定点や典型がほとんど存在しないからである。重要なことは、並行論においては、明らかに身体が精神に対する指導的モデルになる場面があるという点を知ることである[*32]——死のモデルとして、あるいは不死のモデルとして。

　スピノザは、『短論文』のなかで、「さて、われわれが精神と呼ぶこの様態がいかなるものであるか、またいかにしてその起源を身体から得るのか、さらにまた、いかにしてその変化が単に身体に依存するのか（これを私は精神と身体との合一と名づける）」、という問題を提起している[*33]。これはたしかに唯物論的な問いかけではあるが、しかし、精神がその起源を身体から得たり、精神が身体に依存したりするということは、存在のもとでの唯物論においては、精神を構成する観念は身体の一定の状態を表現するという程度のことである。依存関係は表現関係なのである。精神の変化が身体の変化に依存する以上、例えば、身体が死体に変化するとき、精神は死体を表現すると同時に、それ自身も死滅する。しかし、ここでの問題は、単にこうした魂の可滅性を提起する唯物論ではなく、むしろこの同じ唯物論の名のもとで魂の不滅性を主張することであり、そのためには経験論が必要だということである。いずれにしても、身体の〈なしうること〉は、意識による自覚の埒外にあって、それを超えている。しかし、さらにこのことが実在的に示しているのは、単に精神に対する身体の優越性などではなく、意識の自覚を超えて、この身体の活動力能に対応した精神の〈なしうること〉が、すなわちその思考力能が存在するということである。

系列の並行論からリゾームの分身論へ

スピノザが言うように、たとえ表象像と表面の言語の本質が単に「身体的運動」に基づくものだとしても、それらの本質を習慣と記憶の秩序を支える実質として用いるのはあくまでも精神あるいは意識の方である。何故なら、身体は身体だからである。アルトーは、晩年の有名なテクストのなかで表象の言語を切り裂くような音のブロックを発している――「身体は身体だ／身体はそれだけで存在する／器官は要らない／身体は断じて有機体ではない／有機体は身体の敵だ」[*34]。これは、ほとんど気息であり、叫びである。諸器官、あるいは諸器官からなる一つの有機体は、記憶や習慣が付着した身体、制度化され規則化された身体、それらすべての秩序に従属した一つの身体である。しかし、身体は身体であって、ただそれだけのことである。つまり、この場合に、身体は〈より大きな〉あるいは〈より小さな〉実在性を含む存在を肯定しているだけ、しかし懸命に肯定しようとするだけであり、この限りで身体は絶えず〈より有能〉なのである。ここで私が言う〈より有能〉とは、身体の存在はいかなる場合でもつねに〈なしうることの存在〉にほかならないということであり、さらにこうした身体の本性をまさに「対象の本性」とするのが、精神を構成する諸観念である。この身体の価値によってのみそれら観念の価値が評定され、これによってその肯定的な表現形態の水準が決定されるのである。[*35]

この身体の存在、すなわち〈なしうることの存在〉によって問題提起されるように、観念の表現活動は、それまで容易に無批判的に結びついていた表象像や表面の言語と縁を切って、形成の並行論のもとでその思考活動の準位をたとえ部分的にでも代えるように決定されるのである。しかし、このことは、並行論の先の〈ズレ〉——これは、精神と身体との間に実在的な因果関係を想定することをも含めて、すべて意識に固有の錯覚である——を修正しようとする調和への意志によるものではなく、無意識としての並行論それ自体がもつ欲望における決意＝決定である。そしてそのとき、まさに実在の領域は定立されるのである。スピノザにおける無意識は、ドゥルーズがとりわけ強調する共通概念の形成の秩序に固有の並行論に関わるものである。経験主義的並行論におけるこうした二つの要素、二つの系列、あるいは二つの表現の間には、単なる〈ズレ〉があるのではなく、むしろ身体と精神との〈なしうること〉を同時に定義し、それらの間で実践の問題を自ら提起するような未知なる一つの積極的な不協和があると言うべきだろう。つまり、無意識の形成の次元が明らかにするもの、スピノザの実践哲学をよりラディカルに定義するもの、それは、実在的に区別され、またその間にけっして差異化されることのない絶対的差異が成立するような、二つの発散する系列としての、あるいはそれらの系列を脱コード化する不協和的一致としての、あるいは強度部分的な一致としての並行論、すなわち、リゾーム状の並行論である。それは、単に適用の秩序のもとに定立されたにすぎない、身体と精神の間の「同一の秩序」、「諸原因の同一の連結」、「同一物の相互継起[*36]」をまさに感覚と経験のもとで実質的な分身論として再開することである。しかし、その再開、あるいはその産み直しの際に、これら三つの同一性は完全に保持されるが、もはや精神と身体という二つの系列の並行論という場合のこの〈系列性〉は意味を失い、精神と身体という異質な二つの多様体において一つのリゾームが炸裂したように二重化するのである。ここでは、並行論における対応と対等と同一という三つの水準は、規則正しい順序や連結、同一物の連続的な継起に代わって、切断や接合、転移や折れ目、圧縮や捩じれといったあらゆる変形のもとで実現されるのである。

自我の死——ブロックとパラ・グラフの問題

すべての様態の現働的本質（コナトゥス）は、一つの内在的実体の本質を構成的に表現する属性（表現としての不定法の動詞）の一定の度合あるいは強度を、つまり表現（形相）の度合あるいは強度をもっている。したがって、実体は様態と絶対的に存在の仕方を異にする――その本質が存在を含む――と定義上考えられるから、〈強度＝0〉という存在の仕方でこの内在的実体を表現することができるだろう。言い換えると、その本質が存在を含むということは、この〈強度＝0〉という存在の深層、あるいは存在の分身を表現しているのである。不定法の動詞がもつ強度は、けっしてその動詞の不定詞を人称変化させることでわれわれに把握されたり感じられたりするものではない。或る動詞を人称変化させることによって生じる事態とは、動詞がもはや帰属させられる事物（つまり、主語）の本質を構成することなく、その事物の単なる属性＝特性になるということであり、したがって、動詞がその物のさまざまな量や質に還元される運動をもっぱら形容するだけのものになってしまうということである。そうなると、ただちにひとは再び目的論や否定性の優位を支えるような表象の言語のなかに陥るのである。不定法の動詞（形相）が包含された強度――それらは〈強度＝0〉との間の或る一定の内包的距離を含む限りでそれ固有の水準を有し、そのもとで量と質が展開されることになる。欲望のなかで決定される批判の問題は、例えば、生活形式と合致した間主観的な言語使用（共通感覚と良識によって定義される）に従属した感性を徹底的に凌駕するような一方の〈感覚のブロック〉と、この言語使用に対応する意味と価値を変形すると同時に、この変形の表現を具体的に産出するような他方の〈思考のパラ・グラフ〉とを、つまりあらゆる価値の価値転換に向かう一つの分子的活動あるいはその実践を生み出すことになる。パラ・グラフとは、言葉の言語における意味と価値を変形するのに要する一群の言説の纏まりであり、この変形の過程それ自体を産出するような、われわれの認識論的質料と論理的形相からなる観念の表現＝実践活動である（こうした意味でのパラ・グラフを欠いて書かれたもの、それは「豚のように汚い」[37]。そして、自我は、こうした思考のパラ・グラフに対しては、端的に可滅的なものとして現われるしかないだろう）。あるいは、アルトーならば、語あるいは言葉そのものを言語から解放するのだと言うだろう。ここにあるのは、われわれの思考過程のなかの或る部分において生起する、表象像と言葉の言語によってなされる生活習慣病としての判断適用の次元から、これに抵抗する観念の言語活動という表現の形成への移行である。経験主義的並行論において身体をモデル（究極的にはこれは〈死のモデル〉となる）にすることは、何よりもこうした決意へとわれわれの精神を形相上――つまり、〈心理的・意識的に〉という仕方に抵抗しつつ――決定することである。したがって、表象像や言葉の言語から構成される精神のうちにこうした決意をもつ高次の精神を生み出すということは、身体の分身としての精神を形成することに等しいのだ。

　欲望は一つの感情であり、その形相は観念であるが、それはまさに実在的なものの定立と綜合の源泉である。スピノザは「欲望は意識をともなった衝動である」と言い、さらにこの「意識の原因」を同時に示すような欲望の実在的定義を次のように規定している。「欲望とは、人間の本質が与えられたその各々の変様によってあることをなすように決定されると考えられる限りで、人間の本質である」[強調、引用者]。意識はこの「決定」の単なる結果として生じるものであり、したがって、意識はつねに何かについての意識であると言われるが、それはつねに結果についての意識以外のものではない。しかしながら、重要な点は、この「決定」は何よりも身体を以って経験される自己の活動力能の増大・減少という実在的移行のなかで言われているということである。欲望が〈実在とは何か〉という問いを立てることはけっしてない。欲望は、自らの外部に従うべき範型などもたない以上、けっしてこうした問いを立てることはない。この欲望は名目的なものにまったく無関心なのである。あるいはこの欲望は、こうした問いに従ってこれに応答しようとするような〈解の様態〉などではけっしてない。それは、つねに〈何が実在であるか〉、〈いかに実在を生産するのか〉という問題の様態、プロセスの様態であり続ける。言い換えると、欲望は、判断に先立って、それゆえいかなる欲求もなしに実在の領域を定立する「生産の秩序」にしか属さないということである。

ここでは、死に至る病と道徳的試練と救済が渦巻く土地、多義性とアナロジーが渦巻く領域――すなわち、否定性を媒介とした〈複数〉のものの生産があっても、差異が肯定された〈多様〉が存在しないような領域――とはまったく外在的な関係にたつような実在の領野を定立した。この領野全体は、まずは、〈喜びの知識〉と〈欲望の知恵〉に満ちた情動群によって成立する平面以外のなにものでもない。しかし、注意しなければならない。これは単なる楽観主義ではない。むしろこの領野は、われわれが現状と単に過ぎ去る現在としてしか到来しないような未来とに対して数少ない悲痛なまなざしを向けるからこそ見出されるものである。そして、これは単なる現在に還元されない〈生成の今〉のもとに不死性として到来しつづける或る未来をその条件とする一つの生を、あるいはそのパースペクティヴを何とか肯定しようとする活動が生起する大地である。これは、器官なき身体における〈骨〉にとってもっとも相応しい大地、けっして聖地などというものを生み出さないような大地である（この〈骨〉とともに器官なき身体をつくりあげるもう一つの要素、それは血統系列をけっして生み出さないような〈血〉である）。〈喜びの知識〉と〈欲望の知恵〉の実質は、死と等価なもの（＝死のモデル）としての絶対的悲しみにおいて生起する強度である。一個の様態のなかで作動している欲望、あるいは欲望する並行論がどのようなものであり、それがいかに働き、何を生産しているかを見出すこと。ドゥルーズ＝ガタリは、これが分裂分析の第一の積極的な仕事であると言う。あるいはスピノザにおける諸概念の形成は、感情のなかの或る積極的なものを用いて、いかにして一個の様態のなかで欲望する諸機械が作動しているかを見出すことであり、これが同時に革命的無意識の形成過程となるのである。ここでは自我における可能性の部分、あるいは諸能力に関するカント的な作動配置は完全に死を迎える。感性はもはやいかなる受容も変様もせず、知性は概念的綜合力を完全に失い、判断も推論もまったくできない。認識の能力も、欲求の能力も、快・不快の感情もそこでは消滅するのである。しかしながら、こうした可滅的な諸能力とそれらの結合をあたかも普遍的形式のように提起していたのが、常識や良識やすべての道徳的規範性である。言い換えると、かつて言われた魂の不死というえせ不滅性は、現在でも自我や私や心について繰り返されるということである。ところが、これらはもはや死を迎えるのだ、しかし、こうした自我の死、心の消滅の後にも身体は残るのである。

Ⅱ　死の遠近法

第三節　本質の外皮を引掻く

欲望する並行論・分身論（その第二の規定）

われわれは、先に欲望と実在性の関係を論じた。実在性に対する問い、それがどんな問い方であれ、ニュートラルな問いである限り、つまりけっして問われるべき問題を構成することのない〈質問－応答〉しかその問いが喚起しない限り、実在性は衰弱した思考に対応した言語内のゲームの駒にされるだけである。しかし、これに対して、〈感情の幾何学〉のもとで自然の変様を考え、〈欲望の機械学〉のもとで反自然の融即における生産の独自性を考察すれば、実在性はあらゆる様態を、あるいは諸様態の結合を問題提起的なものの存在へと生成変化させるような要素となるだろう。そこで、これに次いで第二の問題として考える必要があるのは、この実在のなかにどのようにして否定的なものや欠如、その限りでの無能力が生じてくるのかということである。

何故、存在の多義性や目的論、絶望や道徳論に関わるこうした諸問題を改めて提起するのかというと、スピノザが捉えていたように、すべての概念の形成は、人間身体の活動力能の二つの状態（その増大か、あるいは減少か）のどちらか一方に必ず関わっているからである。言い換えると、これは、身体のもとでモラルとエチカの差異――ここには、例えば、自然主義が生み出した人間本性としての「国家装置」（＝集合）と、この本性に属する関係＝比を変形しようとする「戦争機械」（＝群れ）との間の差異さえも含まれる――の系譜学をわれわれに理解させるであろう。この問題を展開するには、善・悪の概念による第二の批判的な、しかしより効果的な方法論的観点（あるいは、活動力能の増大・減少という実在的な移行過程における〈本性の差異〉の観点）を考える必要がある。この方法論的観点は、第一の批判的関係以上に批判的、つまりより創造的なものである。

スピノザは次のように言う。「私は以下において、〈善〉とはわれわれが提起する人間本性の型にますます接近するための手段になることをわれわれが覚知するものだと解する。これに反して、〈悪〉とはわれわれがこの同じ型に一致することの妨げになることをわれわれが覚知するものだと解する。さらにわれわれは、人間がこの型により多くあるいはより少なく接近するかによって、その人間をより完全あるいはより不完全と呼ぶであろう」[*38]。重要な論点は、定立された実在の外部に多義性あるいはアナロジーの思考と世界を放置しておくのではなく、一つの身体のもとで、それら存在の多義性と実在の一義性の領域を二つの多様体の類型として、あるいは体制の違いとして関係づけ、さらにはそれらを連動させることである。さて、「人間本性の型にますます接近する」とはその本質と存在がより多く一致するようになること、つまり個体としての人間の存在がより多く自らの本質との関係で規定されるようになることであり、したがって、ここでの善はより多く〈よい／わるい〉の実質を、すなわちより多くの完全性（＝実在性）をもつようになるだろう。このようにして、人間本性の型とは、範型のことではなく、その本質と存在との一致のことであり、存在のなかでその本質としての力を効果的に展開し実現しようとすること——欲望のエチカ——である（ただし、本質と存在の一致とは、単なる二つのものが適合して一つになるということではなく、本質に存在を刻印すること、あるいはむしろ存在の仕方による本質の触発である）。

これとは異なり、その本質と存在とがより少なく接近するとは、例えば、われわれが或る事物の存在をその本質から切り離して、その存在にしか関心が向かわなくなることによって、われわれ自身が限界や無能力といった否定的な事柄で以ってその事物の意義や価値を判断したり、評価したりするようになること、また、このことによってそれだけ自己の精神が否定や欠如によってより多く形成されるようになることを示している。したがって、この場合の悪とは、超越的価値としての〈善／悪〉によって規定されるより不完全なものによって満たされた状態を表わすのである。ここには、お馴染みの者たち、あらゆる意味で生を貶めようとする者たち、つまり、圧制者、奴隷、聖職者といった者たちが用いる優劣関係＝比をもった〈支配－排除的関係〉、〈適用－従属的関係〉、〈管理－去勢的関係〉、等々が登場することにもなるだろう。悪＝欠如態は、つねに「比較」を通した判断と評価によって拡散していくのだ。諸事物を相互に比較することによって、われわれは、たしかにそれらの事物に関してわれわれ自身の認識が前進しているように感じる。しかし、実際には何も認識できていないのである。ただ単に、前意識的に合意を与えられた規範的な認識装置に従属しただけのことである。このようにして、われわれの活動力能の増大と減少から、つまり同じ力能の異なる二つの使用から、実在の一義性と存在の多義性という二つの本質的に異なる体制、多様体を発生させることができるのである。

完全性＝実在性は「一定の仕方で存在し作用する限りで、物の本質のことだと解される」、とスピノザは言う。物の本質と存在は不可分であるが、しかしこれは、様態としての物の本質にはその存在が含まれない以上、その本質と存在とが無批判的に同一視されることを意味しない。そうではなく、すべての物は、自らの存在をもち始めると同時にその存在のうちで作用する力としてのコナトゥスを、目的因としてではなく、作用原因として有するということである。そして、さまざまな度合においてこの力が「存在し始めたときと同一の力」で発揮されるという点で、すべての物は「同等」(aequales) だと言われるのである。言い換えると、これは、あらゆるコナトゥスについて言われる神の本性の強度的な〈分有の一義性〉である（逆に言うと、これは、無限に多くの多様な仕方で内在的実体を実在的に定義し、さらに言うと、この内在的実体たる器官なき身体の〈強度＝0〉を、つまりその本質が存在を含む或るものを実質的に、あるいは能動的に備給することである）。様態の本質には絶対的力能の度合としての完全性＝実在性が属するが、しかし現実における存在によって、すなわち持続によってこの本質の状態だけではけっして生じえない、われわれ自身の活動力能の増大と減少が移行方向――方向性としてわれわれに示される実在性の実質的変移、あるいは身体という一つの完全性の流体がもつ方位性――の本性の差異として含まれることになる。[*39] 喜びの受動的綜合は、一つのパースペクティヴを生み出す、あるいは出会いの組織化へと結実していく。自分の身体と適合する別の物体＝身体に出会うとき、われわれのうちには、ただちに受動的感情としての喜びが生じ、ここからこの二つの身体＝物体の間で、一般性のもっとも低い、しかしより創造的で特異な共通概念を形成しようとする欲望が生じる。言い換えると、これは、表象化された欲望がその対象（物体的なもの）の肯定的な自己展開によってそれの概念的所有に目覚めるということである。ここでは私の身体の活動力能はより増大するが、これは単に私の身体という一つの関係項のうちに生じる〈物の状態〉の変化ではなく、関係するそれら二つの身体＝物体の〈間〉でしか生じえない実在的な生成変化、別の動詞体の獲得である。ここにあるのは、固定した項と現実的な関係ではなく、実在の生成変化とその絶対的な〈間〉である。これに対して、活動力能の減少が示される悲しみの感情において、自己の身体は、逆に既存の不変的関係——それゆえ、ここではますます可能性や偶然性が有効的な概念となる——を大前提としたそれらの単なる関係項へと限りなく切り縮められ、最後にはそこに完全に吸収されてしまうだろう（実は〈同一性〉が高らかに叫ばれるのは、可能性のなかでのこうした悲しみの状態においてである）。

自己の身体の活動力能の増大（喜び）は二つの身体＝物体（一方は必ず自己の身体）の間で生じる一つの生成変化にほかならず、この生成変化についての概念が一般性のもっとも小さい共通概念である。スピノザにおいて共通概念はつねに存在する様態についての概念である以上、それは、ニーチェが言うような、「生成に存在の性格を刻印する」ための一つの方法であると言えるだろう。この「刻印する」とは、あたかも生成に存在の停止を押し付けるようなことではなく、生成についてその反復の形相を与えるということである。こうした意味での共通概念は、隣接する次の〈間〉に触発され、この〈間〉を知覚する仕方を含んでいる。[*40] 最小の共通概念は、この生成変化の〈間〉を包摂したまったくの一般概念（関係一般の概念）、あるいはこの〈間〉に関係のありそうな他の特定の概念（原因・結果の関係概念、能動・受動の関係概念、等々）、そしてこの〈間〉を項へと還元することでこれを一つの例としてしか保持しないような一般的な抽象概念（実体・属性の関係概念）、これらを思考の喧騒へと巻き込むようなものでなければならない。したがって、一般性のもっとも低い共通概念はおそらく概念を変形するというところにそのもっとも特徴的な働きをもつであろう。しかし、一般的に定義するとすれば、共通概念は〈間〉概念であるということを忘れてはならない。そこには、抽象的な視点と個別的な眼差しを批判して、身体を複数の遠近法から構成されたものと見なすという一つの遠近法主義があるのだ——或る食物と〈胃の遠近法〉、或る不動の大地と〈足の遠近法〉、或る一群の空気振動と〈耳の遠近法〉、或る一定の触発環境と〈身体そのものの遠近法〉……。

こうした共通概念がつくり出される限り、それは関係という非物体的なものの変形を〈間〉として必然的に表現することになるだろう。言い換えると、共通概念の形成の誘因となる喜びには、他の身体＝物体とともに既存の関係の変形それ自体への出会いと欲望があるのだ。出会いとは、つねに〈関係＝連関〉（relation）が外在化したなかでの出会い、混合であり、生成変化である。それは、外部の或る物体にとっての背景や文脈、あるいはその物体が嵌め込まれていた壁が解体されたなかでの接触である。そして、その出会いの有機化とは、項を定めた目的論的配備のなかで可能になる事柄ではなく、自己の本性——これはむしろ〈関係＝比〉（rapport）によって、あるいは同じことであるが、〈割合=比〉によって表現される——の必然性を既成の諸関係=連関とその関係諸項へと感染させることである。それは、言わば自己の身体の本性を中心にして近接的な触発空間を渦巻状に組織化された一つの完全性の流体で満たすことである。スピノザにおいては、実体であれ、様態であれ、すべてのものは必然という様相しかもたない。しかし、この必然性は、存在の外部にあって、その存在が従うべき法則や範型ではけっしてない。必然性とは、むしろ自己の本性に属するものだからである。〈関係=連関〉の外在化、出会いの組織化、自己の本性による触発的な触接空間の力動的流体化、これらのすべての出来事、存在の仕方は、本質の触発、本質の変形のための作動配置である。

人間の本質——笑い続ける動物

ここで言う〈関係=比〉の一般的形式(比例性の形式)と、そこから批判的に区別されるべき、つまりけっしてこの一般的形式を形成することのない一つの〈関係=比〉との差異を考察する必要がある。言い換えると、これは、人間を、例えば、「笑う動物」、「理性的動物」、「羽のない二足歩行の動物」といったように定義することで、人間についての表象的な本質規定をひたすら増産するのに寄与することと、こうした人間の表象的本質を、むしろ〈笑い続ける動物〉、〈理性=強度の動物〉、〈動かずに歩行する動物〉へと変形しようとすることとの間の差異である。ニーチェ哲学の最大の意義の一つは、まさに人間の本質を「笑う動物」からこの〈笑い続ける動物〉

へと変形したことにある――「自己を超えて笑うことを学べ！」。古い神々は、「たそがれて」死んだのではなく、「むしろ彼らは、かつて死ぬほど――笑ったのだ！」[41]。この神々は、笑い死ぬ者の本質、笑い続ける動物である。クリュシッポスもまた、驢馬が無花果を食べるのを見て、笑い続けて死んだのである。彼らは、イマージュを強度まで高めることによって名目的に固定した表象的本質を連続変化の相にまでもたらしたのである。

さて、スピノザは、第三種の認識を説明するなかで、比例数の事例を挙げている[42]。三つの数が与えられていて、第一数に対する第二数の関係と等しい関係を第三数に対してもつような第四数を得る場合を考えたとする。そのとき、「一、二、三という数が与えられた場合、だれでも第四の比例数が六であることがわかる。そして、これは、われわれが一つの直観のもとに見てとるところの、第一数の第二数に対する割合（ラチオ）〈関係＝比〉そのものから、第四数そのものを帰結するのであるから、はるかに明瞭である」。スピノザがここで挙げている事例は、たしかに形式的には、古くから「比例性の類比」(analogia proportionalitatis) と呼ばれていたアナロジーの形式の一つである[43]。しかし、スピノザにとって重要なことは、彼が提起する三つの認識の仕方がこの形式に対していかなる観点から関わるのかという問題である。第一種の認識、つまり「感覚を通して」あるいは「記号から」われわれに与えられる認識においては、われわれはこの場合に、a、b、cといった諸項を第一に所与として受容するだけである。それゆえ、「商人」がそこでおこなうこの形式に対する記号操作は、そうした可視的な関係項に対して、不可視的な関係そのものを意識することなく、すなわち、そうした共通の関係についての観念を有することなく遂行される事柄である。しかし、第二種の認識という「物の特質についての共通概念あるいは十全な観念」からの認識においては、ユークリッドの「数論」をとおして、つまり「比例数の共通の特質」から、不可視的な関係についての妥当な観念をもつことによってただちに第四の数についての解を得ることになるだろう。つまり、この理性的な認識では、〈a：b＝c：x（d）〉のなかの、〈：〉や〈＝〉という記号によって示された関係性が着目されることとなる。カエタヌスによると、「比例と称されるのは、或る量の別の量に対する一定の関係である。その意味でわれわれは、四は二に対して二倍の比例をもつと言う。そして、比例性と言われるのは、二つの比例の類似である」[*44]［強調、引用者］。したがって、この観点から言うと、第二種の認識においては、二つの比例の間に「比例性」の観念を形成するということが、スピノザが述べている「比例数の共通の特質」をもつということである。

　それでは、第三種の認識、直観知は、この形式に対してどのような観点から関わるのであろうか。aとc、bとx（d）は相互に異なった項であり、等しいのは〈：〉によって表現された二つの割合＝比である。しかし、注意しなければならない。第三種の認識においては、単に未知の第四数を獲得する方法だけが問題となっているわけではないということを。問題は、むしろわれわれ自身が第一数の第二数に対する割合＝比そのものを「一つの直観のもとに」見抜くことができるということ、つまり、直観と称されるものの働きがもつ力、直観そのものの力能、想像力にも理性にも還元不可能な、精神のまったく別の思考力能を示すことである。直観知は、二つの割合＝比の対等性についての直観に先立って、何よりもまず一つの割合＝比の直観でなければならない。それは、同時にこの割合＝比によって表現された力能（＝強度）の直観である。つまり、〈a：b〉は、〈c：d〉に先立ってもいなければ、別に〈y：z〉に後立ってもいないということである。割合＝比とは、その物の本質そのもののことではなく、またその物の本質を構成するようなものではなく、それを表現するのである。割合＝比、つまりスピノザにおける運動と静止の割合＝比は、その物の特異な本質を表現するのである。要するに、〈運動：静止〉は、けっして一定のコード化のもとで直観されるような本質の力能、固有の水準で描き出されるような強度を表現する直観形式ではないということである。

特異性としての本質とこれを表現する割合＝比とを混同してはならない。第三種の認識においては、もはや存在する様態やそれらの間の関係は問題ではなく、運動と静止の割合＝比によって表現された様態の本質そのものが問題となるのである。換言すると、二つの「比例」の間に共通の「比例性」を見ること——共通概念がこの比例性概念に関わっていることは確かである——ではなく、まさに一つの割合＝比によってのみ表現された個物の本質を認識することが第三種の認識の本質である。何故なら、たしかにここで言う「一つの」は部分の意味を有しているが、しかし、それは他の部分によって補完されたり、他の部分とともに何かを構成したりするものとして言われているのではないからである。[*45] しかし、この場合の直観知の説明は、それ以外の認識といかに外的な特徴が違うかという文字通りの単なる説明であって、われわれの認識をまさに直観知へと実質的に導いていくようなものではない。そのためには、一つにはまさにこの形成の秩序のなかでの死の考察を必要とするだろう。いずれにせよ、こうした考察に対して（質的な関係をも含んだ）比例性の形式は、生の様式を何も表現することなく、本質と存在が分離されたような、気の抜けた生の表象しか与えないのである。何故なら、それは、言わば名目的定義に対してひたすら固定した表象像——笑う動物、社会的諸関係の総体、社会的動物、等々——を供給するだけの形式だからである。この形式についての概念を変形することが問題であろう。

有機的思考の一寸の切断——カントの禁令

アナロジー形式を切断すること、それは割合＝比の同等性を前提として転移し続けることの批判である。そこで、これに対するカントの処理の仕方を簡単に見ておこう。カテゴリーの無批判的な使用を禁止して、人間の諸能力の有限性にどこまでも定位しようとするカントの批判哲学は、アナロジーの無際限な使用についても批判を加えなければならない。それはまさにアナロジーの切断であり、カントはこのことを「禁令」（Verbot）というかたちで遂行している[*46]。カントによれば、われわれは、未知の或る存在者を、それ自体が何であるかについて認識するのではなく、われわれにとってそれが何であり、われわれがその一部となっている世界に関してそれを認識するのである。そして、このような認識が「アナロジーに従った認識」と呼ばれるのである[*47]。アナロジーとは、二つの物の間の「不完全な類似」ではなく、相互にまったく似ていない二つの物の間の関係αと、別の相互にまったく似ていない二つの物の間の関係βとの類似を、つまり「二つの関係の完全な類似」を意味している。要するに、カントが言うアナロジーとは、未知なる第四項を既知なる三つの項を通して推論するという点では類推であるが、それ以上に関係の構造あるいは秩序に関して二つの関係＝比例の完全な類似性（比例性）だけを問題にする限りでの類比である。それは、先に述べた「比例性の類比」というアナロジー形式である。

「二つの関係の完全な類似」は、換言すれば、「二つの質的な関係の同等性[*48]」ということである。カントにおけるアナロジーは、こうした関係＝比に基づく限り、統制的な性質によって特徴づけられるだろう。したがって、それは、カテゴリーによる現象の多義的構成だけでなく、概念の一義性からも本性上の差異を以って区別されるのである。アナロジーが統制的であるということは、カントによると、アナロジーに従って未知なる物を、「推論すること」ではなく、「考えること」である。しかし、未知のなる物を思考可能にするアナロジーは、カントにおいては習慣や記憶に従って完全にコード化された秩序のうえを推移していくだけである。「ひとは、なるほど異種的な物について、まさにそれらの異種性という点において、それらの一方をアナロジーに従って思考することはできるが、しかし、それら二つの物が異種的であるという点に基づいて、一方からアナロジーに従って他方へと推論することはできない。換言すれば、一方のこの種別的差異の徴表を他方へと転移させることはできない[*49]」。そして、このことについてカントは、物体間の物理的関係と国民とのアナロジー、あるいは技術的所産に対するわれわれの悟性の関係と自然に対する神的な原因性の関係とのアナロジーを例として挙げて説明している。この点については、例えば、アレクシス・フィロネンコの簡単な解説を引用しておけば十分だろう。「アナロジーは、或る対象から別の対象へと種別的差異と結びつけられた徴表を転移させることである。私は、宇宙

（引力、重力）とのアナロジーによって社会の法則を考えることができる。しかし、私は、例えば、これらの種別的な諸規定を国民へと転移することができないし、また国家は宇宙ではない。同様に、われわれは、たとえ世界の原因をわれわれの悟性とのアナロジーによって一つの知性として理解したとしても、このことによって世界の原因の知性を規定できるということにはならない[*50]」。したがって、カントは、われわれが感性的に条件づけられた人間の悟性しか知らない以上、神的原因性を悟性とのアナロジーに従ってのみ思い描かなくてはならないということのうちに、まさにこうした悟性を根源的存在者に添えてはならないという「禁令」を主張するのである。

要するに、カントは、アナロジーに従って「推論すること」と「考えること」を区別し、前者の使用が一方の物の種別的差異の徴表を他方のそれとは異種的な物へともち込むことによって、実は一方の物の種別的な諸規定を転移させて他方の物を推論することだと言って、これを厳しく禁止するのである。つまり、〈a：b＝c：x（d）〉というアナロジーが成立するならば、われわれは、bによって未知なるxをdとして考えることができるが、このbの種別的な諸規定を直接xへと転移させて、これによってdを規定するような推論は認められないということである。さらに言うと、aとc、bとdを直接比較することが禁止されていると言ってもいいだろう。しかし、重要なのは、あくまでも「質的な関係＝比」の類似性の方である。いずれにせよ、アナロジーによる思考も類推も、ともに肯定されるには、二つの異なったものが「唯一同一の類」のうちに帰属しなければならないという条件が必要となる。それがアナロジーの正しい使用である、とカントは言う。例えば、ビーバーの巣作りとこれを可能にする根拠との関係は、人間の技術的活動とその根拠である理性との関係と同一である。つまり、こうした類推が認められる理由は、人間と他の動物とを「同一の類」に帰属する異なった種であるとする「根拠の一様性」のうちに存するということである。すなわち、それは「同等の割合＝根拠」である。

割合＝比のなかでの〈死の生成〉、加速と減速の多様体

カントにおいては、質的な関係＝比は、このように、いかなるロゴスの上昇的使用とも無関係に、つまりアナロジーの不当な使用に関わることなく、ただ水平的に相互に異質な諸項の間を転移し反復するのである。それはあたかも同一物の反復のようである。それは、表象的に与えられた諸項の関係＝関連のうえに、あるいは一つの項のなかのいくつかの部分のうえに単に折り重なるだけの関係＝比である。例えば、第一項に実体、第二項に思惟属性、第三項に同じ実体、そして第四項に延長属性だけでなく、われわれにとっては未知の他の無限にある属性をその都度代入するならば、この形式のもとでの認識論的並行論の表示が得られるし、また比の同等性（ただし、奇数項はつねに同一の実体、偶数項には異なる属性）を無際限に書き続けるならば、少なくとも存在論的並行論が示されるだろう。しかし、この比例性の形式自体は何も語らないのである。いくつかのスピノザにおける思弁的規則を知らなければ（あるいは、十分に熟知している場合でも）、実は多くの場合にひとは、感性的な事物を想定して、それとの類比でこの〈実体‐属性〉の関係を理解するのではないか。したがって、比例性の形式は、結局は表象像に、あるいは表象的な本質の

なかに消え去っていくのである。精神分析における、4、3、2、1、0、のように[*51]、比例性の形式も自らの死へと向かうベクトルをもつと言えるだろう。この場合、4とは、この形式を有効な思考の道具とするような、象徴的な第四項である。3とは、所与として与えられる三つの項である。2とは、つねに前提となる二つの表象像、関係項である。1とは、それらに対する一つの不変の関係である。0とは、このように差異が取り消された死の世界である。強度の差異はこんな仕方で無差異のなかで一つの死を迎えるのである。おそらく問題は、比例性の形式のもとで直観されるものあるいは直観の差異ではなく、こうした関係＝比という概念それ自体をいかに変形するのかということである。

　運動と静止、それは延長の様態におけるもっとも根源的な二つの多様体である。スピノザはこれを延長属性における直接無限様態として提起した。これが様態に関する内包的無限であるとすれば、間接無限様態はこうした運動と静止の割合＝比の総体――「全宇宙の姿」――である。それは、この割合＝比のもとで様態が存在へと規定される限り、様態に関する外延的無限の領域だと考えられるだろう。運動と静止の割合＝比が様態の本質を表現すると考えられるのは、あくまでもこの外延的無限においてである。さて、静止は、運動＝0の状態ではなく、無限に多くの仕方での「遅れ」であり、同じように運動は、静止＝0ではなく、無限に多くの仕方での「速さ」である。これらは、属性の絶対的本性から直接産出された無限様態である。しかし、運動と静止は、それらの割合＝比が生み出される無限様態の外延的側面とは別に、他の運動あるいは静止と切り離されない無数の部分を含んだ、絶対的に単純な交流と相互陥入、交配と相互連動を示しているのである。言い換えると、それらは、絶対的〈間（あいだ）〉——つまり、属性と個物の〈間（あいだ）〉であり、交配的連動という原‐様態化——において産出された、直接無限様態としての加速と減速という二つの多様体を形成するものだということである。こうした内包的な無限様態の形相は次のように示される。或る運動は、必ず下位の運動と静止からなり、この運動も静止も、それぞれ別の運動と静止からなり……、以下無限に続く。静止についても同様である。このようにして、二つの多様体は絶対的な〈間（あいだ）〉において産出されるのである。それらは、まさに〈間（あいだ）〉としての内在性の平面をかたちづくる内包的な無限運動の波である。そして、外延的無限様態はこの内包的無限様態の包皮である。この包皮が永遠の真理と称されているのだ。言い換えると、存在する様態に関する特定の運動と静止の割合＝比とそれらすべての割合＝比について言われる永遠の真理は、運動と静止の実在的で内包的な無限交配と連動が自らかたちづくる一つの外皮であり、それは唯一のものである。この外皮を引搔くこと、それは本質を表現するものを引搔くことであるが、しかしこの表現のうちにしか本質は存在しない。つまり、それによって本質は触発されるのである。この引搔くための爪は、割合＝比の概念が変質して変調をきたせばきたすほど、ますます伸びていくような一つの存在の仕方である。

さて、場面を持続存在する有限の様態の次元に転じてみよう。先に述べたような、私の身体の活動力能の増大、すなわち私の身体と別の物体＝身体との間での私の身体（corps）の生成を、例えば、ポンジュの「物遊び（オブジュー）」、あるいはむしろ「物喜び（オブジョワ）」という言葉を用いて、〈物喜びc〉（objoie c）と呼ぶことにしよう。[*52] 出会いの組織化は、関係の外在性のなかでの喜ばしき物体＝身体との結合である以上、単に偶然に頼ることではなく、「不確定な諸関係」のなかでの諸要素の再-編成化である。それは機械状の欲望であり、偶然性ではなく、むしろ必然性を存在する諸様態自身の本性にしようとする努力でもある。機械状とは、〈結びつきの不在によって結びついた〉という特異な状態にあるような、諸部分の或る程度の総体（アンサンブル）を意味する。欲望は、何かを欲せられるものにする力ではない。もしそうだとすれば、欲望は欠如を示すものになってしまうからである。欲望は〈欲望する-欲望される〉という関係なしに、あらゆる判断に先立って発動する一つの綜合の状態であり、それが機械状と称されるのである。機械状の欲望とは、ア・プリオリであるが、しかし、項に対する関係の外在性という経験を含む限りで非純粋な、つまりア・プリオリで非純粋な情動である。そこでは、それらの間の関係が外在化したいくつかの項が、それぞれの自己同一性に陥ることなく、自らの外部で生成変化を遂げるという出来事が生起するのである。したがって、この〈物喜びc〉という関係=比は、二つの項の間でのその二つの項の非並行的な生成変化を表現するのである。ここで私が言う〈物喜びc〉とは一般性のもっとも低い、しかし新しい物の感じ方、知覚の仕方を含んだ一つの共通概念である。

「何故、エベレストに登るのですか」という質問に対して、登山家のジョージ・マロリーは「そこにそれがあるからだ」と答えた。ここでは、人と山との間の言語内的な一般的関係が問題なのではない。むしろここにはいかなる関係もないと言うべきだ。非関係のなかでの〈結合-生成〉が問題なのである。〈或るマロリーにおいてそこでエベレストになること〉が生起するだけである（不定法の動詞と固有名と不定冠詞あるいは代名詞によって構成される欲望の表現）。或るマロリー（un

Mallory）の身体と別の物体、つまりエベレストとの間にはこの身体の生成変化を示す〈物喜びc〉があるだけである。これは、一つの特異な出来事の線を引くかたちで、欲望を内実とした或る〈それ〉（三人称のilというよりも、むしろ脱人称性としてのça）としての無意識の生産を示している。このマロリーの「そこにそれがあるからだ」という言葉は、結びつきの不在のなかでいかに実在的に区別される諸要素が機械状の結合をなして作動するのかをよく表わしているだろう。もはや人間は、世界を対象的に構成する主体でもなければ、スピノザが言う「自然の共通の秩序」のなかで、あるいはあらゆる既存の不変的関係の可能性の諸条件のなかで偶然に身を委ねる正常病者でもなく、現実に区別される諸要素が不確定な関係のもとで必然的に結びついて作動する〈欲望する機械〉の一部品である。〈山－登山家〉、〈動物－調教師〉、〈人間－馬－弓〉……、すべては固有の戦争機械をなし、機械的に作動編成された生産的欲望であり、その限りで欲望は自己の本性の諸法則をもっともよく含んだものである――いっさいの可能性が尽きてはじめて発動する欲望（＝必然性）とは何であるのか。それは、何度も言うように、人間の本質を或る連続的な変形・変質の相へともたらそうとする努力である。

　さて、比例性の形式は、表現の形式ではない以上、どこまでも思弁的で名目的な理解しかわれわれに与えない。個物の特異本質を直観するということはこの本質からの絶対的遠近法を直観することであり、そこには、歴史的社会的にコード化された表象像を横滑りしていくだけの人間的な比例性の形式、アナロジーの反復はまったく含まれていない。直観知において割合＝比が示すものは、個物の内的な絶対的遠近法のもとに表現された、その個物の特異な本質である。それゆえ、割合＝比の観念は、比例の同等性を示す比例性の形式を破壊し、その外在的な視点と視線を無化するものでなければならない。したがって、「精神の眼」は身体から視点と視線に終始する器官としての眼を奪い、その限りで器官なき身体に関係づけられる一つの精神である。原因と結果という関係＝比に対してさえこの遠近法主義は作用しなければならない。それは、遠隔原因の再導入ということではまったくなく、作用原因と自己原因の一義性のもとで、各個の遠近法に従って原因・結果の関係＝比の概念が変形されるのである。存在とは本質を引掻く爪である。その爪を磨くことだけに存在の意味を見出すこと。存在の意味とは、何よりも第一に本質の変形であり、第二に非－存在における本質の触発である。ジョナサン・デミの『羊たちの沈黙』（一九九一年）のレクター博士（アンソニー・ホプキンス）の歯は存在に嚙みつくだけだが、アルトー（アルトー・ル・モモ）の歯はあたかも本質を引掻く爪、死の爪のようである。それは、あの永遠の真理の下でいかがわしい無限の交配と連動を続ける内包的様態の形相群に突き立てられる爪である。さてそれでは、出会いの組織化＝有機化がすべて奪われている者にとって、〈物喜びｃ〉はまったく不可能な事柄であるのか。逆にそれは、おそらく無能力な者にとっては表面上もっとも達成されやすい事柄であるかもしれない。しかし、どちらにしても、その困難さと容易さが恐怖という受動性の体制のもとにあることは変わりない。

第四節　ヘテロリズム宣言（Manifeste pour l'hétérrorisme）

ヘテロリズムとは何か――恐怖から残酷へ

差異は何かが欠けたものではない。差異は欠如ではない。差異は同一性を欠いたものではない。欠けているのはむしろ同一性の方である。欠けていくしかないもの、それはつねに可能性のもとで捉えられたような事物である。同一化の思考に抗して差異を肯定しようとする思考は、一つの不可能な思考である。それゆえ、この思考は、〈同一化‐思考〉の具現者たちにとっては、欠如としての「無能力」以外の何ものでもないということになるのだ。差異の第一次性を主張することなどできるはずがないし、できたとしても夢物語にしかならないだろう、と。しかし、〈差異‐思考〉は不可能であるがゆえに、つまり可能性が尽きているがゆえにそれ独自の必然的な思考でなければならないだろう。差異を肯定することは、差異的なものに単に思いをめぐらすことではなく、差異を実在として定立することであり、思考そのものの強度に部分的に生成することである。差異は、複数のものの間に定立されるのではなく、多様なものの存在である。〈複数の〉には〈別の〉という観念がまったく欠けているのだ。この限りで、〈複数の〉と〈多様な〉は対立するのであり、〈多様な〉という言葉は相互に異質な別のものについて用いられるべきものだからである。こうした意味で〈差異－思考〉には、最初から或る種のヘテロ主義（hétérisme）とでも言うべきもの、異質への意志が秘められている。それは、同質的なものとは別のものへの意志であるだけでなく、その均質性それ自体を変容させようとする努力である。ここでの課題のもとに端的に言えば、それは、恐怖を用いることではなく、むしろ恐怖の情念体制を残酷の情動体制へと変形することである。

それゆえ、このヘテロ主義は恐怖というわれわれの感情を用いるすべての立場、すなわちテロリズム（terrorisme）を変形する試みである。テロリズムは乗り超えられるべき感情の体制の一つである。テロリズムは言わばヘテロリズム（hétérrorisme）へと生成するのである。あるいは、テロリズムの精神を構成するすべての感情、悲しみ、憎しみ、怒り、妬み、そして復讐心は、その〈受動性－恐怖〉の体制からヘテロリズムの〈能動性－残酷〉へと乗り超えられるべき過程なのである。この〈差異－思考〉はこうしたヘテロリズムへの一つの誘因ともなるだろう。ヘテロリズムとは何か。それは、恐怖の感情を行為の受け皿にすることではなく、文字通りの恐怖主義を変異させる立場を意味する。存在に恐怖を刻印しようとするのではなく、それを逆流させて、本性を無惨にも変形・変化させようとする試みである。それは、非物体的なものを変形しようとする活動であるというよりも、あるいは非物体的なものの変形に向けられた諸物体の作動編成の総称であるというよりも、むしろ恐怖から残酷への感情の流れをつくり出すものであると言った方がよいかもしれない。したがって、ヘテロリズムとは、一つの大きな主義を示しているのではなく、むしろ部分冠詞によって限定されるような、分子的レヴェルでの思考の過酷な行使によって構成されるものである。テロリズムとヘテロリズムとの間に本性の差異があるように、恐怖と残酷の間にも本性の差異を樹立する必要があるのだ。恐怖と残酷は身体の同じ変様を表示する言葉でもなければ、それらの間に程度の差異をもち込むこともまったく間違っているだろう。

恐怖は、われわれの身体のすべての変様を受動性の相のもとに固定するとさえ言える。スピノザによれば、他のものへの関心をすべて奪うかたちで、われわれの視線を釘付けにするようなものが存在するが、それはいかなる物の部分でもないという意味で「特異な或るもの」である。そして、こうした或るものについてのわれわれの中立的表象が「驚き」であり、これは、その或るものから視線を逸らすことができず、精神がこの表象に縛られたままの状態を表示している。しかし、こうした驚きはそれだけでは単なる知覚であるが、この特異な或るものが人間の復讐心や怒りなどをともなって表象されるとき、驚きはまさに「恐怖」という感情になるのである。[*53] ところで、もし一般性のもっとも低い共通概念を形成することがなければ、われわれはまさにスピノザが言うような受動感情の体制のなかに固定されることになる。つまり、受動感情の特性を考えると、われわれは、この感情の体制全体を恐怖の情念的体制に容易に転換させることが可能なのである。言い換えると、受動感情の体制のなかで恐怖の情念的体制は静的に発生するということである。〈受動性‐感情〉には、驚きによって固定され、恐怖によって支配された一つの死の遠近法があると言える。死はこうした恐怖によって構成された生のなかに囲い込まれてしまう。〈差異‐思考〉、一般性のもっとも低い共通概念の形成が必要とされるのは、そうではなく、恐怖から至福へ（スピノザ）、あるいは恐怖から残酷へ（アルトー）という別の発生のためである。

さて、知覚や感情に対応する受動性の言語は、たとえそれが受け入れ難い事柄をひとに対して示していたとしても、聞くこと・理解することの容易な言葉からなっている。しかし、アルトーの言語はそれとはまったく違う。彼の言語は、最初からそれ自体まったく或る能動性を帯びたものである。残酷は、何かの事実として予め存在するものではない。もしそう捉えるならば、残酷はまさにアルトーが言う存在の「糞」と同じものになってしまうだろう。そうではなく、残酷とは、むしろ権利上の次元で――権利上の無能力によって――何かが劇的に変化することなのである。それこそが残酷演劇の唯一の上演機会であり、この変化それ自体が残酷と言われるものである。そこにおいて、肉と糞を望むと同時に、それゆえ逆にそれらに徹底的に怯え恐怖する受動的様態としての人間は、まさに自己の本質を連続的変形のもとに曝け出すという、人間が考えうるなかでもっとも能動的な活動へと自らの骨と血、あるいは鉄と火を流し込むのである。[54] ドゥルーズが述べた「恐怖の演劇」と「残酷の演劇」との間の差異はまさにこうした論点に関わっている。ドゥルーズの表現を用いると、恐怖とは、「突き刺さる音声的な価値＝力のなかで炸裂する〈語‐受動〉」を用いて、受動的な演劇を存在させると同時に、「寸断化された身体」のもとで展開されるような感情である。それは、おそらく劇場の哲学を規定することのできるような一つの存在論的な要素である。これに対して、残酷とは、「分節されない音調的な価値＝力を溶接する〈語‐能動〉」を群生化させて、能動的な演劇をその場で成立させると同時に、〈器官なき身体〉を形成し備給するものとしての純粋強度である。[55] したがって、この区別は、危険と言われつつも、結局は身体の表面で理解されるだけの比喩の類でもなければ、また、一つの身体、一つの語、一つの演劇において矛盾なしに共可能的に並存するような二側面を表わすものでもない。恐怖からの脱出時に存在としての肉から流れ出た血は、それが徐々に残酷へと、つまり本質の変形へと移行するに従って、ただ骨だけを見出し、ただ骨だけと混合するのである。

恐怖は実現されるが、残酷は反‐実現される。あるいは、恐怖はつねに存在の可能性のもとで実現されるが、残酷は実在的必然性を存在の本質において反‐実現するということである。恐怖は、どれほど多くの血が流され身体が切断されたとしても、どこまでもひとの精神を特定の表象に釘付けにするという〈劇場の哲学〉としての観想の問題に固定するものである。しかし残酷は、一切の流血も肉体の切断もなしに、いかにして血と骨をその有機体から流出させるのかという〈工場の哲学〉としての実践の問題である[*56]——「残酷においては加虐趣味や血は問題とはなりません。少なくともそれだけではない。私は、恐怖を計画的に醸成しようとしているのではありません。（……）肉体を切り裂かなくても純粋な残酷を想像することはちゃんとできるのです[*57]」。可能性のもとでの、しかし徹底的な実現ゆえの、あるいは疲労と労働ゆえの恐怖であるが、これに反して、残酷は、こうした存在のもとでの実現をまったく意志することができず、その限りでは無能力者の選択であるが、しかし、実現は、その実現が消尽しているがゆえに逆流して本性の変形を反‐実現し、それによって来るべき新たな〈受肉の体制〉のもとで実現されるのである。テロリズムとは、それゆえ、第一にはわれわれのなかの乗り超えられるべき感情の体制であり、第二には、そこでは、共通感覚に支えられた、その反復可能性の意識と実感こそが消尽されるべきものとなるのである。

さて、ドゥルーズが言い当てようとしている、残酷における「音調的な価値＝力」とはまさに強度のことである。叫びあるいは気息に関係づけられた強度、それはただ〈音－変様〉のためだけの発生的で実在的な要素である。叫びとしての語、気息としての語は[58]、音価上は、単なる沈黙であり、無音である[59]。しかし、それは単に身体の側の「音声的な価値＝力」に対応する「箱」がないということ、つまり言葉の言語を発するために矯正された発声器官では実現しえないというだけのことである。音声性とはまったく異なる音の価値を音調性は有しているのである。それは、人間の発生あるいは出生をはみだしているがゆえの消滅のあるいは流産の音であり、またあらゆる言語習慣を超出しているために可聴的ではないような〈音－強度〉である。それは、たしかに存在においては強さ以外のパラメーター（持続、音質、高さ）をもたない音、あるいはむしろその限りでは流産した音声的なノイズであるが、しかし身体の本質に向かって落下していく音調的な〈強度－叫び〉である。それは能動的なものである。残酷は言わば存在に関する自己流産のことである。こうした意味での存在の流産が、もし他者の介在のもとに生起するならば、この残酷は再び恐怖へと変化するだろう。アルトーは、「実在性を具体化するために不可視のものを流産させるのである[60]」、と言う。ロジェ・ブラン宛の手紙に書かれたこの言葉は、分身論から言えば、逆に不可視のものを流産させるために実在性の具体化を行使するということである。音調的価値とはこの流産そのものの価値、変形そのものの価値、あるいは変形に不可避的にともなうものの価値であり、それは強度という音素しかもたないものである。実在性の実現とは、まさにこの変形あるいは流産の具体化なのである。

こうしたなかで、おそらく受動は能動になり、恐怖は残酷へと変化するのだ。ドゥルーズは、「精神分析に必ずしも満足していないが、しかしそれと和解可能な論点を保持しつつ、「精神分裂者と少女」の最後で次のように書いている。「アントナン・アルトーは、身体的な受動と能動という、深層における二つの言語活動に一致した、極度に激しい二者択一へと子供を追い込む。一つの選択では、子供は生まれない。つまり、子供は、やがて自分の脊柱――このうえで両親は姦淫する――となる箱から出ていかないのである（逆向きの自殺）。もう一つの選択では、子供は、器官も両親もない、流体的な、光り輝いて燃え上がる身体になるのである（アルトーはこれを、生まれるべき「娘たち」と呼んでいた）」。しかし、この二者択一は一つの擬似問題である。子供はあくまでもこの二者択一の状態に単に追い込まれるというだけのことである。そこにおいて子供は、けっしてどちらか一方を選び取るということをしない。子供はどちらも選ばない。あるいはむしろ子供は別の仕方で両方を選択する、と言うべきかもしれない。それは生まれ方を変える選択であり、生殖ではなく、感染による誕生を選び取ることである。この残酷な変形過程のなかで、生まれずに感染した自己自身の〈子供になること〉という出来事が生起するのである。受動から能動へ、恐怖から残酷への移行それ自体が、唯一の選択、あの唯一の実践の選択、〈子供になること〉なのである。もっとも重要な課題は、恐怖から残酷へのこうした実質的な遷移過程を欲望することである。「逆向きの自殺」とは存在のなかで生まれる前に死を選択することであり、また「燃え上がる身体になる」とは、この死後に唯一の生を選択すること、つまり分身を備給する生存の様式――生まれるべき「娘たち」――を選び取ることである。[*61] こうした娘たちは、器官なき身体からその子供として生まれるのではなく、身体の存在の側から流産し、そこから身体の本質としての器官なき身体（強度＝0）へと落下・備給する際に吐き出される固有の水準のことである。

分裂分析的経験――アルトーという絶対的事例

ヒュームに由来する〈関係の外在性〉――関係（＝連関）はその関係項に対して外在的である――という概念は、実体主義と関係主義に明確に対立する第三の立場であり、この二つの主義を同一の思考の産出物だと見なすことのできる立場である。しかしながら、それ以上にこの外在性がこうした実体概念と関数概念を破壊すると同時に、何らかの関係について現実的な非物体的変形をともなったとき、それは、もはやほとんど否定的にしか作用しないような現行の諸条件の真っ只中に、物語化された人物論的な無意識でも、構造化された記号論的な無意識でもない、一つの反時代的な超越論的無意識を形成することだろう。アルトーは『ここに眠る』のなかで次のように書いている。「私、アントナン・アルトー、私は私の息子であり、私の父であり、私の母であり、／そして私自身である。／子作りが自業自得に陥る馬鹿げた堂々巡りを均す者である／パパ－ママの堂々巡り／そして子供、／父－母なんかのよりは、／断然、祖母(ばあ)さんの尻の煤の」[*62]。アルトーは、父、母、息子、そして彼自身という生殖の系列、あるいは生殖活動を媒介とした存在者の数を産み出すだけの原因・結果の系列を遍歴する。しかしそれは、パパ－ママとなるカップルの堂々巡り、その真に馬鹿げた堂々巡りを断ち切る旅であり、反血統系列的な内包の過酷な旅である。これは、そうした系列に対する非物体的変形の旅、自己再生の過程であり、けっしてその各々への同一化の旅行でも、予め存在する既存の形象を目的としたような生成、つまり〈在るところのものに成る〉というような生成でもない[*63]。これらの系列は、アルトーが通過する、あるいはむしろ足踏みする――動かずに歩く――その経路において徹底的に均され、否定され、変形されるのである。

アルトーは、性を歪める者、曲げる者、〈ペスト〉をもたらす者であるが、それは単にその存在だけを目的としたものではない。何故なら、アルトーは、存在を性から純化し、脱性化するだけでなく、存在の本質、性の本性に変形をもたらそうとするからである。ここで私が言う〈ペスト〉とは、演劇の分身であると同時に、そうした本質を変形するための実在的な諸要素のことである。反血統、反系統、反系列の旅にはいかなる同一化も存在しない以上、この内包の旅は過酷な無宿の旅であり、強度における旅である[*64]。記憶と習慣の現実のなかで固定化し沈澱化した諸関係を変えることなしに、欲望が革命的であったことなどけっしてない。だから、物体上の変革と非物体的なものの変形からなる真の革命など一度も起きていないのだ。とりわけここでの問題は、諸々の恒常的で不変的な〈関係〉（例えば、親子関係、夫婦関係、等々）概念の同一性とその先行性のなかで予め確定された生物的・社会的な関係項（例えば、息子、父、母、私）へと移行して、その都度、彼らのうちの誰かに単に同一化するということなどではない。そうではなく、これらの関係それ自体を変形することなしには生成変化しえないような強度的様態としての息子、父、母、私が問題なのである。それでは、この内包の旅、この強度の流れは、どんな移動経路を生み出すのであろうか。

〈感染性の経路について〉──私＝アルトーは、単に外部の原因としての父と母から結果としての子へと向かっていくのではない。もっとも重要なのは、この移行と同時に、原因・結果の関係（あるいは親子関係）それ自体が残酷なまでに歪んで変形していくことである。この極寒と灼熱の移動経路こそが、まさに人間に関する非物体的な諸関係を変形する経路であり、この経路を歩むことそれ自体が一つの分裂分析的、あるいは分裂綜合的な歩行経験なのである。父と母は性的存在に囚われ、それに感染したなかで生殖活動をおこなう。その限りで、ここでの感染は生殖と対立しない。しかし、あの二者択一のなかで子供はすでに単なる〈数えられる数〉（数的に区別されるもの）としての一つの生誕を拒否して、生まれないことを選択している。しかし、流産するためには、やはり両親は必要であり、それゆえ、子供は、単なる一結果という身分を乗り超えて、むしろ両親という自己の存在の外的原因に対する、あるいはその原因の変形に対する発生的要素になろうとするのである。何故なら、実際にその子供は身体の現働的な存在をすでに大人の身体として有しているからである。しかし、こうした子供の身体の存在ではなく、その身体の本質は今度はこうした両親を原因としない。身体の本質には両親も性的諸器官も必要ない。この光り輝く高次の身体は、流産した後に、つまりその死後に選択された生の本質である。

アルトーという名前をもつ痙攣する身体の存在、それは、これらの不変的諸関係とその概念に対する闘い、その非物体的変形なしには身体として実在しえないような存在のことである。非物体的変形とは、正確に言うと、非物体的なもの（意味、価値、関係、空虚、等々）についての物体的な変形であり、これによって非物体的唯物論の第一の立場が成立するのである。ニーチェが言う非歴史的な雲は、加熱した工場としての身体が発する、剝き出しになった〈表現されるもの（レクトン）〉の蒸気といかなる語も実現することのできない分節なき〈気息－叫び〉との上昇気流からなり、したがって、それは非物体的変形のための武器庫のごときものである。この身体の存在には既存のいかなる関係も帰属していないし、また逆にこの存在をいかなる諸関係に還元することもできない。注意すべき論点は、この変形は、いわゆる「静的発生」を正確に定義することができる物体＝身体についての非物体的変形を示しているのではなく、その不可入性のゆえに物体＝身体のようにはけっして変形も破壊もされえないものについて、つまり意味や価値や関係といった非物体的なものについてのみ言われる物体的＝身体的変形（「動的発生」を定義するもの）[*65]だということである。

　こうした意味においてのみ、非物体的変形は真に身体に帰属すると言われなければならないのだ。潜在的なものの現働化が既存の具体的なものに対してその諸力を発揮するとすれば、それは現働化がこの非物体的な変形の物象化と一つになるときである。あるいは単なる〈関係の物象化〉から、それら関係の〈非物体的変形の現働化〉へ。例えば、父を殺害して（殺人願望）、母と一緒になる（性欲願望）というエディプス・コンプレックスの形式を解釈装置にしたとしても、この欲望のなかでは、それがどんな結末に至ったとしても、親子関係、夫婦関係という関係それ自体は以前と何も変わらず、依然として保持されたままである。何故か。関係こそが宿命だからである。それゆえ、エディプス・コンプレックスのもとで想定された願望、欲望、嫉妬、憎悪、解釈、関係への意志は、いかなる意味においてもわれわれが主張する非物体的変形に対して無差異、無関心である。しかし、既存の関係を保存したままで、欲望が革命的であることなどありえない。したがって、欲望する並行論は、こうした一般的な特定の諸関係そのものを変形し、それらの不変的概念の同一性を失効させるものによってしか形成されえないだろう。「残酷」とはまさにこの変形の過程のことである。それは、人間の心の苦悩ではなく、むしろ動物の身体の苦痛に近いものである。アルトーは、まさにこの非物体的変形の孤児であり、人間の本性を解体し、残酷としての本質の変形に従事する餓鬼であり、出来事のなかで欲望している独身者、聖地なき大地の意義である。孤児や餓鬼や独身者にとっては、過酷にも関係そのものはすべて関係項に対してまったく外在的なものとして実在的に感じられるのである。

人間本性から訣別するために——残酷と感染

神の裁きから、そしてそれを引き写したようなわれわれの判断力から訣別するためには、人間本性を変形する必要がある。神の裁きから訣別した後にただちに問題化すべきこと、それは次に人間本性それ自体から訣別することであると言える。人間本性を受肉させるための体制をまず可変化することが重要である。人間本性の受肉の体制、それはとりわけ生殖活動とその社会的体制であり、それらは結局われわれの諸感情の力とそれに対するわれわれの精神の力能が支えているものである。何故なら、こうした感情や精神は肉と糞に対する正当な分身だからである。人間の存在（＝親）は、人間本性を生み出すのではなく、人間の存在の数（＝子供）を生み出す原因（＝生殖行為の主体）であり、子供にとっては自分が存在するための外部の原因である。しかし、アルトーという餓鬼においては、生殖の系列、血統の体系、遺伝の関係から完全に訣別した「一つの真の感染性」が一つの増殖の原理として据えられることになる。それは同時に、残酷演劇の働きそのものだとも言える。[*66] われわれ人間は、生殖性ではなく、感染性を積極的に問題化すべきである。これは、本質を棚上げし続けるような生殖ではなく、本質の変形を可能にする存在の様態をいかにして或る伝染病によって群生化するのかを問題にすることである。

感染はむしろ〈反生殖〉である。そこでは、生殖は思考のなかだけでたくさんだ、という無能力における逆説的な叫びが鳴り響いていることだろう。生殖によって生み出されたもの、血統関係にあるものが、現実に存在し始めた後に何かの非物体的な病原菌に感染するのではない。その場合にこの感染性は、あたかも実体に対する一つの偶有的なもののように解されてしまうことだろう。つまり、何らかの感染あるいは伝染という事態は、あくまでも生殖活動の結果として生まれた存在者の後に、あるいは同時にその存在者に生起し帰属するものである、と。その場合の存在者、つまり存在の数は、実は受動的な〈数えられる数〉としての存在である。感染性は、生殖性と同様、やはり存在について言われるものであるかもしれないが、しかし、それは能動的な〈数える数〉（数的区別を生み出す遊牧的活動）に関わり、それゆえ、人間の血統や遺伝や有性生殖という存在の間に塗れていくことをむしろ積極的に保証しているような作用とは完全に別の作用でなければならない。それは、生殖から完全に自立した伝染の本質的身体をア・プリオリに定立することである。ドゥルーズ＝ガタリは感染について次のように主張する。生殖による系統的発生に対する伝染病による群生化の違いは、「感染性や伝染病が、完全に異質な複数の項を、例えば、一人の人間、一匹の動物と一つの細菌、一つのウイルス、一個の分子、一個の微生物を動員することにあるのだ」、と。例えば、動物への生成変化は、動物を愛するがゆえにその気持ちがわかるとか、動物の仕草を真似て動物のようになれるといったことではない——むしろ「犬や猫を愛する者たちは、すべて馬鹿者である」。[*67] こうした者たちは、間違いなく人間を単なる道徳の動物にするだけでは飽き足らず、動物を人間化して道徳存在を増大させようとしているのだ。これ以上、個的で特異な本質からまったく抽象化された道徳的存在者の数をひたすら生殖によって増やしてどうしようというのか。私が一匹の犬や猫と群れをつくること、それは人間と犬との間で別の存在の仕方、動詞としての別の述語を獲得することであり、あるいは或る特定の既存の動詞をまったく異なった非物体的な意味へと変形していくことである。それが動物に生成変化することである。

「集合」（集会、集会、集合論、等々）と「群れ」（集団、結社、多様体、等々）は異なる存在の仕方をする。集合は、類似した項と、それらの間に設定可能な等価的で不変的な諸関係とを前提とするが、群れは、集合に対して〈それ以前〉と〈それ以後〉を、つまり共約不可能な集合以前と集合以後をつくりだす力をもっている。ここで言う〈それ〉とは出来事に固有の絶対的な〈間（あいだ）〉のことである。つまり、群れとは生成変化の束だということである。要するに、伝染によって形成される群れとは複数の項の間での、それら諸項自身の生成変化だということである。ドゥルーズ＝ガタリは、さまざまな生成変化が生起するこの絶対的な〈間〉を三つに区分している。一つは〈動物への生成変化〉であり、これはその中間地帯に存在し、この手前には〈女への生成変化〉と〈子供への生成変化〉があり、さらに中間地帯の向こう側には、微生物への、ウイルスへの、細胞への、元素への、分子への、知覚しえないものへの微細な生成変化が存在するのだ。これらの生成変化は、第一には、それ自体がわれわれをあの悪しき関係＝比から逸脱させる限りではじめて実在的なものになる〈間〉概念として肯定されるのである。そして、けっして忘れてはならない第二の点は、もっとも積極的な意味における生成変化は器官なき身体において生起する実在的出来事だということ、すべての生成変化は器官なき身体に落下する限りでそれ固有の強度的水準（例えば、様態的区別）をもつということである。そこでもっとも重要な問題が次のように提起されることになる。こうした複数の生成変化のなかで、器官なき身体を備給し、そこへの落下・消滅を〈死の生成〉として意識する生成変化があるとすれば、それはどのような唯一の生成変化であるのか。

人間本性から訣別すること、それは、生殖にまつわる受肉の体制のうちにまったく異質な感染要素を挿入してその諸部分を変質させることであり、またその変質の伝染を加速させ、肉の分身としての諸感情からなる情欲的体制から訣別することである。しかし、アルトーは、こうした訣別のために、他の異質な、様態的に区別される諸々の項、女性、子供、動物、微生物、等々を動員することはない。そうした諸項の〈間〉での生成変化なしに、彼は生成変化するのだ。それでは、彼は何に生成変化するのか。彼は自己の分身に生成変化するのだ。分身への生成変化は擬態を生み出すが、具体的にそれは無数の自画像となって実現されることになる。しかしながら、この事例で重要なことは、アルトーは、その存在上の無能力のゆえに、けっして自己の本質を手放さず、またこの本質とその存在との綜合たる自己の本性に対する働きかけをけっして止めないということである——この二つの否定は実在的な〈欠如なき無能力〉への生成変化を示している。これが彼の生成変化の真の様相である。それは、器官なき身体上での〈死の生成〉に必然的に制限された一つの生（＝存在の仕方）を意識する限りでしかもちえない内在的様相である。アルトーは、紙と鉛筆という項の間でこうした知覚しえない抱擁と継続の餓鬼に生成変化するのである。もっとも知覚しえないもの、それは運動よりも本質の変形であろう。

さて、恐怖演劇がテロリズムに対応し、またその限りで特定の場所の劇場化と不可分であるとすれば、残酷演劇はヘテロリズムを実在的に定義する力をもつが、それ自体は上演不可能なものである。破壊行為の現場は身体の現実存在が恐怖と寸断によって変様する場所でもある。それは、無差別という概念をつねに想起させるという意味で一つの〈境界なき劇場〉のようであるが、それでも、こうした行為や場所が、観想と連動した劇場の哲学を誘発していることに変わりはない。デリダは、「残酷演劇とは上演のことではない」と言う。[*68] たしかにそうであるかもしれないが、しかし、それ以上に重要なことは、アルトーが言う「本質のドラマ」がこの残酷演劇といかに関わるのかということである。本質のドラマは感染によってはじめて実在するものとなる。それは、本質から実存へというどこまでも物語性を払拭しきれない〈なってる話〉によって語られるのではなく、存在の仕方によって本質を変形しようとするその〈実験‐本質的攪拌〉によって、つまり無能力としての精神の「困難」と本質の変形としての身体の「分身」とによって実現されるのである。*69 われわれは、いつかアルトー＝餓鬼のこうした真の〈体験‐実験〉談を聴いてみようではないか。そのアルトー＝餓鬼（mômo）は、彼の息子であり、父であり、母であり、彼自身であるが、それ以上に、あの生ける死者、ミイラ（momie）であり、破砕され引き裂かれたような差異についてのみ言われる同一のもの（même）であり、オリジナルとコピーとの間にある神聖なアルケーを砕く擬態の身体（mime）である。アルトー＝餓鬼は感染する。とりわけそれは非物体的なものに噛みついて感染するのである。次にそれはmの伝染病によって増加するのだ。アルトー＝餓鬼は、人間や動物、微生物やウイルスを動員することはない。彼は、分身を動的に発生させるために自己の精神の無能力と自己の身体の血と骨を超越的に行使するだけである。それによって、アルトーの生成変化は、死者や大地や大空に、そして非物体的な概念や出来事に感染するのである。

欠如なき無能力について

唯一の生成変化がある。それは、欠如なき無能力の生成変化であり、一つの思考上の区別（存在と本質の区別）に関する生成変化である以上、唯一の生成変化である。そこには、存在論上の生成変化についての多様なマイノリティ・リポートの痕跡はまったくなく、ただ自己の分身への生成変化という身体の本質に対する唯一の能動的で直接的な〈実践－体験〉談があるだけである。スピノザは無能力を次のように明確に定義している。「無能力とは、人間が自己の外部の物によって導かれるのを許し、また、それだけで考えられた彼自身の本性が要求する事柄ではなく、外部の物の一般的状態が要求する事柄をなすように、それらの物から決定されることにのみ存する」[*70]。受動的であることが無能力の徴表であるとスピノザは考える。したがって、恐怖は、否定や欠如から構成された精神の無能力から生まれるのである。テロルは、その根底に乗り超えられるべき受動的な、感情、行為、集団、理論、知性を有している[*71]。それは、すべての人間が有している受動性の体制から生じてきたものの一つである。同様に、たとえ一時的な出会いの喜びであっても、あるいはむしろ一時的であるがゆえにその受動的喜びの組織化を徹底的に追求し実現してきた近代社会も同じ受動性の体制からなる。それゆえ、喜びの組織化、その受動的綜合は、驚きと恐怖（そして希望）の情念的体制をけっして排除しないのである。至福という永遠の能動的感情に至ったとしても、それは恐怖と希望によって固定された受肉の体制をけっして排除せず、たとえ対立するとしても、この持続の世界と単に共存するだけである。しかし、身体の本質とこの本質に関係する精神の欠如なき実在的無能力だけが、この受動性を排除し、本質の変形ドラマとしての残酷演劇を展開するのである。

無能力には能力の独自の能動的行使が準備されている。無能力とは一切の活動する力能が欠けているような状態を必ずしも示しているわけではない。存在における無能力は、別の実在性に対して最大の力能を発揮することになるかもしれないのだ。無能力はその存在の不可能性に触れることによって、唯一の必然、唯一の生成変化を選択するのである。何故、必然なのか。それは、本質から切り離された存在を糞と称して、その事物の本性にのみ関わろうとするからである。しかし、それは、恐怖よりも残酷を、至福よりも叫びを選ぶことである。残酷はこうした無能力を、むしろ能力という呪縛から、あるいは存在のもとでその有効性が発揮されるだけの人間の力としての思考から、あるいは驚きによって固定され、恐怖（と希望）によって支配された受動性の体制から解放するのである。たしかに共通概念の形成は一つの「死の演習」である。しかしそれは、自己のうちでの、死を与えること、他者殺し、利他殺しの演習である。他者‐構造、他者‐欲望をいかに殺害し無化するのかという演習である。共通概念の形成の秩序には、こうした可能なものの殺害の過程がその奥に隠されているのだ。言い換えると、新たな実践哲学には、一切の可能性を尽くすこと、可能なもの、〈他者‐構造〉を不可能にすること、とりわけ他者の言語、言葉の言語を殺すこと、他者の物語と縁を切ること（あるいは「名作と縁を切ること」）、要するに、われわれ自身が現にそうあるところの世界と縁を切るということが含まれるのである。

　アルトーが言うように、身体の出口で有機体を切断するとすれば、共通概念のこの闇の側面は、有機的思考（共通感覚と良識、タームと論理、意見、等々からなる思考一般）に対して死刑の判決を、つまりその非物体的変形を言いわたすだろう。この言表は感染していく。この死刑宣告、身体の非物体的変形は、もはやかつてのギリシアの神殿近くの彩色された柱廊（ストア・ポイキレー）でなされるのではなく、すべての大通りで、地下通路で、山の小径で、精神病院や大学の廊下で、とりわけ名前をもたないすべての通りでなされるのだ。それは、分節言語によってではなく、叫びをともなった気息によって、そしてその気息から別の気息へと身体が変動することによって群生化するのである。ここから、何故、有機体が器官なき身体の敵であるのかがわかるだろう。器官がこの有機体の諸部分だからではない。そうではなく、有機体が器官を通してつねに存在に終始した最善の事柄を望むからである。それは最善のシナリオという人間的な意味である。器官にはこうした他者の欲望、ストーリーが溢れており、有機体は他者が付着した諸器官の肯定的現在だからである。だから、アルトーは呻くように発するのだ。「食べることができないためには純潔でなければならない／口を開くこと、それは瘴気に身をさらすことだ／だから、口はいらない！／口なしに／舌なしに／歯なしに／喉なしに／食道なしに／胃なしに／腹なしに／肛門なしに／私は、現にある私という人間を再構成するだろう」[*72]。それは、まさに器官なき身体のもとでの人間の再構成、分身の形成である。器官なき身体との間に分身論を形成するのはイマージュなき思考と身体の本質を変形する身体の存在だけである。諸器官がなければ、それに対応した観念やイマージュも同様に排除され消滅しなければならないだろう。アルトーは、まさに別の身体を形成の無始原的秩序のもとに、しかし無能力の思考と残酷という情動のもとで語っているのだ。

スピノザの哲学に関わり、またそれを超える限りで見出される〈アルトー問題〉というものが確かに存在する。それはまた〈アルトー状態〉をも相対化する問題である。アルトーは、弁証法や論理学に抗して思考のなかで〈思考されることしかできないもの〉を生み出す生殖性を獲得しただけでなく、生物学や遺伝学に抗して人間身体の本質に伝染してそれを変形する伝染病をその存在の仕方のなかにもたらしたのである。この生殖性から感染性への変移は、思考の死と再生の問題から身体の不死と分身の問題へと深められ、それによって真に一つの伝染病を存在から本質へともたらしたのである（敢えて言うとすれば、遺伝に対置される伝染はとりわけア・プリオリな本質の変形に、有性生殖に対置される伝染病はとくに身体の存在の仕方に、生殖性に対置される感染性はあらゆる価値の価値転換に関わる）。「無能力」の共通概念は、恐怖に関わる遠近法とはまったく別の死の遠近法をわれわれに与えるだろう。そこでは、すべてのものが落下して〈死の生成〉へと至るように感じられ、また物の本性はすべて落下にあると認識されることだろう。思考の不可能性のなかでの思考は、もはや表象像や観念や論理によって進んでいくことがまったくできない状態にある。もはや感性も想像力も知性に思考可能な直観やイマージュを与えず、記憶は想起することを止め、知性は一般的思考のなかでさえも、すなわち糞便性たっぷりの他者のイマージュによってさえももはや思考しえないのだ。重要なことは、存在に有能な精神と身体ではなく、存在に対して無能であるゆえに人間の本質を変形することしかできないような精神と身体を生み出すこと――つまり、この無能力という伝染病である。思考は、思考の無能力によって経験的思考のもとで思考可能的に考えられた様態的区別と思考上の区別から引き離されるがゆえに、むしろ思考されることしかできない思考の区別それ自体をその対象にするのである。唯一の生成変化、それは、単なる思考の区別における、しかし経験的ではなく、まったく超越的に行使された限りでの思考の区別における生成変化、〈分身に - なること〉である。こうした超越的思考の区別とは、スピノザにおけるような、実体についてのその本質と存在の区別、つまり思考の区別ではなく、また様態についてのその本質と存在の区別、つまり外在的区別あるいは様態的区別ではなく、あくまでも様態についての〈存在の仕方〉と〈本質の変形〉の区別（注意されたい。これはけっして「存在の有」と「本質の有」との区別ではない。[*73]したがって、様態的区別ではない）である。しかし、逆説的ではあるが、様態における自己原因として、すなわち再生性－自己感染としてその存在の仕方が本質の変形を含むという限りでの思考の区別である。ただし、この思考の区別という〈間（あいだ）〉で生じる生成変化それ自体は完全に実在的である。実体における自己原因はその本質に存在が含まれるが、様態における自己原因は逆にその存在の仕方に本質の変形が含まれるのである。この差異は、エチカを改変しうる力を有する。様態におけるこの自己原因は、実体のそれの複写ではけっしてない。この意味において、様態の自己原因は、むしろ自己破壊の積極的な原因であると言うべきかもしれない。

Ⅲ　死の哲学

第五節　不死の経験論

欲望する並行論・分身論（その第三の規定）

経験主義的並行論、つまり分身論において、批判の問題に関わる二つの規定を論じたが、最後の規定をここで考えることにする。すなわち、第三に、身体の脱 - 有機体化という形成次元のもとでのみ思考される臨床の問題（換言すると、〈強度の差異〉の本性）を提起しなければならない。ここにおいて、並行論はまったくの分身論になる、あるいは並行論は分身論の一結果にすぎないとさえ言えるまでになるだろう。「われわれは、この生において、とくに幼児期の身体を、その本性の許す限り、またその本性に役立つ限り、もっとも多くのことに有能な別の身体に、そして自己と神と物とについてもっとも多くのことを意識するような精神に関係する別の身体に変化させようと努める」[74]［強調、引用者］。ここには、或る特定の諸器官から構成された有機的身体から

「別の身体」――すなわち、唯一の別の身体、器官なき身体――への変質・変身の問題がある（私は〈唯一の〉と言う。何故なら、ここでは、例えば、病人が望み、そこに移行しようと努力するような別の身体、健康な身体が問題になるわけではないからである）。あるいは現働的現在の相から観られた有機的身体の存在から永遠の相のもとで観られた非有機的身体の本質への、つまり器官をもたない身体への変化・形成の問題が提起されている。しかし、それは、幼児期の脆弱な身体から、もはやその本性を捨て去るようにして忘れ、鏡に写る諸器官の総体としてのわれわれの現実の有機的身体へと、つまり成人の身体へと移行することではない。言い換えると、それは、単に自分が生まれる前の親（＝大人）の身体を反復することではまったくないということである。

端的に言えば、「別の身体」を欲望することは、現に存在している自己の大人の身体の存在のもとで次の生成変化をその本性において引き起こすことである――つまり、（後で述べるが）スピノザ的な意味においてすでに死んでいる幼児期の身体を、「その本性の許す限り、またその本性に役立つ限り」、並行論におけるあの決意＝決定がすべて強度として生じる器官なき身体へと、鏡像段階をもたない実在的身体へと、鏡に映らないが、しかし充実した或る身体へと生成変化させることである。これこそ、分身論を形成する欲望のエチカである。ここでは身体の本性は、一方では強度によって満たされ、他方では強度の消滅によって備給されるのである。ただし注意する必要があるだろう。この変化は、スピノザが言うように、或る本質あるいは形相（例えば、馬）を別の本質あるいは形相（例えば、人間あるいは昆虫）に変えることではなく、或る身体の本質の実在的な非物体的変形あるいはその〈形相の強度〉の問題であり、やはりその本性と一つになった様相の問題、すなわち必然性の問題である。[*75] これは、形成の秩序における批判の水準と完全に並行論をなす、スピノザにおける固有の臨床の問題として規定できる。

さて、一般的には、スピノザは子供時代を否定的にしか捉えていないと理解されている。『エチカ』のなかでしばしば登場する子供時代はほとんど否定的評価とともにしか話題にされない。子供時代の人間は、無力でひ弱であるため、他者という外部の原因に完全に依存することでしか自己を保持することのできない弱体の存在者であり、それゆえ自らのなしうることからまったく引き離された状態、「一つの不完全な状態」を示している、と。したがって、重要なことは、まったくの従属状態であるこうした子供時代を克服して、人間のまさにより有能な形態、つまり成人あるいは大人になることである、という風にひとは考えることになるだろう。この〈大人になること〉について、ピエール・マシュレーは次のように述べている。「〈大人になること〉、それは、たしかに身体から解放されることではないが、しかし身体の欠陥と脆弱につながれた隷属状態から解放されることである。この解放は精神の隷属状態にも同時に生起しなければならず、精神は、自らのうちにある活動する諸素質、つまり自己と神と物を思考し、認識し、理解するその諸素質を展開するのである」。[*76] たしかにその通りかもしれない。しかし、〈大人になること〉というのは、一般的には、単にその時々の習慣や社会により多く適用可能な人間になるということを必ず含意している。何故なら、その限りでひとは、「もっとも多くのことに有能な」身体とこれに関わる精神とにより多く近づくことができるからである。しかしそうなると、ここで言う「もっとも多くのことに有能な」人間とは、例えば、よき夫であり、よき父であり、よき労働者であり、よき隣人であり……、最高のサッカー選手であり、最高の大リーガーであり、オリンピック競技のすべての種目で金メダルを取り、すべての学問領域で新たな発見をなし、偉大な政治家であり、大芸術家であり……、というような一人の全能な人間を考えることになってしまう。すぐにわかるように、これはまったくのアナロジーである。というのは、これは、まさに神の属性を、全知、全能、最高善で、無限知性と無限意志をもち、無限そのもので、それゆえ永遠・不変であり……、というような特性によって形容すること――例えば、デカルトが言う「無限に完全な」――とまったく同じ事柄を示しているからである。要するに、それは神学的アナロジーの人間への再‐適用でしかないだろう。しかし、「もっとも多くのことに有能な」という言い方は、むしろこうしたアナロジーや多義性だけでなく、これらの思考と明らかに共軛関係にある〈優越性〉の概念を排除するものでなければならないのだ。

したがって、スピノザにおいて〈より多くのこと〉に、あるいは〈もっとも多くのこと〉に有能な身体という事柄が意味するのは、具体的にはむしろ次のようなことである。第一には、教会的人間の身体に対して、あるいは一般的に或る限定された土地に囚われた人間の身体に対して、そこから出発して、その外部でしか獲得されえないようないくつか述語＝動詞（ここにはユダヤ教会の儀式や戒律を破ることでしか獲得されない述語＝動詞も含む）によって表現される現働的な諸部分からその身体の存在がより多く構成されるようになるということである。そして第二には、日常のなかですでに獲得されている他の多くの述語＝動詞（排泄する、食事する、感情によって動く、眠る、等々）を貶めたり、あるいはそれらに別の規範的で儀礼的な意味を付加したりして、或る特定の述語＝動詞（儀式や戒律の遂行や遵守に関わる一切の行為）に格段の優越性を置くようなまさに多義性の精神からその身体の存在を解放することによって、すなわちすべての述語＝動詞の差異を肯定し、それについて存在の一義的理解を獲得することによって、たとえ外部に、あるいは他の土地に出ていかなくても、つまり述語＝動詞の数を増やさなくても、身体は、その内部で、その場所でより有能な身体を獲得できるということである。このように、より有能な身体の存在を実現するには、一義性的存在という概念が不可欠である。しかし、これだけでは満足してはならない。というのは、こうした有能さについて身体の本質が問題化されずに残ったままになっているからである。スピノザにおける「もっとも多くのことに有能な〈別の身体〉」とは、単に子供時代を「必要悪」としか考えないような弁証法思考ではけっして達成されえない事柄を前提としているのではないだろうか。この身体の「有能さ」は、実は幼児期の身体の本性を肯定する限りでしか出てこないのである。しかし、〈別の身体への変化〉という実質的内容なしに、とりあえず、スピノザが語っているように名目的に言ってしまえば、「もっとも多くのことに有能な〈別の身体〉」とは、まさに永遠の相のもとで考えられた身体の本質のことである。*77

スピノザはけっして幼児期あるいは子供時代を全面的に否定しているわけではない。それどころか、第三種の認識という『エチカ』のもっとも重要な論点では、スピノザは幼児期の身体の本性を完全に肯定するのである。幼児期の身体を別の身体に変化させようと努力する際に、明示された条件をもう一度考えてみよう。それは、「その〈幼児期の身体の〉本性の許す限り、またその〈幼児期の身体の〉本性に役立つ限り」ということであった。言い換えると、幼児期の身体を別の身体に変化させるという場合に、その幼児期の身体の本性を破壊したり、その身体の本性にまったく役立たなかったりしたならば、この別の身体への変化はその意味をまったく失うということである。その限りで、ここでは〈子供になること〉がむしろ問題提起されていると言わなければならないのだ。子供時代は外部の原因にもっとも多く依存する身体をもつが、しかし、その無能力性は単に持続存在に対する欠陥と脆弱さであって、例えば、感覚の仕方についての無能さや欠陥ではないだろう。要するに、重要なことは、幼児期の身体の存在は、その無能力ゆえに身体のうちに明確な表象像をつくれず、それゆえ自己の本性の能力を超過した数の刺激もけっして受けないということ、したがって、並行論の観点から言えば、この時期の精神も同じような欠陥と脆弱につながれた隷属状態にある以上、その身体は、精神が形成する諸々の概念なしに自己に感覚されることしかできないものを感覚するだけであり、またそれらの感覚から一般概念がつくり出されるようなこともけっしてないということである――この二つの否定は、幼児期の身体そのものが一つの実在的な〈欠如なき無能力〉であることをわれわれに理解させる。こうした幼児期の身体の本性が大人の身体の存在の内側から発動することによって、はじめて共通概念の形成の秩序は直観知までのその実質的な並行論を手に入れることになるのだ。スピノザは、幼児期あるいは子供時代の身体の本性を否定して、それを克服していくかたちで形成される〈大人になること〉などまったく主張していない。〈大人になること〉を肯定すれば、「もっとも多くのことに有能な別の身体」は完全にアナロジーによる産物に陥っていくだろう。そうなると、幼児のような大人、子供時代をまったく忘れ去った愚鈍な大人、マジョリティを支える大人しか考えられないし、よくても成熟した子供を肯定するぐらいだろう。さて、こうした身体の本質について言われるべき身体の不死性あるいは永遠性——ただし、魂についてのみ言われる伝統的な不死性の概念に抵抗しつつ——を把握するためには、何よりもまず死を考え直す必要があるだろう。

死が分かつもの——ドラマ化の線

死体は、実に多くのことをわれわれに語る。われわれにとって生をめぐるドラマがあるのと同様、死も一つのドラマとして捉えなければならないだろう。生と同様、死には、たしかに始まりがあり、その中間があり、そしてこの過程の終局も存在するのだ。その死が、自然死であれ、変死であれ、死体には、つねに身体がその機能や働きを停止した際の、原因や過程が克明に記録され刻み込まれているのである、とこのようにひとは語るかもしれない。死が死体を生み出し、さらには死者の観念をつくり出すということはわかる。しかし、死と死体との間には、まったく異なった区別があるのではないか。しかし、これは、死は一つの出来事であり、他方で死体は物体としての身体の変化であるというような単純な区別ではない。そうではなく、伝達されるものの差異による区別がそこにはあるのではないか、死体は死によってその生の同一性あるいは完結性を伝達するが、しかし死は身体の不死をむしろ伝えるのではないか、或る変化としての死は身体の不死に関わり、生の同一性を示す一般的な死は身体の最後を死体と見なすのではないかということである。それでは、身体の不死を伝達するような死とはどのような死であるのか。

スピノザにおいて死の観念は決定的に歪められる。スピノザは死を曲げる者である。身体の死はまず次のように捉えられる。「私は、身体の諸部分が異なった運動と静止の割合＝比を相互に取るように身体が置かれる場合に、身体を死んだものと理解する。つまり、血液の循環やその他、身体が生きていると認められる諸特徴が維持されている場合でも、人間の身体がその本性とまったく異なる他の本性に変化しうるということを、私はあえて否定しない。何故なら、人間の身体が死体に変化する場合に限って、身体の死を認めなければならないようないかなる理由もないからである。それどころか、経験そのものは反対のことを教えているように見える。というのは、人間にはほとんど同一の人であると言えないほどの大きな変化を受けることがしばしば起こるからである」[*78]。スピノザの哲学においては、人間の同一性はその身体の死の瞬間まで持続するとは考えられない。人間について言われるべき同一性の破壊は、その身体の死、つまりその個体の死滅によって到来する以前にも、その身体に生起するような出来事なのである。存在する個物あるいは様態は、その外延的諸部分によって絶えず他の個物あるいは様態の存在との触発関係（身体の混合、可入性、等々）のもとにある。それゆえ、或る特定の運動と静止の割合＝比を具現している外延的諸部分はつねに外部の物体との接触によって破壊される可能性があるが、実際に或る部分が破壊された個物あるいは様態は、その活動能力が停止し、その結果として死に至ることさえありうるだろう。というよりも、よく言われるように、死はこのような仕方でしか、つまりただ外部からしかわれわれの身体に到来しないのだ。外部の原因によって生まれたものは、必ず外部の原因によって死を迎えるのである。存在することによってしか味わえない喜びを積極的に組織化しようとするならば、それと同時に存在することによってしか到来しない悲しみも不可避的に受け入れなければならないだろう。

スピノザは、単に死にも等しいような悲しみがつねに生のうちに生じる可能性があるというような、当たり前のことを述べているだけなのだろうか。そうではないだろう。ここでは、むしろ様態の新たな変形・形成の場が、あるいはその分身の実在的可能性が確保されているのである（つまり、『エチカ』のこの第四部・定理三九の死についての備考は、第五部・定理三九の備考における「別の身体」への変化の努力という主張内容の実在的可能性を確保するためのものである）。身体が「死体」（cadaver）に変化することだけを死と考えるのではなく、同一の個体性を維持しながらも、まったく別の本性に変化することをも〈死〉として把握すること、それは、言い換えると、本質の直観知としての第三種の認識に達するには、たとえ死んでいても、自己の幼児期のその身体の本性が必要であり、その限りで子供時代の状態を必然的なものと見なすことにつながるのである。二つの水準を区別しておこう。(1)人間の身体が死体に変化する場合とは異なった、死体になる以前の身体の死を一つの実在的な可能性として肯定すること。したがって、死体となる前の、人間の身体の死は、われわれに一つの不死の経験を、あるいは生死横断的（トランス・ヴィモール）な位相を示すということ。(2)無能力な幼児期における身体の本性を肯定することによってのみ、別の身体への変化は実在性をもった事柄として把握されるということ。

スピノザは、先の引用文に続けて、同一の人物であると思われないほど大きな変化を受けた例として詩人と子供を問題にする。死が意味するものについてとり上げられたその事例を見てみよう。「或るスペインの詩人」（おそらく、ルイス・デ・ゴンゴラ〔一五六一〜一六二七年〕のことである）は、病気にかかりその後回復したが、しかし過去の記憶を失い、かつて自分が書いた作品を自分の作とはけっして信じなかった。そして、もし彼がさらに母国語さえも忘れていたとしたら、彼はほとんど「大きな子供」（infans adultus）にしか見えないだろう、とスピノザ言う。さらにスピノザは、こうした変化の例を一般化あるいは補完して、「年をとった人間」の身体の本性は幼児期の身体の本性とは異なるので、他人の子供を見て自分の子供時代を推察することで、はじめて自分もかつては子供であったということを自覚するほどであると言う。何と興味深い事例であろう。しかも、これが生ける身体の死せる身体への変化とは異なる「身体の死」について言われた事例であることを考えるならば、われわれはさらに驚嘆するのである。第一の例は大人の死から大きな子供への変転であり、第二の例は子供時代の死から年をとった人間への移行である。しかし、ここでスピノザが言おうとしていることは、一般的に身体の同一性やその生は人格的同一性あるいは記憶によって保証され表現されるということなどではない。死が、すべての人間にとってあらゆる場合につねに同じように無益で有害であったり、あるいは逆に無力や欠陥状態からの解放であったりするということはない。つまり、ハイデガーのように、「死に関わる存在」という意味での人間存在の一義性について主張するようなすべての言明はまったくの欺瞞だということである。同一の人物であっても、死にも等しい、あるいは死と完全に等価なその本性の変化についての実在的可能性が肯定され、さらには、その死を超えて同一の本性を全面的に展開するために、もっとも多くのことに有能な別の身体への変化、すなわち分身が主張されるのである。

スピノザが上げた事例は、まさにアルトーが言うような、存在の糞便性ではなく、現実に「死んだまま生きること」あるいは「生きたまま死ぬこと」が選択されていることを示している。[*79] 死体、死骸への変化は存在する人間身体の最大の変移であるが、死体に変化する以前の死に等しい本性の大いなる変化は、言わばその身体の存在の仕方をその発生的な要素とする本性の変化である。それでも、死によって寸断され、そこから生み出された〈それ以前〉と〈それ以後〉の、仄めかされた身体の同一性やその生は、人格的であれ非人格的であれ、やはり何らかの同一的なものやそれに対応したそのときの記憶によってそれぞれ表わされることだろう。しかし、忘れてならないのは、スピノザにおいては、死体に変化する以前にも到来しうる死という意味での死の観念が提起され、さらにこうした死を通してしか感覚できない〈不死の感覚〉（消極的に言えば、幼児期の身体が死んだ後に、現在の大人の身体を生きているという否定的な感覚。積極的に言えば、現在のより有能な大人の身体の存在のなかでこそ知覚されるような、幼児期の身体の本性の肯定的な感覚）が、つまり一つの死を媒介とした不死の経験論が主張されているという点である。それはすべて、並行論における臨床の問題として引用した「別の身体」への変身・形成に捧げられている。言い換えると、死は、もはや同一性の自己伝達ではなく、むしろ差異の自己表現だということになる。変形の記憶は、過剰に酷使された記憶であり、まさに新たなものを生み出そうとする作用原因についての記憶である。そして、これが死を分裂症化することの端緒である。私は、ここでは「永遠」という言葉を用いない。何故なら、実践哲学としては「不死」の概念の方がより有効だと考えるからである。

スピノザのように死を捉えることによって何が実現されるのか。それは不死の経験である。悲しみの原因となるようなものとの遭遇をなるべく避けることはできるかもしれないが、しかし、それでも結局は死を恐れて出会いを有機化していること、糞を捏ねていることに変わりはない。人間は、死の生成をそのまま不死の経験にすることができないとすれば、存在のなかでの出会いの有機化の経験を超えることはできないだろう。本性の変化、本質の変形を通してしか伝達されない不死の経験。どんなに立派な親でも、可能性の世界しか子供に提供できないなら、その子供は、必ずやそんな親の生き方に抗して、自己の身体の本性の許す限り、またその本性に役立つ限りで、別の人物や事物のうちに可能性とはまったく異なった必然性という様相を必死に見出そうとするだろう。そうでなければ、この世界にそもそも子供は存在せず、子供は単なる思考上の存在にすぎないことになる。「子供たちはスピノザ主義者である。（……）スピノザ主義とは哲学者が〈子供に-なること〉である」[*80]。しかし、可能性を語りだしたとき、子供は成人を迎えるのだ。これに対して、大人がそうした可能性という運命に抵抗する仕方で或る必然性を主張し始めるとき、〈子供になること〉が生起するのである。子供の本性である残酷性に賭けてみよう。本質のドラマという出来事が現に存在する身体に生じ、この身体の分身として存在しない身体をその本質の変形という相のもとで備給し始めるのである。

偽の分身――〈吸血鬼であれ、人間であれ〉

ここでスピノザを用いて析出してきた死の観念は、或る意味において〈非‐存在〉の概念に対応するものだと言えるだろう。死は生の欠如ではないし、逆に生以上に神聖化されるべきものでもない。すなわち、死は、生と同様に、それに特異な〈非‐生〉という実在性を示してのである。カントの「無限判断」（ただし、ここではこれを「無際限判断」という言い方に置き換える）を例にして考えてみよう。カントは否定判断から無際限判断を区別した。[*81] 例えば、「魂は可死的である」(Die Seele ist sterblich) という命題は肯定判断であり、また「魂は可死的ではない」(Die Seele ist nicht sterblich) という命題は否定判断であるが、しかし、「魂は非‐可死的である」(Die Seele ist nicht-sterblich) という命題はこの両者とは区別され、無際限判断と称された。肯定判断では主語に述語が帰属させられるが、否定判断では述語は主語に帰属されない。しかし、無際限判断では、主語について、特定の述語を否定するのではなく、或る〈非‐述語〉を肯定するのである。例えば、無際限判断のもとで、「身体は非‐可死的である」と言った場合、それは、「身体は可死的である」というのと同じことを言いたいわけではない。それは、いかなる肯定的＝実定的な主張も含んではいないし、単に身体を特定しえない空虚な領域に制限し位置づける、あるいは宙吊りにするための言明である。

さて、ジジェクはここから、無際限判断が開く領域は、可能的経験の枠に入ってくるような「現実性(リアリティ)」とはまったく異なった可能的経験の裂け目であり、怪物的な亡霊が住まう「現実的なもの(リアル)」

の領域であると言う。[*82] この「現実的なもの」とは、ジジェクによれば、カントにおけるわれわれの知的直観としての「非感性的直観の対象」（積極的な意味で言われる仮想体（ヌーメノン））ではなく、「われわれの感性的直観の対象ではないという限りでの或る〈モノ〉」〔強調、引用者〕（消極的な意味で言われる仮想体（ヌーメノン））である。[*83]「現実的なもの」は、無際限判断によって制限された、感性的直観の対象とはなりえない〈モノ〉であり、怪物やゾンビや吸血鬼が潜む「異様な中間領域」である。この論点を展開して、ジジェクは次のような興味深いことを述べている。「要するに、吸血鬼と生きている人間との間の差異は無際限判断と否定判断との間の差異である。死んだ人間は、生きている存在者の述語を失うが、それでもなお、彼あるいは彼女は依然として同じ人格のままである。非死者（undead）は、反対に、唯一つ、同じ人格であるということは除いて、生きている存在者のすべての述語を保持し続けるのである」。しかしながら、「死んだ人間」と「非死者」についてここでジジェクが述べているような、完全に分離して考えられた人格と述語の関係とはそもそもどのようなものであろうか。ここでの述語は実体としての人格をまったく構成せず、それを単に形容するだけの特性としてしか考えられていない。また逆に、その人間の属性を構成的に表現することのないこうした述語に対して、人格はもはや独立自存する卓越した存在者として抽象化されて表象されるしかないだろう。人格は単純な実体概念であり、述語は偶有的な性質としての属性にしか対応しないのである。要するに、それらは、優越性とアナロジーを機能させる象徴ゲームのもとで、つまり、宙吊りにされた或る〈対象（オブイェクト）＝x〉とこれをめぐる多義性の言語ゲームのもとで、何度も言われ続ける「新しいオリジナルな紋切り型」しか構成しないだろう。[*84] いずれにせよ、ジジェクに従えば、無際限判断が開く制限空間なかで個人は、「真の怪物（トゥルー・モンスター）」あるいは「生ける死者（リヴィング・デッド）」――すなわち、同一の人格ということだけは除いて、生きていたときのすべての述語が保持されている或る〈モノ〉――へと生成変化すると言われるのである。

しかし、カントにおける無際限判断に関するこの解釈は一種の過剰さを含んだものである。つまり、生を、あるいは死を類比によって過剰にしてしまうようなものである。こうした「現実的なもの（リアル）」を、あえてカント哲学に関して主張したいのであれば、それは現象の領域を開くという意味での――言い換えると、或る個体についてのすべての性質が肯定か否定かというかたちで排他的・択一的に規定された状態を示す「汎通的規定性」をどこまでも切り崩すという意味での――〈現象それ自体〉である、と言うべきだろう。あるいは、「現実的なもの」とはどこまでも現象それ自体の現実的なものである、と言うべきだろう。しかし、それ以上に問題なのは、無際限判断は、ゾンビや吸血鬼、ミイラ、その他の諸々の〈生ける死者〉あるいは〈非-死者〉たちの生息圏域を指定できるかもしれないが、それらを形成することはけっしてできないということである。何故なら、そこでは、鏡のこちら側の死んだ人間がその鏡の向こう側では〈非-死者〉となるが、それらは単に人格と述語に関する保持と喪失の逆転によって生み出されるだけの類似物である。言い換えると、鏡一枚で〈吸血鬼であれ、人間であれ〉という分身の一つの産出形態をつくったとしても、これは、単に存在上の分類の違いしか示していない以上、この二項は存在の仕方と本質の変形との関係をけっして明らかにしないであろう（例えば、人間は吸血鬼の本質である、あるいは人間の不死の形態は吸血鬼という存在である、ということを百歩譲って認めたとしても、こうした人間と吸血鬼との間でひとは、本質の変形と存在の仕方というまったく異なったものの間の、しかし思考上の区別でしかない非対称的関係——前者から後者への伝染、つまり現働的な〈仕方〉での実現関係と、後者から前者への伝染病の感染、つまり潜在的な〈変形〉の反‐実現関係からなる——を概念化することはけっしてできないだろう)。〈非‐死者〉とは、具体的には、述語として、繋辞や属詞にはけっして還元されない未知の一つの新しい属性＝動詞を獲得すること、あるいは既存の属性＝動詞が一つでも別の強度的な水準を描き出すこと、あるいは既存のいくつかの属性＝動詞をまったく失うとともに、残った属性＝動詞で一つの完全な実在的構成を実現すること、あるいは少なくとも旧来の特性＝形容詞を一つでも消尽することである。〈非‐述語〉には或る創造と消尽を表現するような動詞＝出来事が秘められているのだ。

スピノザが述べた事例のように、以前の記憶を失ったそれ以後のスペインの詩人や、以前の子供時代の身体感覚をすっかり失ったそれ以後の大人の身体の本性に見られるように、人間の同一性の破壊あるいは変移は、物理・生理的現象としての死によって生じる以前でも生起しうるものである。それは、一見すると、以前の人格を失っていると同時に、以前に帰属していたすべての述語を保持している非‐可死的な〈モノ〉だと思われるかもしれない。しかし、そうではない。単に主語に帰属するものとしてではなく、属性＝動詞が主語に生起する出来事を、あるいはむしろ主語の存在とその本質の状態、その本質の変様さえも構成するものとして当の述語が考えられるならば、無際限判断において一般化された表記としての〈非‐述語〉は、最後には存在するとは別の仕方での〈非‐存在〉という無際限表現の意義をもち始めることだろう。つまり、〈非‐

存在〉とは、否定判断に対応する〈存在しない〉（否-存在）ということではなく、また単に存在と思考上区別される〈本質〉ということでもなく、こうした〈存在しないことの触発〉、〈本質の変形〉という絶対的な事柄までを含んで、はじめて〈非-存在〉と言われるものなのである[85]——すなわち〈非-存在〉の触発と変形。あるいは逆に、無際限表現は、不死を、あるいはこうした人間の本質を変形するための実在的な諸要素となる必要があるのだ。

いずれにせよ、ここでの問題は、こうした無際限表現と身体との混合であり、その混合の流れを捉えることである。言い換えると、死骸になったとき、述語は失われるが人格は残ったともはや言われることができないような生存の様式を獲得するならば、それはそのまま無際限表現を含んだ一つの有限な様態（つまり、一つの〈無際限で-有限な〉様態）になって、非-存在としての〈本質の変形〉を実現することになるだろう。ここで言う無際限表現とは、カントにおける無際限判断よりも、あるいはライプニッツの可能世界を仮想する論理よりも、ニーチェにおける仮面の離接的綜合（「歴史に現れるそれぞれの名前は、私だということです」）にはるかに近いだろう。ジジェクが言うように、カントにおける「超越論的仮象」が無際限判断を単なる否定判断として誤読的に理解するところに存するとすれば、否定判断を廃して、すべて無際限判断として捉え、さらに動詞としての述部を無際限表現として実現することは、そうした表現を本質の変形の仮面とすることである。仮面とは、表面、皺、皮膚に留まりつつも、絶対的な深層と混合するもののことである。無際限表現は、離接的綜合のより一般化された意味をつねに有している。つまり、離接的綜合として表記するならば、例えば、「私は旅する、私は旅しない」であるが、無際限表現としては、「私は旅する、私は非‐旅する」（一言で言えば、私は旅するとは別の仕方で旅する）である。つまり、前者は依然として項と項との間の内包的距離の肯定であるが、後者においては、存在の仕方としての第一項は、もはや第二項を関係項とせず、最初からその本質の変形つまり、旅する存在としてのこの私の本質の変形、旅する存在とは別の仕方で旅する――を対象とするのである。存在の仕方と本質の変形はこの〈存在とは別の仕方で〉という絶対的な〈合間〉で生じるのである。

模倣と擬態の差異――デイヴィッド・リンチ

模倣（イミテーション）と擬態（ミミック）はまったく異なったものである。その差異はどこにあるのか。模倣は、存在の類似に終始した或る典型に関する模写形式を基本としている。端的に言うと、オリジナルとコピーとの間に成立する複写可能性の形式が模倣である。このコピーによってオリジナルはますます典型化され、オリジナルはコピーのうちに現前あるいは再現し、同一物の反復をコピーとともにつくり出すのである。これに対して擬態は、先立って存在しないようなものの模倣であり、また同時にその存在しないものに先立ってそれを模倣するような身振りの形相、存在の仕方である。端的に言うと、コピーをコピーすることが擬態の働きであり、その際のコピーの変質は擬態それ自体を形成する。それゆえ擬態においては、コピーは最初からコピーのコピー、コピーの変質であり、そこでは変質の度合だけが反復されるのである。ジャン＝クリストフ・バイイは、アルトーについてこうした意味での模倣と擬態を区別している。「このラジオ番組（『神の裁きと訣別するため』）において驚くべきこと、それは表現の意志が純粋なフォルマリスムに変わることであり、このフォルマリスムは抽象的なものではなく、むしろあらゆる「心理」が廃されたような、模倣的（イミタティフ）ではない声の擬態（ミミック）という意味をもつだろう」[*86]。叫びは、特定の言葉を大きな声で発することではない。叫びは、最初から語の変質・変形とともにしか発せられないのだ。声は口を伝わって身体から出てくるわけだが、この声の擬態、あるいは擬態としての声は、その音声を聞くような耳を前提としていない。言い換えると、擬態としての声のその音調は、物理的な空気＝大気を振動させるためではなく、「器官なき身体の大気の内壁を振動させにいくため」であり、そうした耳を塞いで、身体の本質を触発することにある。

口パクの存在論的身分とは何であろうか。それは無際限表現の一つではないのか。デイヴィッド・リンチの『マルホランド・ドライブ』（二〇〇一年）は衝撃的な映画である。これは一つの離接的綜合を描いた作品であり、表面の言語のなかでのアクチュアルな決定（オーディション会場でのアダムの声による主役＝カミーラの決定）と眼差しによって暗示された決定（アダムの視線による脇役＝ダイアンの決定）がいかに〈身体－深層〉の次元での潜在的な変化・変身を、つまり或るダイアンを引き起こすのかが、いかなる象徴もなしに描かれた作品である。この二つの出来事（＝決定／決意）、あるいは二つの感情イマージュがこの映画の前半部の終わりを示している。夢には象徴があふれていると考えられるが、これはあくまでもオリジナルとしての現実を前提とした限りでの話である。そうではなく、問題は、まどろみや安眠のなかでの可能的な夢ではなく、むしろ不眠者の夢、悪夢の必然性であり、現実の寸断された複写－夢でも、他者の模倣－夢でもなく、むしろ擬態の身体が見る眠りのない夢である。[*87]〈模倣なき擬態〉がここには存在するのである。何故なら、そこでは、もはや〈オリジナル／コピー〉（あるいは〈現実／夢〉、あるいは〈現実世界／可能世界〉）のストーリー関係ではなく、ただテープ（＝記憶）としての世界それ自体の潜在的変化を引き起こすような諸要素と、それらが織りなす分身のドラマ化だけが問題だからである――「人の態度は、或る程度その人間の人生を左右する。そう思わないか」。

この映画の前半部はたしかに一つの死体（ダイアン）が見ている夢や妄想――そこでは、このダイアンの分身たるベティが主役となる――であり、後半はそうした夢や妄想を見るに至った現実の身体をもったダイアンの話だと考えられるだろう。しかし、そんな話なら星の数ほどあるし、それはこの映画の本質に鏡と模倣をもち込むことになってしまう。われわれが問題提起すべきことは、現実／夢、現実世界／可能世界といったような共可能的な二元論のもとでの話しではなく、いかにして表面でのアクチュアルな決定が潜在的なものの残酷な変形をもたらすのか、どのようにして現働的なものと潜在的なものとの間に非共可能性が産出されるのかということである。したがって、ここには無際限表現のもとでの表面と深層との混合、あるいは悪循環が見事に実現されているのだか、そのためには身体そのものを口パクの擬態にすること、あるいは身体によって口パクを模倣から擬態へと変質させることが必要だったのである。「ここにオーケストラはいません。（……）これは全部テープです」。クラブ・シレンシオで司会者の男が発する言葉は、擬態としての〈口パク〉の肯定であり、口パクの身分確認である。オリジナル－コピーの共軛関係から排除されたもの、オリジナルから二重に遠いもの、コピーのコピー、いわゆるシュミラークルといったものの諸相が具体的に〈口パク〉として肯定される場所、しかしそれによって自分たちの身元が明らかにされる残酷な場所、それがクラブ・シレンシオである。その貴賓席の青い髪の女が呟く「お静か(シレンシオ)に」は、あらゆる擬態、〈口パク〉が成立する，反アナロジーの世界、存在の一義的な平面に沈黙をもたらすために発せられた言葉である。〈口パク〉の肯定的な存在論的身分はここに存している。例えば、オーケストラは一般的には演奏の主体である。それゆえオーケストラとこれによって演奏されるものとの間には、オリジナルとコピーとの間に成り立つ関係と類似した関係が成立することになる。さらにこの演奏を録音すれば、そこには演奏（＝コピー）をコピーした、コピーのコピーというオリジナル（＝本物）からもっとも遠く、存在の度合のより低い、より多く不完全なものの次元が成立することになる。しかし、この不完全性は、むしろ一つの実在的な無能力の別名であり、その最大の能力は潜在的なものの変形を可能にする存在の仕方を示しているのである。

同じくリンチの『ブルーベルベッド』（一九八六年）のなかには、口パクのきわめて美しいシーンがある。白塗りの顔のベン（ディーン・ストックウェル）が自分の顔に光をあてながら「イン・ドリームス」を歌う場面である。観る者は、最初ベンの歌が口パクだとは思わない。しかし、その歌に興奮したフランク（デニス・ホッパー）を見て、ベンは歌うのを止めるが、瞬間ではあるがカセットからは相変わらず甘い歌声が流れていた。というのは、そのカセットもフランクによってすぐに止められてしまうからである（フランクは自己の口パク性に目覚めるのが怖いかのようである）。

ズレはわずかな時間だけ顕在化したが、それでも、この映画での口パクは潜在的な恐怖の闇しか表現できていないのではないか。ここでの擬態は、形式の凡庸さと相まって完全に模倣と縁を切っているとはいえない。しかし、『マルホランド・ドライブ』ではリンチの表現の意志が新たなフォルマリスムとなって、つまり、単なる潜在性の闇の模倣ではなく、その形式上の前半部と後半部が相互に反照し合うような無際限の表現となって、沈黙の擬態が実現されるのである。それは、口から、あるいは口パクから身体＝物体が出てくるかのようである。この残酷の映画においては、〈ベティであれ、ダイアンであれ〉、〈リタであれ、カミーラであれ〉、彼女たち――生まれるべき「娘たち」――を通して、「俳優は身体を転移するという働きをもっている」[*88]ということが見事に表現されている。

初期ストア派の哲学を完成させたクリュシッポスはすでにこうした分身としての口パクを捉えていた。彼は言う。「あなたが何かを語るなら、それはあなたの口（ストーマタ）から出てくるのだ。さて、あなたは荷馬車のことを語る。その結果、荷馬車があなたの口からでてくるのだ」[*89]。アルトーの場合も同じである。声の調子を通して、つまり叫びをともなった気息を通して口から身体が出てくるのである。しかし、ここで飛び出してきたのは、身体のもう一つの存在ではなく、身体の本質であり、それ以上にその本質の変形である。そこでは声はつねに声の調子であり、この声の調子は、まさに叫びあるいは気息にしか帰属しないものである。リンチは、映画において恐怖を残酷によって乗り超えた映画作家である。つまり、彼は、まさに存在論上の口パクが、無音の、しかしあらゆる強度に満ちた一つの叫びを身体の本質のもとで表現し始める瞬間を捉えたのである。

残酷さ、それは擬態の身体に固有の潜在的変形を示している。死のイメージは至るところにあるが、しかし誰も死なないのである。不死は可能世界で生き残ることを少しも意味しないし、折り目をもったバロック的構造などどこにもない。恐怖ではなく、残酷を。恐怖に満ちあふれた可能性の世界劇場ではなく、この恐怖の可能性が完全に尽きた、それゆえ必然的な残酷演劇を——アルトーの叫びが聞こえてくるかのようである。

第六節　強度と分身——死の分裂症化

強度の離接性——〈存在であれ、本質であれ〉

スピノザの並行論を経験主義として形成することは、精神に関する批判の問題と身体に関する臨床の問題との並行論として論究される必要がある。しかし、このような別の精神と別の身体への変化、それらの分身の形成に対して、依然として並行論という言葉を用いることはあまり適確ではない。精神と身体は、単に同一の秩序、連結、継起の並行関係にあるというだけでなく、有限な様態として持続することでしか問題提起しえないような〈分身〉という一つの問題的なものを生み出すのである。つまり、並行論において経験主義を打ち立てることは、必然的に形成という欲望の問題を含み、それが欲望する分身論として成立しなければならないことを示しているのだ。精神が自己の活働力能における表現の水準を変えるために批判的形成の問題を意識したとき、その精神は身体の未知の部分——〈身体は何をなしうるのか〉という問題に対応する強度的部分——の分身となるのである。そして、身体の現働的存在をいかにして別の身体に変化させるのかという臨床的分身の問題が提起されるとき、この別の身体とは身体の存在に対するまさにその本質のことであり、それ以上にその本質の変形を意味する。身体の存在は外延的な量感覚や内包的な質感覚という仕方で自己の多様な変様を感覚するが、身体の本質においては、すべては純粋強度、としてのみ感覚される。こうして、諸器官から構成された有機的身体の存在は、批判と臨床の問題によって器官なき身体という身体の本質を自己の分身として存立させようと努力するのである。器官なき身体とは、その本質の変形を自己の存在そのものとする身体のことである。

さて、スピノザはたしかに身体を一つの新たな領域のモデルにした。しかし、それは、ドゥルーズ＝ガタリが主張するように、同時にあるいは必然的に身体を〈死のモデル〉――死と等価なもの――にすることである。それでは、身体を〈死のモデル〉にするとはどういうことか。それは、超越性を帯びた否定や欠如を身体にもたらすことでも、あるいは量と質に関わる身体の死をモデル化することでもない。この場合の量と質の観点とは、単純に生と死の間に程度（量）の差異を、あるいは本性（質）の差異をもち込むことである。それは、例えば、さまざまな医療機器を通して諸器官の運動機能を外延量の表示に還元することによって、つまり運動と静止の割合＝比によって表現された、身体の本性の多様な諸部分をその作動と停止の量的な関係＝関連として把握したり、あるいは、精神と身体の並行論の本質であるアニミズムを、もっぱら生命のない物質と生命そのものとしての魂に分離したりすることであり、また生と死との間をエロスとタナトスとの間にある本性の差異として、あるいは生のいくつかの欲動と死の欲動との間に想定された質的な対立として捉えたりすることにつながっている。〈死のモデル〉は、とりわけ死の欲動に対立し、さらには神の裁きを実質的に支える判断モデルや法廷モデルに、そしてそれらによって支配された情念的な人間本性に対立するのである。こうした人間本性は、自然のなかで自分たちの生殖活動を刻印し、糞便性たっぷりの諸関係を樹立し、自然をまさに存在だけのものに変貌させてしまうのだ。それゆえ〈死のモデル〉は、人間本性によるこうした一切の受肉の体制、欲動の体制を破壊するのである。

ところで、身体を〈死のモデル〉にするということは、一般的に考えれば当然のことかもしれない。しかし、ここではその意味がまったく異なるのである。すなわち、ここで言われる身体は、それが単に可滅的なものであり、人間にとって自分の身体がもっとも切実な可滅性を有するものとして存在するのだからという理由で、〈死のモデル〉になるのではないということである。そうではなく、むしろ身体は、こうしたあらゆる可滅性をそれとはまったく別の実在性を示す絶対的落下として、つまり一切の感覚の度合をもたない〈強度＝0〉への漸近的下降・消滅として捉えるからである。言い換えると、この絶対的落下あるいは能動的下降は可滅性の分身である。それは、むしろ死を量と質から解放すること、あるいは死をめぐる量と質の観点を無効にすることである。そうした身体こそ、器官なき身体という概念でまさにわれわれが考えようとしていたものではないだろうか。「器官なき身体は〈死のモデル〉である」[*90]。器官なき身体はわれわれの経験の可能性の条件ではない。器官なき身体は何も可能にしない。このことは、身体の本質が身体の存在を可能にしないのと同じである。それは、むしろ何も可能にすることができない消尽したものの内在的条件であり、さらに十全に言えば、すべての強度が生起するための、つまり絶対的に落下し消滅するための——強度が内包量から区別されて、まさに強度として把握されるための——一つの無条件的原理である[*91]。強度をあくまでも内包量として考える限り、ひとは、内包量の最大の特徴でもある〈量と質との綜合〉、あるいは〈量に固有の質〉という理解からけっして脱け出ることができないだろう。

さて、カントは、たしかに『純粋理性批判』における「知覚の予料」のなかでこうした落下、消失を捉えていたのではないか。〈否定性＝0〉との関係のもとでのみ規定される量、つまりこの〈否定性＝0〉との内的な緊張関係のなかでのみ規定される量、それが「内包量」であり、漸近的にこの〈否定性＝0〉へと落下していく限りでのみその度合に固有の水準を示すような量である。この意味でカントは、彼にとっての近代市民社会の人間像のなかで、あるいは新たな形而上学、新たな合理主義のなかで、あるいは理性の自己批判のなかでわずかな「死の欲動」をすでに垣間見ていたのかもしれない。しかしながら、欲望のうちにはいかなる内的欲動もない。死の欲動はないのである。死は、生の欠如ではなく、またけっして否定的なものにも、〈否定性＝0〉にも還元されない。死に相応しいのは強度であり、この否定性なき〈強度＝0〉である。死によってその死を迎えたものの同一性が伝達されるということではなく、死そのものが差異を伝えるためには、つまり、「死を分裂症化する」ためには、何よりも量と質から死そのものを解放することが必要である。それは、死の表現をまさに生のうちで発散させること、あらゆる強度（＝生成）を〈強度＝0〉のもとで経験される〈死の‐生成〉にすることである。死は強度によって分裂症化するのである。死は、一つの生における連続的同一性を伝えるのではなく、その生における分身の差異を伝えるのである。

強度は二度、死に関わる。一度目は存在の変革として、二度目は本質の変形として（この二つの綜合が〈革命〉と称されるべき事柄である）、一度目は恐怖として、二度目は残酷として（この前者から後者への移行が人間本性を変形するのである）、一度目は強度それ自体の取り消しとして、二度目は強度それ自体の消滅として（これによって死と不死について強度的な問題が生にもたらされることになる）。強度は、存在のもとで取り消されるが、本質のもとでは消え去るのである。そして、純粋強度というのは、とりわけこの後者にだけ着目した場合にそう言われるのである。強度は身体の存在のもとでその変様の量と質として繰り広げられ、その存在の本質として〈強度＝０〉を備給するのである。強度はつねに離接的であり、その究極の離接性はまさに、〈存在であれ、本質であれ〉——すでに述べたが、これは〈存在の有であれ、本質の有であれ〉ということではまったくない——ということである。強度は分身である。強度は、この〈存在であれ、本質であれ〉がその本質が存在を含まないものについて言われる場合に用いられるが、これに対して〈強度＝０〉は、この〈存在であれ、本質であれ〉がその本質が存在を含むものについてのみ言われる際の表現なのである。強度は、まさにその本質が存在を含まない様態に対応して、その様態が存在し始めた場合には外延量と内包量のもとで展開されるとともにそこで取り消されていき（その様態の本質の外在的態勢）、それと同時に、逆に〈強度＝０〉との間に固有の水準をもつ純粋強度として〈強度＝０〉を備給しつつ消え去るのである（その様態の本質の内在的態勢）。スピノザにおける実体と様態との間の差異をこのように強度を用いて把握することができる。しかし、さらに重要な論点は、この強度の第二の死による〈強度＝０〉の備給という考え方には、諸様態の周囲を実体が回転するという永遠回帰におけるあらゆる価値の価値転換が必然的に含まれる——まさにスピノザとニーチェとの内在的一致、しかしアルトーを戴冠させるための——ということである。

それは様態としての自己原因、自己自身の再生である。したがって、もし強度が存在における内包量として固定されるならば、強度は二度目の死に関わることなく、その離接性からも、分身の備給からも引き離されてしまうだろう。

恐怖があくまでも人称的な誰かに帰属する感情であり、またそれ自体内包量としての度合あるいは受苦を有するのに対して、残酷は、本質的に非人称的で無名的な情動であり、本質に向かって能動的に流産＝逆流した内包量、すなわち強度である。それは、いっさいの音声的諸器官を経ずに発せられるような、つまり対応する音量も音質も持続ももたないような音調性を用いた〈叫び〉あるいは〈気息〉となって吐き出されるものであり、本性上の変形に必然的にともなう能動的苦痛、死の生成、純粋強度である。叫びとは、何らかの既存の言葉を日常の会話よりも強く発することで達成されるような事柄ではけっしてない。叫びは実存のノイズでもうめき声でもないのだから。そうではなく、叫びとは、身体の本性を変化させようとする限りでのその身体の実存の叫び（存在の仕方）であり、その存在の狭い窪みを通過してくる骨と血の噴出のことである。強度は、器官なき身体における、つまり骨と血だけからなる流体の身体における渦、波、泡、気象、等々であり、ぐらぐらと煮え立った〈身体の本質〉の群生的な流れである。[*92] これによって無数の個体からこの身体の本質が流れ出すが、これは、生殖ではなく、無能力という伝染病による個体化のプロセスの一つの産み直しである。それは、骨と血が、器官を残して、あるいは諸器官からなる一つの有機体を残して、あるいは身体の現働的な存在を残して新たな別の身体、分身を形成することである。

さて、スピノザは、他者なき世界に生き、それゆえ他者の欲望にも、他者の弁証法的なストーリーにも従属しない自由な人間を考えた。そして、この「自由な人間は、何よりも死について考えることがもっとも少ない。そして彼の知恵は、死についての省察ではなく、生についての省察である」[*93]。ただし、この言説にはとくに注意しなければならないような事柄が隠されている。ここで省察される生は、実在性のなかで形成される生、つまり欲望する分身論によって満たされた一つの生である。それゆえここで省察されない死とは、想像と象徴のもとで表象される可滅的な差異、あるいは適用の秩序における潜在的多様体の現働化の果てに取り消されるような可滅的な差異に対応した死、否定や欠如に還元されるような死、主体として固定された、一人の他者としての〈私〉の死、本質から切り離された身体の存在の死である。したがって、ここでは省察されない生、あるいは考えられることがより少ない生も存在することになるだろう。それは、この省察されない死によって失うものが最大となるような生、身体の本質が表象的本質や概念的本質として固定されたなかで送られる生、それゆえ本質から決定的に切り離された身体の存在により多く関わるような生である。人間の生き方のほとんどは、そうした死を迎えるという意味で可滅的と言われるのである。

〈私〉とはこうした生の別名であり、人称的世界にはこうした生と死が渦巻いている。アルトーならば、我と汝は糞便の区別に基づいたものだとさえ言うだろう。こうした〈私〉を単なる言語習得の結果として生じた仮構などと考えないようにしよう。他者のすべてを模倣して自己形成を遂げるに至ったこの〈私〉こそ、真実在でなくて何であるというのか。この〈私〉を仮構だの虚構だのと言えるのは、同じように他者‐構造によって構成されたすべてのものに喜びを以って死を与えることのできる者だけである。では、誰が〈私〉に死を与えるのか。そうしたかたちで死を〈私〉に与えることができるのは脱人称化した或る自己だけである。それは、死骸になる以前に、一般性のより低い、しかし特異性のより高いところから落下する強度をより多く表現するようなスピノザの共通概念――新たな感覚の仕方と知覚の仕方を備えた概念――によって、あるいは非物体的変形の受肉の体制をつかさどるような初期ストア派における種子的ロゴス――気息（プネウマ）――よって死を構成することである。現代音楽の作曲家、近藤譲が提起した「線の音楽」[*94]をまさにプログレッシブ・ロックという音楽のなかで音響とコンセプトとして実現したもっとも偉大なバンド、ピンク・フロイドは、反プラトン的な主題を、つまり太陽なしの、この大地とあの月との間にある計り知れないほどいかがわしい関係を歌っている。「吸い込め、空気を吸い込め／悩みを恐れるな／離れろ、だかオレからは離れるな／辺りを見渡してから自分の場所を選べ／生きていく限り、高く飛んでいる限り／おまえの浮かべる微笑が、おまえの流す涙が／おまえの触れるものすべてが、おまえが見るものすべてが／おまえの人生そのものなのだ／走れ、うさぎよ、走れ／穴を掘って太陽とおさばらするんだ／やっと作業が終わっても／休んではいけない、別の穴を掘るんだ／生きていく限り、高く飛んでいる限り／ただし波に乗って／一番大きな波でバランスをとったとしても／おまえは墓場の入り口に向かって急ぐことになるぞ[*95]」。

しかし、自由な人間が省察することのもっとも少ないような死ではなく、逆に自由な人間を生み出すような死の観念が重要なのである。おそらくそれは、〈死の経験〉――つまり、器官なき身体という〈死のモデル〉上に生起する（つまり、能動的に落下する）強度を感覚し経験すること――というものである。これによって〈私〉について言われるその生と死の間の境界線は完全にその意味を失うであろう。これこそが、スピノザが言うような、「死がそれだけ有害でなくなり」、「死をほとんど恐れなくなる」ということである。[*96]「死が有害でなくなる」というのは自分の死をつねに思いつつよりよい生を送ることができるということではないし、また「死を恐れなくなる」というのはこの生を容易に捨て去る準備ができているということも、あるいは死を完全に避けることができるということも意味しない。そうではなく、この〈死の経験〉において一つの生は、死によって失うものがより少ないだけ、それだけより多く不死あるいは永遠を感じ経験することができるのだ。死はむしろ一つの有益性をもち、恐怖を超えた一つの残酷性を生にもたらすのである。〈死の経験〉がどうして不死あるいは永遠の経験につながるのか。それは、〈死の経験〉が強度の感覚によって変様し変形する本質を経験することだからである。言い換えると、死によって限定された有限な生は、反対にその限定によってしか与えられることのない或る特別な力を秘めているということである。それは、その個体の死後にも存続する或るものを対象にした力であり、それゆえ不死性の力である。考察されるべき生の力、すなわち死によって限定された生の力とは不死性の力である。言い換えると、死後にも存続するものは、一切の道徳的な意味なしに、死に限定された生によってしか実現されえないということである。不死性の力とは持続的に存在している間しか発揮されない力である。力は力にしか関係しえないと考えるならば、存在の力が関係する力は本質という変様する力である。すなわち、生の力は本質の触発・変形に対する力なのである。身体が持続存在している間に、はじめて不死性はわれわれの経験において直接の対象となるのである。生と死の間に引かれた一般的な境界線、つまり量あるいは質によって引かれた境界線の脱根拠化こそが、永遠に回帰するもの――アルトー＝餓鬼（モモ）の回帰――であり、それは同時に或る自己を〈私〉から解放することになる。

人間の感性をカント的な受容性としてしか理解することのできない者には、死は、結局死体へと向かって一方的に受容するしかないものとなる。死の恐怖はたしかに存在する。例えば、自分が死んでも、この世界や他者がその死とはまったく無関係に残るということ、これはひとを死の恐怖へと陥れるだろう。しかしながら、自分が生まれる前にもこの世界や他者が存在していたことに対しては、ひとはとくに恐怖を抱かないだろう。何故か。生まれる前の自分を死んだ状態とは考えないからである。あるいは、自分がその身体の存在以前にも存在していたなどということをわれわれはけっして想起＝想像しないからである。同様に、われわれは、自分の身体が死骸となった以降も自分の身体が持続するなどということを想起＝想像しないのだ。誕生することも、死骸になることも、外部の原因に依拠しているからである。したがって、この限りで考えられるアルトー問題とは、いかにして自分で生まれ、いかにして自分のなかから死の生成を引き起こすのかということである。言い換えると、これは、誕生と死によって限定された生を、自分の無能力に徹底的に曝されるようなこの不可能な問題で満たすことであり、これによって不滅の分身、器官なき身体がその生の分身として発生するのである。欲望する分身論のなかでは、器官なき身体はそれ自体けっして現働的に差異化することのない不毛な差異という必然性を示すものである。ここでは、差異を差異化として理解してはならないのである。これに対して逆に差異化することしかできない差異という必然性のなかでこの身体の非分割的な内包部分を考えるとすれば、それは、器官なき身体というこの〈強度＝0〉に対してのみ産出されるような、強度の差異である。自由な人間のあらゆる「知恵」は分身の知恵に関わるものであろう。欲望が単に人間に内在的な本性だということではまったくなく、人間の本質を変形するという欲望がその本質の状態を規定するということがわれわれにとって重要なのである。

不死性を感じ経験すること、それは欲望する分身論における未来の諸力、本質の変形の諸力、すなわち〈別の身体〉からけっして切り離されずにあるような経験、分裂分析的な〈反－実現〉の経験である。この経験が非物体的変形の現働化の実在的な発生の要素となるとき、はじめてこの現働化は革命の諸力を獲得するのである。永久革命とは、存在を目的としてその変革に終始するものではなく、様態の理論として、存在の仕方を作用原因とした本質の触発であり、変様であり、変形のことである。しかし、注意しなければならない。この〈存在の未来〉の原因を再び目的因の一種と考えてはならないのだ。何故なら、目的因はその実現への過程をない方がよいもの、悪だと、つまり実現の欠如だと考えて、それを否定すべき対象とするが、しかしこの新たな作用原因＝自己原因は過程をけっして否定しないどころか、それ自体むしろ質料的な——典型や定点とはまったく無関係であるという意味で——〈過程因〉としか呼べないようなものだからである。スピノザの哲学を唯物論として捉えるならば、ここにその最大の理由を見出すべきである。言い換えると、文脈ではなく、また文脈とはまったく関係のない非通時的な過程が存在するのである。ここを通過する者は、けっして通過した空間を生み出すことのない歩き方をする者たちであり、分裂者の散歩（あるいはその思考）とはそういうものである。社会的領野はむしろこうした過程によって絶えず積極的に生み出されている実在の領域である。ドゥルーズ＝ガタリが言うように、まさに「分裂症的過程は革命の潜在力である」[*97]。欲望はこの過程しか知らない。形成の秩序、あるいはむしろその無秩序は、まさに器官なき身体の投射の過程、産みの苦しみそのものを表現しようという意志である。

別の身体の投射というこの経験は一つの実在的経験であり、つねに〈死の経験〉をともなった経験である。この意味で存在と本質の分裂分身的な経験はむしろ一つの綜合の経験であり、私はそれを存在の仕方とその本質の変形との不協和的一致という意味で分裂分身的綜合と称したい。あるいは簡単に分身における経験こそ、分裂綜合的であると言ってもかまわない。あらゆる被分析の様態と分析する様態のその現働的な諸条件を破壊すること、変形すること、それと同時に器官なき身体としての〈強度＝0〉を備給すること、これがそのまま分裂綜合的経験を形成することになるのだ。われわれにはアルトーしかいないのである。したがって、この経験は、最初から破壊と「同時に」生産的である[*98]。このようにして、分裂綜合的経験はその思考が非物体的なものの物質性であることを見出すのである。この思考の物質性、あるいは非物体的なものを物体的に変形する強度が自己のうちで社会的領野を実在的に定義し、またこの流れをつくり出すことが実際に〈社会〉を生産するのであり、これが〈強度＝0〉を備給すること——強度の完全な本性——の意味である。[*99] したがって、社会的領野、社会的圏閾とは、歴史や習慣や共同体に還元されないどころか、まさに非物体的変形の純粋な「備蓄庫」(réserve)であると言わなければならない(アルトーが言う「箱」は、こうした備蓄庫のブロックをなしているだろう)。社会は非物体的変形群の連結体である。革命への意志を有する限りは、この備蓄庫を人間の知性と感性、そしてその本性そのものを変形し改善するための能動性の〈武器庫〉に生成変化させる必要がある。[*100] 最悪な事物は、資本主義的な〈形相‐質料〉の物体的配備、言語の体制、労働と欲望の体系にあるのではなく(そんなものは現実存在の一部に過ぎないのだ)、われわれの頭のなかにある肥大化し硬直した非物体的な癌であり、それこそが現実世界を構成している存在である限りの存在である。欲望する分身論は、そうした非物体的なものに対して本質の変形問題を提起するのだ。

真の身体の投射

死が有害でなくなり、また恐れの対象でもなくなるということは、死がもつ或る積極的な規定性、死によって限界づけられたもののみが獲得しうるような力に対する認識がより多くなるということである。それは、身体を不死にもたらそうとする生の存在の仕方を限定するような死の力である。死の力は、同時に生の力となるが、しかし外部の物体的なものに対して行使される有能さとはまったく異なった別の力を生に与えるのだ。死は引き算でも、削減でもない。たしかにそれは、存在に対して無能力を与えるが、しかし一つの生のなかで否定のない実在的無能力へとわれわれを決定するのである。精神と身体に関する存在の無能力は本質に対する最大の力能を、つまり本質を変形する力能を有するのである。真に高貴な欲望、それは人間の本質の変形を望むことである。死で区切られた生が持続する間に、その欲望によって不死を感覚し経験するならば、その欲望それ自体が本質を変形する存在の仕方なのである。

人間身体の存在は、多くの場合は人間身体の本質から切り離されている。何故なら、一般に人間身体の存在は外部の感覚可能なものによってその変様をより多く受けるが、それに反して人間身体の本質は感覚されることしかできないものの感覚を最大にすることだからである。それゆえ人間身体の本質は、存在化された自然のうちでは身体の存在に対してもっぱら抽象的なものに留まり続けるのである。これは、言い換えると、アルトーが言うように、人間が自己の身体を変形し、あるいは変化させることを怠り、まったく忘れてしまうことである。或る身体から別の身体へと分身を投射するならば、つまり人間の本質を変形するならば、人間身体は不死となり、精神はこれを意識し続けるのである。つまり、この真の身体の投射は、人間のうちに言わば〈本性-同一性障害〉——人間が非共可能性のもとで離接的に綜合された存在と本質を自己の本性としてもつこと——という伝染病をもたらすのである。それによってこの身体の存在は、本質を変形しようとする衝動をその決定された存在の仕方のなかで受けることになる。つまり精神は、恐怖を超えて残酷なほど人間の本質の変形、変質を意識せざるをえなくなるのである。アルトーの言う「分身」、「別の身体」とは、存在しない身体、非‐存在の身体であり、存在しない様態的変様を表現する身体である。この分身がもつ身体の変様の感覚が強度であり、したがって本質の変形は純粋強度の〈強度＝0〉への落下のもとに感覚され経験されなければならないだろう。

　強度は存在の深さであるが、存在の深さは、われわれがどれだけ強度が能動的に落下するのを感覚するかに比例する。強度は身体の存在において生成し、その本質において落下し消滅するが、このように考えられるのも、身体の存在がその本質を触発し変形する限りでのことである。この場合の触発、変形、それは〈器官なき身体〉という身体の存在の分身を備給することである。強度の能動的落下は本質の変形の過程である。こうした分身への備給あるいは欲望がある限り、身体はその現働的存在を、生まれる前に死を選び、その死後に生を選択しようとするような「別の身体」へと変化させようとするのである。それが様態として自分で生まれ、自己の内部から死が生成する自己再生の本性である。存在しない様態的変様は分身の身体を満たす自己変様であり、また、分身である限りその存在の仕方によってその身体の本質は変形されるのである。死を思考することは、死を想って道徳的により善く、あるいは存在的により強く生きることではない。それは、死を媒介として活き活きとした非物体的変形を生に施すことではないのだ。「死を想え（メメント・モリ）」、それは、逆に生を手段として人間の本性を触発して変形しろという思考に対する命令である。死は、人間における恐怖（と希望）による受動性の体制とそうした受肉の体制を生み出す人間本性との訣別を真に可能にするような、残酷（と無能力）による能動性の体制へとわれわれを導いているかのようである。死が生のなかで発散し、より分裂症化すれば、それだけ超人＝餓鬼のこうした場所への帰還がより多くなされるのである。

人間は身体を生きる。しかし、それは、身体を生きる存在とは別の仕方で身体を生きることである。この両端の〈身体を生きる〉は現実に固定化された項ではまったくない。重要なことは、両者は思考上の区別であるが、この区別の間での生成変化は思考の外部で生じる実在的なものだということである。前者は一つの存在の仕方であるが、後者は本質の変形の示すものである。それらの間の〈存在とは別の仕方で〉は、言い換えると〈非－存在の仕方で〉ということである。それゆえ、後者の〈身体を生きる〉を、他の無数にある存在の仕方に還元したり、さらには、本質において、あるいは本質存在において身体を生きることだと考えたりしてはならない。もし非－存在を本質あるいは本質存在として肯定的＝実定的に規定するならば、それは無際限判断あるいは無際限表現に反することになる。そうではなく、本質の変形なのである。本質は本性的に本質の変形であり、そうでなければ、本質はつねに本質存在に陥ってしまうだろう。様態の分身論においては、私は、〈存在の仕方〉は〈本質の変形〉を含むと考える。しかし、〈存在の仕方〉によってしか〈本質の変形〉は生じないのである。〈存在の仕方〉は死によって肯定的に限定されるが、しかしその限定によってしか本質を変形する力へと決定されないのだ。別の身体とは、予め存在する実在の項ではなく、本質の変形を自己の個的で特異な本質とする存在の仕方である。唯一の実在、それは〈存在とは別の仕方で〉という絶対的な間での身体の生成変化である。真の身体の投射[*101]——その人間は全身を曝して立っている。それは身体の存在であるから、物体的にも非物体的にも、すなわち精神的に条件づけられ、身体的に縛られる可能性のある存在である。実際にそれは、手には手錠がかけられ、足は鉄鎖につながれ、兵士には火炎放射器で胸部を焼かれるような身体の存在である。しかし、彼の縛られた手には空間を横切る一本の紐（独楽を回す紐）が握られているが、彼の血と骨はそれを伝わって彼の分身を形成するのである。分身は斜めに傾いて独楽のように急回転するが、その身体を四方八方に投射する姿はまさに諸器官を噴出させているかのようである。しかし、それと同時にその投射は、四方八方から強度が降り注ぐように落下してその身体が無限振動する姿でもある。兵士たちは、そんな騒がしい身体の本質には、つまり実在的ではあるが、非物体的な変形の身体にはまったく気づかない。左側に描かれた彼の身体の存在にも分身の力が反映され、膝蓋骨を突起させた膝からは分身と同じ投射や落下、振動が感じられる。このことは、分身の右肩から出た紐がその膝に向けられていることからも理解できる。それは、分身という〈逆のもの〉が人間の表の部分になる瞬間である。彼の身体は不滅である。死の哲学は、無能力についての逆説の哲学であり、人間本性を根こそぎにする残酷の哲学である。

——死者の舞踏は、器官なき身体の舞踏にとって代わられる。

＊1　例えば、スピノザのオルデンブルグ宛て書簡のなかの言葉を用いて、ドゥルーズは次のように述べている。「〔スピノザにおいて〕存在そのものはいまだ一種の試験＝試練として考えられている。たしかにそれは道徳的試験＝試練ではなく、物理的あるいは化学的試験＝試練であり、素材の、金属の、器の質を検査する職人たちの試験＝試練のようなものである」（Gilles Deleuze, *Spinoza et le problème de l'expression*, Minuit, 1968, p.296［以下、*SPE* と略記］（『スピノザと表現の問題』、工藤喜作・他訳、法政大学出版局、一九九一年、三三七頁）;cf. *Spinoza—philosophie pratique*, Minuit, 1981, pp.58-59［以下、*SPP* と略記］（『スピノザ——実践哲学』、鈴木雅大訳、平凡社ライブラリー、二〇〇二年、七三－七五頁）；『スピノザ往復書簡集』、畠中尚志訳、岩波文庫、一九五八年、書簡七五、七八、参照）。

＊2　フリードリッヒ・ニーチェ『曙光』、氷上英廣訳、ニーチェ全集・第九巻（第一期）、白水社、一九八〇年、第二書、一一四番、参照。

＊3　Antonin Artaud, «Sur le suicide», 1925, in *ARTAUD Œuvres*, Gallimard, 2004, pp.124-126［以下、*AŒ* と略記］（「自殺について」、宇野邦一訳、『ユリイカ』、一九九六年一二月号所収、青土社、七八－八〇頁）。

＊4　ディディエ・エリボン『ミシェル・フーコー伝』、田村俶訳、新潮社、一九九一年、四五七－四五八頁、参照。

＊5　Michel Foucault, *L'usage des plaisirs*, Gallimard, 1984, pp.14-15（『快楽の活用』、田村俶訳、新潮社、一九八六年、一五－一六頁）。

＊6　Cf. G. Deleuze, *Pourparlers*, Minuit, 1990, pp.129-138（『記号と事件』、宮林寛訳、河出文庫、二〇〇七年、一九〇－二〇五頁）。「問題は、芸術作品としての存在（エグジスタンス）と創作する任意の規則、つまり存在の様態や生の様式（これには自殺も含まれる）を構成するような、倫理学と美学の双方にまたがる規則である」（*ibid*, p.135（一九九頁））。

＊7　マルクス「フォイエルバッハに関するテーゼ」、マルクス＝エンゲルス『新編輯版　ドイツ・イデオロギー』所収、廣松渉編訳、小林昌人補訳、岩波文庫、二〇〇二年、参照。

＊8　ニーチェについては、ピエール・クロソウスキー『ニーチェと悪循環』、兼子正勝訳、ちくま学芸文庫、二〇〇四年、四〇三–四八五頁、アルトーについては、アンドレ・ブルトン「アルトーを語る」、生田耕作訳、アントナン・アルトー『アンドレ・ブルトンへの手紙』所収、奢灞都館、一九七八年、七七–八三頁、を参照。

＊9　Cf. A. Artaud, *Le Théâtre et son Double*, 1938, in *AŒ*, p.540（『演劇とその分身』、鈴木創士訳、河出文庫、二〇一九年、九六頁）。アルトーが一九三〇年代に述べていた「形而上学（メタフィジック）」とは、分身としての「別の身体」を擬態すること、つまりその効果のことであり、またこの身体は、自然に反した関与を当の自然に対して行使するような力能を、つまり〈残酷さ〉を自己の本性とするものである。デリダが考察しているアルトーの「形而上学」では、こうした身体的なもの（フィジック）が発する演劇的蒸気、つまり演劇的観念の様態が無視されており、それに代わって、アルトーのテクストの「二重性」（duplicité）が強調されることになる。それゆえそこでは、とりわけ初期のアルトーに特徴的な、身体の一属性としての形而上学やその様態としての演劇的観念の諸力は、結局は典型的で健康的な形而上学的意味の範囲内に、あるいはその伝統的なアポリアや闘争のうちに完全に切り縮められてしまっている（Cf. Jacques Derrida, «La parole soufflée», in *L'écriture et la différence*, Seuil, 1967, pp.289-292（「吹きこまれ掠め取られた言葉」、合田正人・谷口博史訳、『エクリチュールと差異』所収、法政大学出版局、二〇一三年、三九三–三九八頁）。これに対して、アルトーにおける身体と形而上学との関係を、手短にではあるが、適確に論じたものとしては、宇野邦一『アルトー——思考と身体』、白水社、一九九七年、一二三–一二五頁、を参照。

＊10　スピノザ『エチカ』、畠中尚志訳、岩波文庫、一九七五年、第三部、序言。

＊11　Cf. Gilles Deleuze, Félix Guattari, *Mille Plateaux*, Minuit, 1980, pp.295, 315,317［以下、*MP* と略記］（『千のプラトー』、宇野邦一・他訳、河出文庫、二〇一〇年、中・一六六–一六七、二〇二、二〇五–二〇六頁）。情動のマイナー幾何学は、何よりも反自然の融即として成立する。何故なら、それは、感情の本性や力を、自然界の一義性を構成する線や面や立体を研究するのと同じように取り扱うことを超

えて、第一に〈喜び - 概念〉から〈至福 - 直観〉へのもっとも稀なマイナー線を自然のうちに引くことであり、第二に〈悲しみ - 無能力〉から、〈残酷 - 分身〉へのそれ以上にマイナーで、知覚不可能な線を自然のうちに投射することだからである。

*12 スピノザ『エチカ』、第三部、定理三九。

*13 Cf. G. Deleuze, F. Guattari, *MP*, pp.497-502（下・一〇六 - 一一四頁）。ここでは、『ニーチェと哲学』において展開された弁証法的労働と肯定的戯れとの間の差異が、端的に労働と自由活動との間の差異として改めて論じ直されている。

*14 スピノザ『エチカ』、第四部、公理（同じく、第五部、定理三七の備考も参照せよ）。

*15 ドゥルーズは、こうした或る種の消尽、落下、破壊という水準において、あるいはむしろアルトーが提起するような残酷＝必然性のもとで、スピノザ主義を二度ほど援用したことがある。「〈疲労したもの〉(fatigué) は単に現実化を尽くしてしまったにすぎないが、一方の〈消尽したもの〉(épuisé) はすべての可能なものを尽くしてしまう。疲労したものはもはや〈現実化する〉ことができないが、消尽したものは〈可能にする〉ことができないのである。（……）もはや何一つ可能ではない。つまり、徹底したスピノザ主義があるのだ」(G. Deleuze, *L'Épuisé*, Postface à S. Beckett, *Quod*, Minuit, 1992, p.57〔『消尽したもの』、宇野邦一・高橋康也訳、白水社、一九九四年、七頁〕)。「倒錯者の世界は他者なき世界であり、したがって可能なもののない世界である。他者とは可能化するもののことである。倒錯的世界は、可能なもののカテゴリーが必然的なもののカテゴリーによって完全に置き換えられた世界である。すなわち、これは不思議なスピノザ主義であって、そこではよりいっそう元素的なエネルギーと希薄な空気〈天空 - 必然性〉のために〈可能性という〉酸素が欠如しているのだ。あらゆる倒錯は、〈他者殺し〉(autruicide)、〈利他殺し〉(altrucide) であり、したがって、可能なものの殺害である」(G. Deleuze, *Logique du sens*, Minuit, 1968, p.372［以下、*LS* と略記］〔『意味の論理学』、小泉義之訳、河出文庫、二〇〇七年、下・二五七頁〕)。

*16 「系　自分の憎む者から愛されていると表象するひとは、同時に憎しみと愛に捉われるであろう」、「備

考 もし憎しみが優位を占めるならば、彼は自分を愛してくれる者に害悪を加えようと努めるであろう。このような感情はたしかに残酷（Crudelitas）と呼ばれる。とりわけ愛する者が憎しみのいかなる一般的原因も与えなかったと考えられる場合には、そうである」（スピノザ『エチカ』、第三部、定理四一、系と備考。同様に、第三部、感情の定義、三八も参照せよ）。私は、本文で「実はその本質によってしか自分が愛されていないと感じる場合」と書いた。その理由は、本質とは、少なくとも人間の存在力の増大（喜び、愛…）を通じた自己の実現に対して働く力能であり、その限りで本質それ自体は、その存在にとっては最初からア・プリオリに与えられた喜びや愛であると考えられるからである。

＊17 Cf. F. Guattari, *Chaosmose*, Galilée, 1992, p.103（『カオスモーズ』、宮林寛・小沢秋広訳、河出書房新社、二〇〇四年、一一七頁）。ここで述べられているように、「正常病者」（normopathe）は、ラ・ボルト精神病院の創設者であり、この病院でのガタリのよきパートナーでもあったジャン・ウリが用いた言葉である。

＊18 スピノザ『エチカ』、第二部、定理一八、備考、参照。ここでは、知性の秩序によって、言わば記憶の秩序と習慣の秩序の双方が同時に批判されている。

＊19 A. Artaud, *Correspondance avec Jacques Rivière*, 1927, in *AŒ*, p.80（「ジャック・リヴィエールとの往復書簡」、粟津則雄訳、『神経の秤・冥府の臍』所収、一九七一年、現代思潮社、五九頁）。

＊20 Cf. G. Deleuze, *Pourparlers*, pp.197-198（二四一－二四二頁）; «Note pour l'édition italienne de *Logique du sens*» in *Deux régimes de fous*, Minuit, 2003, p.60［以下、*DRF* と略記］（「『意味の論理学』イタリア語版への覚え書き」、宇野邦一訳、『狂人の二つの体制 1975－1982』所収、河出書房新社、二〇〇四年、八七－八九頁）。

＊21 スピノザ『エチカ』、第三部、定理二、備考。

＊22 Cf. G. Deleuze, «Quatre propositions sur la psychanalyse», in *DRF*, pp.73-74（「精神分析めぐる四つの命題」、宮林寛訳、『狂人の二つの体制 1975－1982』所収、一〇九－一一〇頁）。「無意識、あなたたちはこれを生産しなければならない。無意識を生産せよ。そうでなければ、あなたたちの精神症候群、あな

たたちの自我、あなたたちの精神分析家と一緒にいなさい。（……）無意識を生産すること」。無意識を生産せよ、これは、〈並行論を形成せよ〉、すなわち〈分身の線を引き伸ばせ〉、〈分身論を作動させよ〉、〈分身を備給せよ〉ということである。

＊23 概念の適用の次元における「思弁的視点」と概念の形成の位相における「実践的機能」との差異、そしてこの後者の経験論的意義——これらの論点こそ、驚嘆すべき一義性の思想を提起した革命的異分子としてのスピノザを際立たせることになる——については、G. Deleuze, *SPE*, pp.134-136, 259-262（一五〇‐一五二、二九五‐二九九頁）; *SPP*, pp.27-43, 127-129, 160-161（三二‐五四、一〇四‐一〇七、二三〇‐二三五頁）を参照せよ。ミニュイ社から刊行された、ドゥルーズの『スピノザ——実践哲学』は、その一一年前にPUF（フランス大学出版局）から出た『スピノザ』（一九七〇年）をもとにして、それを大幅に増補・加筆したものであるが、残念ながら、この旧版にあった「テクスト抜粋集」の部分（全二六頁［三区分］）は新版では完全に省かれてしまった。そこで、以下に各抜粋に付けられたドゥルーズ自身による簡単な標題と抜粋箇所を参考までに訳出しておく。「テクスト抜粋集（A）批判 1. 意識に対する批判：驚くべきことに、身体は……（『エチカ』、第三部、定理二、備考） 2. 何故、われわれの観念は本来的に非十全なのか（『エチカ』、第二部、定理二八、証明と備考） 3. 法に対する批判：アダムの誤解（『神学政治論』、第四章） 4. われわれは非十全な観念に従った二種類の感情をもつ（『エチカ』、第三部、定理一一、備考／定理三九、備考／感情の一般的定義） 5. 悲しみの感情とこの感情を利用する人々に対する批判（『エチカ』、第四部、定理四五、備考／定理六三、備考／付録一三／第五部、定理一〇、備考） 6. 宗教に対する批判と宗教の意味：服従すること（『神学政治論』、第一三章）（B）十全なものの獲得 7. 方法：何らかの真なる観念から出発して、われわれ自身と神とその他の物についての十全な認識を産出すること（『知性改善論』、三七‐四〇） 8. 何故、共通概念はわれわれにおける十全な観念であるのか（『エチカ』、第二部、定理三九、定理と証明と系） 9. いかにしてわれわれは共通概念に達するのか：喜びの感情から出発して、外部の事物とわれわれ自身に共通であるものについての観念を形成すること（『エチカ』、第五部、定理一〇、定理と証明と備考） 10. 共通概念から神の観

念へ（『エチカ』、第二部、定理四六、証明／定理四七、備考） 11. 神の観念の第一の側面：属性ごとに異なる唯一の実体（『エチカ』、第一部、定理八、備考二） 12. 神の観念の第二の側面：すべての属性に対する唯一の実体（『エチカ』、第二部、定理一〇、証明と備考） 13. 原因の一義性：自己原因と同じ意味で言われるすべての物の原因たる神（『エチカ』、第二部、定理三、備考） 14. 諸属性の一義性：諸々の同じ属性が神の本質を構成し、かつ諸々の産出物の本質のうちに含まれる（『エチカ』、第二部、定理七、備考）（C）様態の諸状態 15. 存在する個体（『エチカ』、第二部、〔定理一三の後の〕定義、補助定理四、五、六、七、備考） 16. 死が意味するもの（『エチカ』、第四部、定理三九、証明と備考） 17. 永遠の特異な本質（『エチカ』、第五部、定理二三、証明と備考） 18. 悪は本質について何も表現しない（『往復書簡集』、書簡二三〔スピノザからブレイエンベルフへ〕） 19. 第三種の認識と諸本質：私と物と神（『エチカ』、第五部、定理二五、証明／定理三一、証明） 20. 個体の死後に本質上残るもの（『エチカ』、第五部、定理三八、証明と備考）」(Cf. G. Deleuze, *Spinoza*, PUF, 1970, pp.101-126)。

*24 Cf. G. Deleuze, *SPE*, p.100（一一〇頁）。

*25 ガタリは、初期ストア派のこの「非物体的」(incorporel) という言葉をドゥルーズ以上に多用するだけでなく、それ以上に新たな意味をそこに与えている。〈非物体的なもの〉の概念を刷新し、「非物体的宇宙」を定立するという意味で、ガタリは、二一世紀の思想家であるという前に、その過激さから言っても、むしろ二〇世紀のクリュシッポスであると言うべきではないだろうか。例えば、スピノザとラカンについて、次のように決定的なかたちで〈非物体的なもの〉の概念が用いられている。「スピノザを言い換えて、私は、非物体的世界には本質的にそれ自体によって存在することが属すると言うだろう」(F. Guattari, *Cartographies schizoanalytiques*, Galilée, 1989, p.196（『分裂分析的地図作成法』、宇波彰・吉沢順訳、紀伊國屋書店、一九九八年、二四六頁）)——ただし、このガタリの言説は、とりわけスピノザの『デカルトの哲学原理』（畠中尚志訳、岩波文庫、一九五九年）のなかの「定理一六 神は非物体的である」(Deus est incorporeus) を用いたものだろう。「言語表現の実質と非言語表現の実質は、あらかじめつくられた有限の世界（ラカン的な大文字の〈他者〉の世界）に属する言説の連鎖と無限の

創造的潜在性をもった非物体的閾値（これは、ラカン的な「数学素（マテーム）」とは何の関係もない）とが交差する地点で確立される」（*Chaosmose*, p.43（四四頁））。「しかしラカンは、（……）「欲望する諸機械」を——彼はこの理論に着手したにもかかわらず——適切に非物体的な潜在性の圏域に位置づけなかった」［強調、引用者］（*Chaosmose*, p.132（一五一頁））。「潜在的で非物体的な〈世界〉」（*Cartographies schizoanalytiques*, p.13（一四頁））。ガタリがこのように潜在性の領域を非物体的なものとして明確に捉えていることは、きわめて重要な事柄である。このように、「非物体的なもの」の概念の用法に着目することによって、われわれは、ガタリの思想からより多くの哲学的な事柄を引き延ばすことができるだろう。またジャン・ウリも、こうしたガタリの影響を受けてか、次のように述べている。「官僚的基準の枠組は、凝縮した質の次元にあるものを計ることができないし、ストア派が言う意味での非物体的な次元にあるものを計ることもできない」（ジャン・ウリ序文、『精神の管理社会をどう超えるか——制度論的精神療法の現場から』、松籟社、二〇〇〇年、一六頁）。ただしスピノザは、当然ではあるが、この「非物体的」（incorporeum）という否定的な言葉自体の使用については批判的である（『知性改善論』、畠中尚志訳、岩波文庫、一九六八年、八八−八九節を参照）。というのは、人間は、事物の本性を知らないので、肯定すべきものに対して容易に否定的な言葉を用いてしまうからである。

*26 Cf. G. Deleuze, Claire Parnet, *Dialogues*, Flammarion, 1977, ouvrage réédité en 1996, p.142（『ディアローグ——ドゥルーズの思想』、江川隆男・増田靖彦訳、河出文庫、二〇一一年、一九九頁）。

*27 残酷の必然性については、A. Artaud, *Le Théâtre et son Double*, in *AE*, p.552, pp.566-567（一二九、一六三−一六七頁）を参照。

*28 例えば、アルトーは、『演劇とその分身』のなかの「言語についての手紙」で、文法的に分節された「言葉の言語」に対する批判と、抽象的な価値を有し、また抽象的な変質のなかでしか捉えられないような高次の演劇的「観念」についての哲学的な主張をおこなっている（Cf. A. Artaud, *Le Théâtre et son Double*, in *AE*, pp.568-579（一七〇−一九九頁））。「諸観念のこうした軟骨質の変形（transformations cartilagineuses）を考慮に入れなければ、完全な演劇はありえません。（……）一言で言うと、演劇のも

っとも高い観念とは、われわれを哲学的に〈生成〉と和解させてくれる観念であり、あらゆる種類の客観的状況を通して、語のなかでの諸感情の変化や衝突についての観念よりも、事物のなかでの諸観念の通過と変質についての一瞬の観念をはるかにわれわれに暗示する観念であるように思われます」［強調、引用者］(*Ibid.*, p.571（一七七頁))。

*29 G. W. Leibniz, «Considérations sur la doctrine d'un esprit universel unique», in *Philosophische Schriften VI*, 1885, p.533（「唯一の普遍的精神の説についての考察」、佐々木能章訳、『ライプニッツ著作集（第八巻）前期哲学』所収、一九九〇年、一二七頁）。

*30 スピノザ『エチカ』、第三部、「感情の一般的定義」。

*31 スピノザ『エチカ』、第三部、序言／『国家論』、畠中尚志訳、岩波文庫、一九七六年、第一章・第四節、参照。

*32 スピノザ『エチカ』、第二部、定理一三、備考、参照。

*33 スピノザ『神・人間および人間の幸福に関する短論文』、畠中尚志訳、岩波文庫、一九五五年、第二付録［以下、『短論文』と略記］。あるいは、スピノザは「純粋な受動」としての認識について次のように述べてもいる。「それは精神のなかで物の本質および存在が知覚されることである。したがって、事物について或ることを肯定ないし否定するのは、われわれではなく、事物自身であり、この事物自身がわれわれのなかで自身について或ることを肯定ないし否定するのである」(『短論文』、第二部・第一六章)。この言説を引き延ばしたかたちで、ドゥルーズが、「展開すること＝説明すること(expliquer)は、スピノザにおいては「強い」言葉である。それは、事物に対して外在した知性の作業ではなく、知性に内在した事物の作業を意味しているのである」(G. Deleuze, *SPP*, p.103（九二－九三頁))、と言っていることは明らかであろう。こうした知性に内在した事物の自己展開とは、認識が何よりも「物の味方」であることを示している（フランシス・ポンジュ『物の味方』、『フランシス・ポンジュ詩集』所収、阿部良雄編・訳、小沢書店、一九九六年、参照)。

*34 A. Artaud, «Le corps est le corps……(novembre 1947)», in 84. n°5-6, 1948, p.101; cf. G. Deleuze, F.

*35 Guattari, *MP*, pp.196-197（上・三二五－三二七頁）。また、森島章仁『アントナン・アルトーと精神分裂病』（関西学院大学出版会、一九九九年）の「第五章　重さをひらく」のなかのとりわけ「3　寸断化された身体／器官なき身体――性、分身、機械」を参照。

*36 「その対象の本性を、すなわち人間身体の本性を認識すること（……）」（スピノザ『エチカ』、第二部、定理一三・備考）、および「何故なら、観念の卓越さ〔価値〕とその現働的な思考力能は、対象の卓越さ〔価値〕によって評価されるからである」（『エチカ』、第三部、感情の一般的定義）。

*37 スピノザ『エチカ』、第二部、定理七、備考、参照。

*38 「すべて書かれたものは豚のように汚い。漠然としたものから出発して、自分たちの思考のなかに生起するものについてなら何でも明確にしようと試みる者たちは、豚のような連中だ」［強調、引用者］（A. Artaud, *Le Pèse-Nerfs*, 1925, in *AŒ*, p.165（『神経の秤・冥府の臍』所収、一三一頁））。

*39 スピノザ『エチカ』、第四部、序文、参照。

*40 Cf. G. Deleuze, *SPP*, pp.54-58（六九－七三頁）。

*41 「概念とは、一つのリトルネロであり、それ自身の数字＝表徴（chiffre）をもった一つの音楽作品である」（G. Deleuze, F. Guattari, *Qu'est-ce que la philosophie?*, Minuit, 1991, p.26（『哲学とは何か』、財津理訳、河出文庫、二〇一二年、三九頁））。アルトーはこうした「数字＝表徴」についてすでに次のように述べている。「もっとも高度な意義のなかで書かれた数字＝表徴は、ひとが番号をつけたり、計算したりすることがうまくできないものについての一つの象徴なのである」（A. Artaud, *Héliogabale ou l'anarchiste couronné*, 1934, in *AŒ*, p.434（『ヘリオガバルス』、鈴木創士訳、河出文庫、九六頁））。

*42 ニーチェ『ツァラトゥストラはこう語った』、薗田宗人訳、ニーチェ全集・第一巻（第二期）、一九八二年、二六九、四三六頁、参照。

*43 スピノザ『エチカ』、第二部、定理四〇、備考二／『知性改善論』、第二三節／『短論文』、第二部、第一章、第四章、参照。スピノザにおけるこの比例性の形式についての代表的な考察としては、河井徳治『スピノザ哲学論攷――自然の生命的統一について』、創文社、一九九四年、三二一－四五、一二九－一四四頁、

および「スピノザの「比の保存思想」とその諸相」、『現代思想』、一九九六年、一一月臨時増刊号所収、一六〇 - 一六七頁、を参照。

*43 Thomas De Vio Cajetanus, *De Nominum Analogia*, Caput 3, §23-30（Cf. Pinchard Bruno, *Métaphysique et Sémantique* —— *Etude et traduction du De Nominum Analogia*, Vrin, 1987; カイエタヌス『名辞の類比について』、箕輪秀二訳、『中世思想原典集成 二〇 —— 近世のスコラ哲学』所収、平凡社、二〇〇〇年）。この「比例性の類比」が有する性質について、例えば、松本正夫は次のように述べている。「カエタヌスの「比例性の類比」のみが一切の本性的本質的媒介を拒否するものとみられる。それは神と世界とを比例〔proportio〕とか分有〔participatio〕によって直接関係させせないのである。神の本質ａとその本質に比例する実存ｂと、世界の本質ｃとその本質に比例する実存ｄとの両比例 ｂ／ａ～ｄ／ｃ と言う風に相関しうると云うのである。ａとｃ、ｂとｄとが直接に比例されないところに特徴がある。実存上の絶対とそれの実存、本質上の絶対とその実存と言う風に自己依拠と云う絶対者の概念には神と世界との各々に於ける比例乃至理拠のみの並行関係（共有関係）を許すものがある。そして他の類比〔「不等性の類比」（analogia inaequalitatis）と「比例の類比」（analogia proportionis）〕にもとづく神概念にはこの特長がないのである」（『存在論の諸問題 —— スコラ哲学研究』、岩波書店、一九六七年、一七一頁、註四）。

*44 Cajetanus, *De Nominum Analogia*, Caput 3, §24.

*45 スピノザ『エチカ』、第四部、定理四、証明、参照。「個物が、したがってまた人間が、自己の存在を維持する力能は、神あるいは自然の力能そのものであるが（第一部定理二四の系により）、しかし、それは無限なる限りにおける神あるいは自然の力能そのものではなく、人間の現実的本質によって説明＝展開されうる限りにおける神あるいは自然の力能そのものである（第三部定理七により）。それゆえ、人間の力能は、それが人間自身の現働的本質によって説明＝展開される限り、神あるいは自然の無限な力能の部分、すなわち、（第一部定理三四により）神あるいは自然の無限な本質の部分である」。これは、言い換えると、個物の力能によって、かつその限りにおいて神あるいは自然の無限の力能を定義した一

つの実在的定義と考えることができる。

*46 イマヌエル・カント『判断力批判』、九〇節、参照。

*47 カント『プロレゴメナ』、五七‐五八節、参照。

*48 カント『純粋理性批判』、A179＝B222。

*49 カント『判断力批判』、九〇節。ドゥルーズ＝ガタリは、『千のプラトー』のなかで、「比例の類比」――神と世界のなかの存在者とを比例や分有によって直接関係させて、その唯一の優越項たる神との類似度合によって存在の完全性の系列をつくり出す形式――から、カエタヌスによってよりよく定式化され、カントによってその使用に制限が加えられた「比例性の類比」への思考の移動を、博物学から構造主義への移行のなかで捉え直している。そして、この考察が含まれた「或る博物学者の思い出」という節以降、この系列と構造という二つの概念を中心として形成される思想圏を脱して、アナロジーの思考を基本的に構成する「関係＝比の等価性」概念を根本的に無効にするようなさまざまな生成変化が論じられることになる（Cf. G. Deleuze, F. Guattari, *MP*, pp.284-380（中・一四五‐三一三頁））。

*50 Emmanuel Kant, *Critique de la faculté de juger*, traduction et introduction par Alexis Philonenko, édition revue avec des notes nouvelles, Vrin, 1993, p.427（note2).

*51 Cf. G. Deleuze, F. Guattari, *L'Anti-Œdipe*, Minuit, 1972, pp.429-430, 470-471［以下、*AŒ* と略記］（『アンチ・オイディプス』、宇野邦一訳、二〇〇六年、下・二六三‐二六六、三二三頁）。「オイディプスは、4、3、2、1、0……という一つのベクトルである。4とは、かの有名な象徴的第四項である。3とは、三角形化である。2とは、二つのイマージュである。1とは、ナルシズムである。0とは、死の欲動である」。

*52 フランシス・ポンジュの「物遊び」（objeu）――さらにこれは「物喜び」（objoie）につながる――については、阿部良雄『ポンジュ　人・語・物』（筑摩書房、一九七四年）、あるいは前掲書『フランシス・ポンジュ詩集』を、またラカンの「対象ａ」に代わって、ガタリとジャン・ウリが提起する制度論上の「対象ｂ」については、例えば、三脇康生「精神医療の再政治化のために」（『精神の管理社会をどう超える

か』所収）を参照。

＊53 スピノザ『エチカ』、第三部、定理五二、備考、参照。

＊54 「現実存在するためには自分を存在するがままにしておくだけでいい、／しかし生きるためには、／誰かである必要がある、／誰かであるためには、／一つの〈骨〉をもたなければならない、／骨をあらわにすることを、／ついでに肉を失うことを恐れてはならない。／人間はいつも肉の方を好んだ、／骨の大地よりも。／骨の大地と森しかなかったので、／人間は肉を手に入れなければならなかった、／鉄と火しかなく／糞がなかったので、／人間は糞を失うのが怖かった／あるいはむしろ糞をほしがったのだ／そして、そのために、血を犠牲にしたのだ」（A. Artaud, *Pour en finir avec le jugement de Dieu*, 1948, in *AŒ*, p.1644（『神の裁きと訣別するため』、宇野邦一訳、河出文庫、二〇〇六年、二〇－二一頁）。器官なき身体は、鉄と火、あるいは血と骨からなるというだけでなく、〈身体の存在〉に対立するまさに〈身体の本質〉であるということが、このアルトーの詩から理解されるだろう。

＊55 Cf. G. Deleuze, *LS*, pp.101-114（上・一五二－一七二頁）。

＊56 「皮膚の下の身体は一つの加熱した工場だ、／そして外では、／病者は輝く、／彼は光る、／自分のあらゆる毛穴を、／破裂させて。／正午の、／ゴッホの、／風景のように」（A. Artaud, *Van Gogh le suicidé de la société*, 1947, in *AŒ*, p.1459（「ヴァン・ゴッホ」、『神の裁きと訣別するため』所収、鈴木創士訳、前出、一六一－一六二頁））。

＊57 A. Artaud, *Le Théâtre et son Double*, in *AŒ*, p.566（一六四頁）。

＊58 「ところで、身体は気息と叫びをもっているが、これらによって身体は、有機体の腐敗した最深部のなかに広がることができ、また、高次の身体が待ち構えている、こうした気息と叫びの高く輝かしい平面へとはっきりと自らを移行させることができるのである」（A. Artaud, «Le théâtre et la science», 1947, in *AŒ*, p.1547（「演劇と科学」、佐々木泰幸訳、『アルトー後期集成 III』所収、河出書房新社、二〇〇七年、四一五頁））。

＊59 「「聴こえない音楽」に於ける音（無音）は、こうした音の各要素〈高さ、強さ、長さ、音色〉の値がす

べて零であるもの、と考えてほしい。(……)音のすべてのパラメーターの値が常に零である無音は、多種的では有り得ない。仮に、聴こえる音の多様さほどに様々な無音が存在するとしても、その無音のすべてのパラメーターが零であれば、人はそれを区別することができない。無音は常に単一で均質な無音として認識されるだろう」(近藤譲『線の音楽』、朝日出版社、一九七九年、一六-一七頁)。しかし、無音とは、すべてのパラメーターが零である必要はなく、どれか或る一つのパラメーターの値が零であれば、それ以外の三つの要素がいかに特定されていても聴こえないのである。無音も様態であり、それは存在しない〈音-様態〉である。われわれは、その存在しない音を他の無数の存在する音楽のなかに聴くことができるのだ。何故なら、特定されても聴こえないという音でも、他の存在する音楽の諸要素と潜在的に無際限に連動しているからである。それはその音の観念をもつということであり、たとえ「物理的に存在しない」としても、その音の本質は他の存在する音楽のなかに含まれているのである。「線の音楽」における聴き手による音の「連接」様態の聴き出しという特異な論点には、こうした存在しない音楽の漠然とした本質から、すなわちその潜在性からいかにして外延的な関係をもった音の、一義対応的(ビユニボック)なグルーピングではなく、複義的(ポリボック)なグルーピングをつくり出すかという作曲方法論上の問題意識が含まれているはずである。

＊60 Cf. A. Artaud, «À Roger Blin, Espalion», 25 mars 1946, in *AŒ*, p.1066(『アントナン・アルトー著作V ロデーズからの手紙』、宇野邦一・鈴木創士訳、白水社、一九九八年、二二一頁)。

＊61 アルトーは、四幕劇の『チェンチ一族』のなかで、父親に犯されて悲劇的になっているベアトリスに次のような台詞を言わせる。「私のたった一つの罪、それはこの世に生まれてきたこと。自分の死を選ぶことはできても、自分の生を選ぶことはできなかった。そこよ、運命が炸裂するのは」(A. Artaud, *Les Cenci*, 1935, in *AŒ*, p.621(『チェンチ一族』、利光哲夫訳、『夜想6 アルトー、上演を生きた男』所収、一九八二年、一四六頁))。こうした運命の炸裂を流産させることが、つまり逆流した生産がこの二者択一の問題である。すなわち、生まれる前に死を選ぶこと、そしてその死んだ後に生を選ぶこと——まさにアルトーの経路である。

*62 Cf. A. Artaud, *Ci-gît*, 1947, in *AŒ*, p.1152（『此処に眠る』、岡本健訳、『アルトー後期集成 I』所収、河出書房新社、二〇〇七年、三一〇頁）。

*63 こうした自己再生について、デリダは『アルトー・ル・モマ』のなかで次のように述べている。「まったく新しい身体の、つまり器官なき身体の誕生、再生が、どれほどここに展示されたデッサンと肖像のすべて――「神の性的不器用」（n°60）から「父‐母の憎悪」（n°67）まで、「存在とその胎児たち」（n°46）から「処女懐胎」（n°48）まで、「真の身体の投射」（n°110）から自己生成の過程としてその都度解釈されうるような多くの自画像まで――に関わる重要な問題であるのかを皆さんは気づくことでしょう。それぞれの自画像は自己自身の再生なのです」［ただし、ここでの作品番号は、P. Thévenin, J. Derrida, *Antonin Artaud, Dessins et portraits*, Gallimard, 1986（『デッサンと肖像』、松浦寿輝訳、みすず書房、一九九二年）に記載されているものに置き換えた――引用者付記］（J. Derrida, *Artaud le Moma*, Galilée, 2002, pp.42-43）。

*64 ドゥルーズ＝ガタリはこうした旅について、例えば次のように述べている。ジャック・ベスの驚くべき書物のなかで描かれた「分裂者の分身（＝二重）の散歩」とは、「分解不可能な諸々の距離に従った地理的な外在的旅」と「包み込む諸々の強度に従った内在的な歴史的旅」からなるものである（Cf. *AŒ*, p.104（上・一七〇頁））。

*65 静的発生とは、「前提された出来事から物の状態におけるその実現へ、また命題におけるその表現へと移行すること」であり、動的発生とは、「物の状態から出来事へ、混合物から抽象的な線へ、深層から表層の産出へと直接に移行すること」である（G. Deleuze, *LS*, p.217（下・二四頁））。

*66 Cf. A. Artaud, *Le Théâtre et son Double*, in *AŒ*, pp.510-521（一九‐四八頁）。「〔ペスト患者と俳優あるいは詩人との間には〕他にも類似性があるが、それらは、ただ重要な真実だけを明らかにし、また演劇の作用をペストの作用と同様、一つの真の感染性（une véritable épidémie）の平面に置くのである」（*Ibid.*, p.516（三五‐三六頁））。「この伝達的な譫妄の正確な理由を示すことは無駄なことだ。（……）何よりも大切なことは、ペストのように、演劇的働きは一つの譫妄であり、またそれは伝達的であると

いうことを認めることである」（*Ibid.*, pp.517-518（三八－三九頁））。「われわれは、血統関係には感染性を、遺伝には伝染を、有性生殖、つまり性的生産には伝染病によって増加する群生を対置する」［強調、引用者］（G. Deleuze, F. Guattari, *MP*, p.295（中・一六六頁））。

*67 Cf. G. Deleuze, F. Guattari, *MP*, p.294（中・一六四頁）。

*68 Cf. J. Derrida, « Le théâtre de la cruauté et la clôture de la représentation », in *L'écriture et la différence*, p.343（「残酷演劇と再現前化の閉域」、『エクリチュールと差異』所収、四六八頁）。

*69 Cf. A. Artaud, *Le Théâtre et son Double*, in *AŒ*, pp.533-535（七九－八三頁）。

*70 スピノザ『エチカ』、第四部、定理三七、備考一。

*71 チャールズ・タウンゼンド『テロリズム』、宮坂直史訳、岩波書店、二〇〇三年、四、一九頁、参照。「タウンゼンドは、戦争との相違を浮き彫りにし、テロリズムが有する政治性、目的性を重視し、テロリストにはある種哲学が必要であるとしている」（同書に付せられた訳者宮坂氏の「解説」、一八四頁）。まさにその目的論的な政治性において、テロリストに必要とされる哲学は存在論的な〈劇場の哲学〉であろう。

*72 A. Artaud, « J'étais vivant……(novembre1947) », in *AŒ*, p.1581（「私は生きていたし」、佐々木泰幸訳、『アルトー後期集成 Ⅲ』所収、四九四－四九五頁）。例えば、有機体の舌（あるいは言語）は身体の諸々の出口で切断してやるのだ（Cf. A. Artaud, « Le théâter de la cruauté », in *AŒ*, p.1660（「残酷劇」、『神の裁きと訣別するため』所収、六〇頁））。

*73 スピノザ『形而上学的思想』、『デカルトの哲学原理』所収、第一部、第二章、一六八頁、参照。

*74 スピノザ『エチカ』、第五部、定理三九、備考。

*75 ドゥルーズ＝ガタリが注意深く書いた「生成変化に固有の実在性の原理」を参照せよ（G. Deleuze, F. Guattari, *MP*, p.291（中・一五八－一五九頁））。

*76 Pierre Macherey, *Introduction à l'Ethique de Spinoza — La cinquième partie : les voies de la libération*, PUF, 1994, p.184, n.1.「スピノザにとって子供時代は、欠陥によってしか、あるいはよくても一種の必

要悪としてしか特徴づけることのできないような一つの不完全な状態である」(*Ibid.*, p.71, n.2)。

*77 スピノザ『エチカ』、第五部、定理二九、参照。

*78 スピノザ『エチカ』、第四部、定理三九、備考。

*79 Cf. A. Artaud, *Pour en finir avec le jugement de Dieu*, in *AŒ*, p.1644（二〇頁）。

*80 G. Deleuze, F. Guattari, *MP*, p.313（邦訳、中・一九六－一九七頁）。

*81 カント『純粋理性批判』、A71-73＝B97-98、参照。さしあたり、無際限判断は、形式的には肯定判断、内容的には否定判断と考えてよい。

*82 Cf. Slavoj Žižek, *Tarrying with the Negative*, Duke University Press, 1993, pp.108-114（『否定的なもののもとへの滞留』、酒井隆史・田崎英明訳、太田出版、一九九八年、一七三－一八一頁）。

*83 カント『純粋理性批判』、B307、参照。

*84 こうした意味での Objekt（対象）と Gegenstand（事物）との間に想定されるカント＝ラカン的な差異については、S. Žižek, *Tarrying with the Negative*, p.260-261, n.44（四〇五頁）を参照。

*85 したがって、ここでの重要な問題は、直観的であれ、定義的であれ、あるいは問題的であれ、不変的な表象的本質あるいは概念的本質を、動詞として示される〈存在の仕方（マニエール）〉に置き換えて、或る仕方から別の仕方への移行や変化を、あるいはそれらの間での〈なされつつある運動〉を世界から抽出することに満足するのではなく、変化する本質（スピノザにおける触発＝変様の力としての本質、アルトーにおける分身として備給＝変形される身体の本質）をそれらの存在の仕方によって、とりわけ生死横断という一つの存在の仕方によって実現することである（前者の観点については、G. Deleuze, *Pli*, Minuit, 1988, pp.70-72（『襞』、宇野邦一訳、河出書房新社、一九九八年、九〇－九三頁）を参照）。また、〈非－存在〉と〈否－存在〉との違いについて、ここではシェリングの見解をとりわけ引用しておこう。「〈非（メー）－存在（オン）〉とは、単に存在せずにあり、それについてはただ単に現実に存在しているということが否定されるような非存在者であり、しかし、そこにおいてはなお存在するという可能性があるものであり、したがって、それはなお存在を可能性としては自己の前にもっているものであるから、たしか

に〈存在しないもの〉であるが、しかし、存在するものでもありえないという仕方ではないようなものである。これに対して、〈否(ウーク)-存在(オン)〉とは、まったくいかなる意味においても〈存在しないもの〉であり、すなわち、それについては、単に存在の現実性のみならず、存在ということ一般が、したがってまた、その可能性が否定されるところのものである」(F. W. J. Schelling, *Darstellung des philosophischen Empirismus, Aus der Einleitung in der Philosophie*, in *Schelling Werke*, Bd.5, München, 1928, p.565(シェリング『哲学的経験論の叙述』、岩崎武雄訳、『世界の名著・第四三巻　フィヒテ／シェリング』所収、中央公論社、一九八〇年、五六九頁))。

*86 Cf. Jean-Christophe Bailly, *L'infini dehors de la voix*, in *Antonin Artaud"Pour en finir avec le jugement de Dieu", "Monsieur Van Gogh vous désirez"*, André Dimanche, 1995, pp.33-34(「声という無限の外部」、江澤健一郎訳、『ユリイカ』、一九九六年一二月号所収、一三一頁)。たしかにアルトー自身がこうしたフォルマリスムを強く意識していたことは、『神の裁きから訣別するため』をめぐる書簡からも理解される事柄である。

*87 リンチは次のように語っている。「目覚めていて見る夢は重要だ」、「重工業も好きだ。炎が好きで、煙が好きで、騒音が好きなんだ。(……)コンピューターの音なんて、工場の音に比べたら、バックグラウンド・ミュージックみたいなもんだ」(『リンチ・オン・リンチ』、クリス・ロドリー編、廣木明子・菊池淳子訳、フィルムアート社、一九九九年、三六、一一五頁)。

*88 A. Artaud, «Trois texts écrits pour être lus à la Galerie Pierre», 1947, in *AŒ*, p.1538.(「ピエール画廊で読まれるために書かれた三つのテクスト」、佐々木泰幸訳、『アルトー後期集成　III』所収、三九六頁)

*89 ディオゲネス・ラエルティオス『ギリシア哲学者列伝(中)』、加来彰俊訳、岩波文庫、一九八九年、一八七節、三六二頁。

*90 Cf. G. Deleuze, F. Guattari, *AŒ*, pp.393-396(下二一〇-二一四頁)。

*91 「イマージュは、一つの気息、一つの呼吸であるが、しかし、消滅の途上で、吐き出されるものである。イマージュは消え去るもの、燃え尽きるもの、一つの落下である。それは、その高さによって、つまり

ゼロ以上のその水準によってそれ自体定義されるような純粋強度であり、この強度はただ下降することによってのみその水準を描きだすのである」[強調、引用者](G. Deleuze, *L'Epuisé*, p.97 (三七頁))。おそらくすべての強度は最後には消え去り、すべての生成はそれ自身〈死の‐生成〉となるのである」(G. Deleuze, F. Guattari, *AŒ*, p.395 (下・二一二‐二一三頁))。しかし、ここで注意しなければならないのは、すぐ後で述べることになるが、強度が「取り消されること」(s'annuler) とその強度が「消え去ること」(s'éteindre) とは、この言葉の表記上の違いは本質的ではないが、しかしそれによって表現されている事柄はまったく異なった位相で、それでも実在的な区別としてではなく、最小限の思考上の区別として、しかし、経験的に使用されたものではなく、超越的に行使された限りでの思考上の区別として捉えられる必要がある。

＊92 ドゥルーズは、とりわけ「流体的身体」という観点から器官なき身体を述べたことがある。「器官なき身体は骨と血だけでできている」(*LS*, p.108, n.8 (上・一七一頁))、「吹き込まれた流体的あるいは液体的要素のなかには、「海の原理」のような一つの能動的混合についての書かれざる秘密がある」(*LS*, p.109 (上・一六三頁))、「叫びの全体が気息のうちに溶接されるが、それは、軟化する記号のなかの子音のようであり、海の塊のなかの魚、あるいは器官なき身体にとっての血のなかの骨のようである」(*LS*, pp.108-109 (上・一六四‐一六五頁))、等々。

＊93 スピノザ『エチカ』、第四部、定理六七。

＊94 「線の音楽」の最大の特徴の一つは、潜在性において本質的に〈判明で‐曖昧〉である限りでの音‐素材から、実際に聴かれることを目指した場面での〈明晰で‐混雑した〉多様な現働的グルーピングという音‐持続への音楽化のなかに、作曲家（演奏家）と聴き手を巻き込むことにある。『線の音楽』は、作曲家（演奏家）の表現ではない。たしかに私は作曲家として音の「分節」を確定し、持続を作るために或る程度「連接」をも確定したが、「連接」様態の大部分は単に潜在的に「連接」可能な状態の中から個々の聴き手によって聴き出されることで初めて確定する。私はグルーピングを聴き出すことが可能

であるように、しかし特定のグルーピングの安定した確立を妨げるように音を決定したのであって、「連接」様態のすべてを確定したわけではない。ここには私が作った持続があるが、その持続をどのように辿るかは、聴き手自身に委ねられる。（……）作曲家（演奏家）が差し出すものは、そのまま受け入れ心理的に同化できるような完成品ではなく、聴き手が音楽するための素材であるにすぎない」（近藤譲『線の音楽』、一二〇－一二一頁）。

＊95 「生命の息吹き〔気息〕」（Breath In The Air）、『ピンク・フロイド詩集』、肥田慶子訳、シンコー・ミュージック、一九九〇年、一〇二－一〇三頁。

＊96 スピノザ『エチカ』、第五部、定理三八、定理と備考／定理三九、備考、参照。

＊97 G. Deleuze, F. Guattari, *AŒ*, p.408（下・二三二－二三三頁）。

＊98 G. Deleuze, F. Guattari, *AŒ*, pp.384-385（下・一九七頁）。「〔分裂分析の〕二つの仕事は必ず同時になされる」。

＊99 「それぞれの強度が、無限に多くの度合のもとで増大・減少するものとして或る瞬間に産出されることから出発して、自己自身のうちで〈強度＝0〉を備給することは強度に固有のものである」（G. Deleuze, F. Guattari, *AŒ*, pp.394（下・二一二頁））。

＊100 「備蓄庫」については、G. Deleuze, *Pli*, pp.141-142（一八一頁）; G. Deleuze, F. Guattari, *Qu'est-ce que la philosophie ?*, p.148（二六四頁）を参照。アルトーにおいて「神話が構成する諸々のエネルギーの貯蔵庫」でもあるこの備蓄庫を、非物体的なものを変形するための武器庫として用いることのできる唯一の者たち、それは「鉄と血と火と骨で武装した」者たちである（Cf. A. Artaud, «Lettre à Jean Paulhan, 25 janvier 1936», in *AŒ*, p.662（「ジャン・ポーランへの手紙」、坂原眞里訳、『ユリイカ』、一九九六年一二月号所収、一〇四－一〇五頁）; *Pour en finir avec le jugement de Dieu*, in *AŒ*, p.1646（二六頁））。

＊101 アルトーが完成させた最後のデッサンの題名（n°110）。Cf. P. Thévenin, «La recherche d'un monde perdu», in P. Thévenin, J. Derrida, *Antonin Artaud, Dessins et portraits*, pp.44-45（三九－四〇頁）。本書、

四〇頁、参照。

死の系譜学

〈パンデミック―来るべき民衆〉の傍らで

系譜学は、ニーチェ以来、哲学においてもっとも革命的な方法論となった。それは、単に革命のための方法論の一つなどではなく、あらゆる革命論が必然的にもつべきものである。意味の変形や価値の転換といった諸々の非物体的な出来事が一つの総体をなすことのできるトポス、それがまさに人間精神である。この限りで系譜学は、真の革命的な唯物論、つまりこうした非物体的なものの唯物論そのものを形成しうる思考様式である。唯物論は、もはやすべての物体を身体として思考し欲望する考え方でなければならない。物体としての人間身体なしに成立する唯物論などもはやありえないのだ。人間身体なしに成立しているような唯物論は、実はまったくの悪しき観念論にほかならない。唯物論は、すべての生、あらゆる様態についての考察でなければならない。しかし、ここであえて考えたいのは、こうした唯物論的な意味での生に関する死、あるいは様態の生成に対する死滅の問題である。死について思考することは、つねに固有の困難さをともなっている。死は、われわれにとっての対象とはならないからである。それは、われわれにとって或る対象性を有するだけであろう。〈死〉という一般概念、〈死体〉という生者の身体の消滅、〈死者〉という各個の人間様態の人格性だけが保持されたもの、これらについての批判的論究を通して、われわれは死の対象性についての系譜学を形成することができるであろうか。あるいはこの対象性のエチカは、いかなる実践への配慮を含むのであろうか。いずれにしても、これらの問いは、依然としてまったく無規定なままである。

I　死の倫理学——局所的民衆とは何か

生も死も、つねに特異なものの生であり死である。生にも死にも、一般性など存在しない。これらに一般性があるとすれば、それは、生と死が特異なものの対象性から分離されたときである。つまり、われわれは、絶えずこうした分離をし続けているので、生と死を一般概念として有することができるのである。ということは、死の観念の方は、特異なものの対象性ゆえに各個の人間のうちでまったく異なることになる。では、何故、〈死〉という一般概念は、上述したような分離という仕方で人間のうちで成立するのであろうか。そこには、おそらく二つの理由があるように思われる——(1)死という概念は、人間が有する比較の技法の最大の効果の一つであろう。物を評価するための比較という方法は、われわれにとっては、物の最良の理解の様式として信じられている。人間は、まさに比較に長けた動物なのである。というのも、人間の本性は、根源的にニヒリズム性に存する以上、比較によって相互の間に欠如や否定を見出すことに長けているので、これによってそれらの物の認識が進捗すると容易に信じることができるからである。つまり、比較による肯定は、つねに否定や欠如を媒介することなしには成立しえないということである。人間は、物を比較する度に、実はこのような仕方で生の欠如としての〈死〉についての一般概念をつねに形成し続けていることになる。⑵死の概念は、身体の多様な触発から精神において一様に形成されるものである。これは、言わば⑴における比較という精神の作用を今度は身体の触発についての観念の側面から言い直した事柄でもある。人間身体は有限な存在であり、同様に身体の触発によって形成される表象像も有限である。ということは、判明な表象像を形成しうる触発以上の変様を受けた場合、人間精神は直ちに混乱し始め、それゆえ些細な差異を表象することができず、例えば、そこから人間全体の一致点のみを表象しようとするであろう。〈死〉の一般概念も実はこのように形成されたものである。すなわち、生成から〈生〉の一般概念が成立するのと同様、今度は消滅から〈死〉の一般概念が形成されるわけである。こうした人間精神と並行論的関係にある人間身体は、もはや自らのそれぞれの変様に対して無差異となり、したがってここでは区別なしに不活発なものによる触発しか生起しないような単なる〈受容体〉となるしかないであろう。つまり、こうした意味での悪しき抽象概念の発生的要素は、まさに消滅する身体にあるのだ。[*1]

　さて、死体は、それがこうした〈死〉という一般概念のもとで知覚されるなら、その〈生〉の持続上の同一性やその完結性を伝えるものにしかならない。死は、生が有するさまざまな可能的なものの消尽であり、したがってそれらを媒介として必然性の様相をともなうことになる。例えば、サルトルは、次のように述べている――「いくつかの積木の破壊に例えられる死は、「(……)私のあらゆる可能性の無化として、つまりそれ自体もはや私の諸可能性の一部をなさないような無化として把握されうるのである。それゆえ死は、世界における現前をもはや実在化しないという私の可能性ではなく、むしろ私の諸可能な事柄についてつねに可能な、つまり私の諸可能性の外にある一つの無化（néantisation）である」[*2]。この言説は、スピノザの死滅の理解、すなわち「いかなる物も、外部の原因によらなければ、滅ぼされることができない」という言表にきわめて近いであろう[*3]。それは、その本質に存在が含まれずに存在するもの、つまり様態の絶対的な必然性である。この様態の概念が、後のサルトルのような、〈実存〉の理解の仕方の基礎となりうるのである。死についての必然性の現働化が、まさに〈死体〉である。この意味で死体は、間違いなく〈死〉以上のものである。というのも、死体は、一つの物の状態である限り、死を必然的で決定的な〈出来事 - 効果〉として産出するからである。では、こうした必然的な〈死〉を媒介せずに生だけを考えて、生きることができるであろうか。このことは、たしかに死を恐れることなく、より多くの喜びの諸経験のもとでの生の充実をもたらすであろう。しかし、そんな経験だけから一つの生が成立し続けることなどありえない。というのも、一つの生には必然的に悲しみや憎しみ、恐怖や絶望などの諸感情に刺激されうる無限定な時間が存在するからである。こうした感情の増大は、実はそれらの反対感情——喜びや愛、希望や安堵、等々——が有する度合の減少とともにしか成立しえないのだ。すなわち、こうした感情の度合の増大とともにその都度多様な死の観念が、しかし非十全な形相を有する分子状の死の観念が形成されるのである。

では、つねに死を媒介にして生を考えること、これは何を意味するのであろうか。それは、言わば死を絶えず目的化して、生をその結果にすることである。死の表象は、実は人間にとっての生の表象の仕方の一つである。こうした意味での死の価値は、一つの生の表現である限りにおいて、その生を構成するものとして考えられうるであろう。しかし、たとえそうであったとしても、死は生の目的ではなく、つねに生こそが目標そのものでなければならない。例えば、「生物多様性」とよく言われるが、これと同様に人間の一つの生もたしかに多様でなければならないであろう。というのも、生物という概念のうちには多様性という特性が必然的に、つまり分析的に内含されているからである。同様の仕方で、生成もその消滅も、生もその死も、実は多様でなければならないのだ。すなわち、死の観念のうちには、多様性という特性が必然的に含まれているのである。言い換えると、それは、死に方の多様性であり、また同時に多様な外部の原因による消滅の仕方を意味している。自己の死を考えることがより少なければ、人間はそれだけより多く自由で幸福であると言える。言い換えると、死を媒介にして生を考えることと死の媒介なしに生を考えることとの間には、単なる逆比例の関係以上の、共立不可能な関係性があるように思われる。死は、生物だけにあるのではない。空間や時間も死に関わりうる。例えば、多様な場所が一様に死せる場所となって、はじめて空間が成立するのである。

場所については、ダンサーの田中泯の次のような言説が思い起こされる——「私は、場所で踊るのではなく、場所を踊るのである」[*4]。この言表についてまず考えられるのは、一般的には次のような事柄であろう。〈場所で踊る〉こと、それは、場所からも空間からも自立したもっぱら〈身体‐主体〉を前提としている。そこにあるのは、実際には身体の単なる空間上の運動、つまりどの場所で踊っても実現可能な、その意味での単に独立自存する身体運動だけである。そこには、或る既知の見えるものの移動しかないであろう。そこでは、私という一人称の主体性がこうした自己の身体を支配するが、それと同時に場所は死せる空間へと変化してしまうのだ。これに対して〈場所を踊る〉こと、それは、その局所的な場所なしには成立しえないような身体によるその場所の表現そのもののことである。そのとき身体は、まさに場の〈触発‐分子群〉となるであろう。それは、その場所と分離不可能な〈身体‐自己〉の表現である。要するに、場所を踊る身体とは、その感覚不可能な場所を部分的に知覚可能にし、その限りでその場所なしには存在しえない身体の触発を表現することにある。〈場所で踊る〉がダンスの個別の〈身体‐例〉を示しているのに対して、〈場所を踊る〉はまさにダンスの特異な〈身体‐事例〉になる。場所は絶えず局所的であり、そこでの身体における出来事はまさに事例の生起である。場所はけっして大域的なものではなく、それゆえ〈場所‐踊り〉は大域への経路上で実現されるようないかなる身体運動とも必然的に異なるものとなる。先の田中の言表は、例えば、「〈園庭〉(jardin)の論理」を表現しているとも言える。[*5] というのも、〈園庭〉とは、まさに非‐空間としての一つの場所のことだからである。田中泯のダンスがエピクロス派の思想に近いものであるかどうかはここでは考察しないが、〈園庭〉でのダンスには、いずれにしても、悪しき外延性に対する防御が本質的に内含されていると言えるであろう。こうした局所的な場所からの問題提起あるいは大域に反する解答提示は、大域的なものにおいて改めて〈非‐局所的〉という仕方で身体の表現回路のうちで見出されるべきものとなる。これは、局所性がむしろ脱‐大域的なものの積極的な表現へと生成し、それ自体が大域とはまったく異なる非‐局所性そのものになることである。ここにおいて場所は、非‐局所化されて、すべての場所を覆う〈気象‐大気〉の表現へと身体によってもたらされるであろう。これが、田中泯が言う人間身体についての「身体気象」という観念である。[*6] 何故なら、場所は、空間を媒介にしなくても大地へと直接に接続されうるが、しかし同じような仕方で、海洋へと、あるいはそれ以上に大気へと単位や尺度を変化させつつ結合されうるからである。身体気象は、こうした変化をともなったダンスを実現するのである。

身体の変様は、自己の身体を中心とした諸々の事物の間の諸力の流れによる触発を表現している。それは、大地における個体間の関係というよりも、むしろ大気を介することによって思考可能になるような諸力の強度的な流れである。それゆえ、この限りで〈身体は気象である〉という言明も成立しうるのだ（これは、より正確に言うと、〈身体に気象現象になりうるような出来事が生起する〉ということである）。また、こうした〈身体気象〉に対応するかのような、言わば〈精神気象〉という考え方も現われてくるであろう。ジョルジョ・アガンベン門下の一人であるエマヌエーレ・コッチャは、次のように述べている――「気候は、地球を覆うガスの総体ではない。それは、コスモス的な流動性の本質、われわれの世界のもっとも深い顔であり、世界を現在、過去、未来のあらゆる事物の無限な混合として明らかにするのだ」[*7]。ストア派に近いこうした思考がここから展開するのは、まさに〈混合の形而上学〉である。つまり、これは、精神気象を一つの形而上学の本質に位置づけようとする試みである。言い換えると、これは、混合する自然に対して、超自然学的な位置に大気の思考を反 - 大地中心主義として定位しようとする試みである。たしかに興味深い展開ではあるが、それにしても、どうして〈精神 - 身体〉気象という並行論的な思考の仕方をしないのであろうか。何故、相変わらずの〈自然学的／形而上学的〉という二階建ての思考法を展開するだけなのであろうか。何よりも、コッチャは、植物をまさにその身体の側面から考察すべきだったのではないだろうか。そのためには、批判と臨床の平面を形成するような一つの倫理学が不可欠となる。

いずれにしても、こうした別の仕方で思考することによってわれわれは、はじめて大地中心主義から解放されることになる。しかし、その解放の方位は、けっして形而上学の方向に、つまり〈自然学的／形而上学的〉という従来の道徳的な二分法にあるのではなく、むしろ〈自然学＝倫理学〉（＝エチカ）という問題を構成することにある。大気あるいは気候は、人間の思考の秩序においては、たしかに地球という巨大分子を構成する大地と海洋の後で遅れてやってきたものであるが、しかし、そうだからと言って、けっして価値の低い劣った構成要素などではない。今や大気は、人類がもっとも配慮すべき平面なのである。むしろ気候変動こそが、この巨大分子における流動性という本質をもっともよく示していると言える。重要なのは、気候についての形而上学的空間を打ち出すことではなく、気候変動の自然学的平面を問題構成することである。身体気象とは、人間身体に限ったわけではなく、すべての個物における身体性を気象現象のように、つまり諸力の流れの触発的部分として理解する仕方であり、それによって既存の人間精神における個体性は、完全に崩壊し、新たに気象化されることになる。身体気象によるダンスは、大気の流動的要素――気温、気圧、湿度、風速、降水量、等々――に固有の境位を表現する身体変様なしには存在しえないであろう。ダンスとは、反‐目的論の身体、脱‐共通感覚の身体を形成する物質的過程のことである。ダンスの問いは、この意味でつねに一つである――すなわち、いつもとは異なる仕方で自己の〈身体-物質〉からこの過程を引き出すことができるであろうか。ダンスの身体は、一方では外延化された人間身体の運動からなるが、他方ではこれに必然的にともなう仕方で、内包的な触発によって意味の変形や価値の転換さえも可能にするような速度を表現するものとなりうるのだ。身体気象におけるダンスは、この限りでむしろ非身体的なものとしての情動の身体、つまり強度の身体になりうるのである。ダンスの〈身体の孤独〉は、まさにその完全性のうちに存立する。あるいはそれは、〈身体の独学〉と言うべきかもしれない。

死とは何か。死についても、このように形式的に問うことは容易である。しかし、この問いに対して、〈死とは〜である〉という仕方でその本質について十全な観念を形成する仕方で定義することはきわめて難しいように思われる。というのも、死に本質は存在しないからである。それにもかかわらず、われわれは、死についての定義を絶えず求め続けている。ところで、死について次のように一般的に言えるだろうか——身体がその生体から死体へと具体的に生成変化すること、それが死である、と。しかし、これは、死と死体とを同一化することで成立する言明である。何故、こんな混同が生じてしまうのか。死の多様性とはいったいどこにあったのか。それは、死の原因についての具体的な多様性であろうか。たとえ死の原因が多様であったとしても、人間は、それらを一般概念としての〈死〉のもとに包摂して一様に解することができるであろう。個々の事例として現われうる特異な死は、人間が有する規定可能で一般的な〈死〉の概念のもとに容易に還元されてしまう——戦死、事故死、病死、他殺、自殺、自然災害による死、等々。ここでの問題は、死はすべて外部の個別原因によるが、しかしそれら外部の原因はつねに一般性のもとで理解されるしかないという点にある。つまり、〈死〉は、一つの生の理解に届かないし、一つの生の認識にけっして達することがない。ということは、多様で特異な死があるとすれば、それは、一つの生のなかにしかないということになる。ここには根本的な逆説があると言える。それは、こうした死についての観念を人はけっして所有しえないということである。

この問題をさらに考えてみよう。無神論者、唯物論者、反道徳主義者、生の哲学者と称されるスピノザは、自由な人間は死について思考することがほとんどないと述べていた[*8]。では、このもっとも偉大な哲学者は、死についていったいどのように考えていたのか――「私は、身体の諸部分が異なった運動と静止の割合＝比を相互に取るよう身体が置かれる場合に、身体を死んだものと理解する。つまり、血液の循環やその他、身体が生きていると認められる諸特徴が維持されている場合でも、人間の身体がその本性とまったく異なる他の本性に変化しうるということを、私はあえて否定しない。何故なら、人間の身体が死体に変化する場合に限って、身体の死を認めなければならないようないかなる理由もないからである。それどころか、経験そのものは反対のことを教えているように見える。というのは、人間にはほとんど同一の人であると言えないほどの大きな変化を受けることがしばしば起こるからである」[*9]〔強調、引用者〕。スピノザは、まず〈死〉（mors）と〈死体〉（cadaver）とを明確に区別している。或る人間の自己に同一性が想定されるとしても、それは、自己の身体の多様な触発に基づいており、またこうした触発に対応する人間身体の諸部分を構成する諸々の運動と静止の割合＝比が維持されることに完全に依拠している。同一性とは、自己の身体の多様な変様の、しかもその変様がかなり縮減された限りでの一つの効果でしかないのだ。スピノザは、或る身体の消滅まではその人間の自己同一性が結果的に維持され続けるなどと考えない。身体の諸部分が相互にこれまでとは異なった運動と静止の割合＝比を取って、別の本性を構成するほどまでに変化するとすれば、それは、目的化された死ではなく、あえて言えば、媒介することのできない死の生への作用、つまり一つの生成変化だということである。いずれにしても、身体が死体にならなければ、身体の死を認めないということにスピノザは異議を唱えている。言い換えると、ここには〈死体〉以前の死の認識が、正確に言うと、生における差異としてしか認識されえない死の観念があると言える。

　これについてのスピノザの最初の事例は、同じ人間とは思えないほどの変化を受けた或るスペインの詩人についてである。これは、たしかに明快な事例である。その詩人は、病気に罹り、その後で回復したが、しかし過去の記憶を失い、自分の作品の見分けもつかないほどであった。さらに彼がもし母国語さえ忘れていたとしたら、それはほとんど「大きな子供」にしか見えなかったであろう。言い換えると、これは、〈それ以前〉と〈それ以後〉という〈間（あいだ）〉――ここでは、病気――の発生による変化が大きければ、それだけ死体になる前に死によって一つの生がより多く構成されうることを意味している。第二の事例は、今度は子供についてである。「年をとった人間」の本性は子供時代の頃の本性とはおよそ異なっているので、自分がかつては子供であったことを、他人の子供を見て推察するほどである。スピノザは、この事例のもとで何を表現しようとしているのか。幼児期の身体の本性と大人の身体の本性とはあまりに異なるので、幼児期の身体における死後を生きるのが成人の身体であるかのようである。第一の事例は大人の死から子供への変転であり、これはより大きな力能からより小さな力能への移行であるが、これに対して第二の事例は子供時代の死から成人への変容であり、これはより小さな力能からより大きな力能への移行である。この二つの異なる方位は、どちらも単なる可能性の枠組以上のものではないかもしれない。しかしながら、その変化する実在性の度合あるいは力能の連続的変移が原因からの認識のもとに存するとき、その現実はまさに必然性とともに存在することになる。可能性とともに諸様相を焼尽すること、それがもっとも重要なことの一つである。

例えば、希望は未来に対する喜びの感情であるが、恐怖はこの同じ未来に対する悲しみの感情である。希望は恐怖なしには存在せず、また恐怖は希望なしには存在しない。この〈希望／恐怖〉は、言わば成人たちの人間精神を覆い尽くす〈可能性－様相〉に対応した諸感情の基本体制である。まさに〈可能性／不可能性〉に感染した動物、それがとりわけ大人と呼ばれる人間である。ということは、可能性の消尽は、この感情の体制からの影響をより少なくすることにある。ドゥルーズ＝ガタリは言う――子供とはスピノザ主義者のことを意味する、と[*10]。子供たちは、人称に無頓着であり、それ以上に様相の思考に感染していない。子供たちは、何よりも可能性についてけっして語らない。つまり、子供たちの人間身体は、様相についての声も言葉も発しないということである。子供たちにあるのは、身体の触発に基づく非十全な実在性だけである。言い換えると、彼らにはそうした必然性しかないのだ。子供たちこそ、こうした意味での局所的民衆そのものである。大人の人間精神の存在根拠は、そこに原因からの認識を現働化させるだけである。

II　死の自然学――パンデミックの傍らで

さて、この新型コロナウイルス禍に固有の恐怖とは何であろうか。それは、端的に言うと、一様の死に対する感情である。この死の一様性あるいは死の全体性が、すなわち一つの原因による死しか存在しえないことがわれわれにとっての最大の恐怖となる。死は、生と同様にたしかに多様でなければならない。逆説的ではあるが、これが実は生の充実を表象する一つの側面であるように思われる。外部の多様な原因あるいは多様な病因による死は、むしろ充実した生の多様性を表現しているのではないだろうか。人間は、自らを死せる存在であると理解する動物であるから、予め死を想ってよりよく生きなければならないと言われる。つまり、生のうちに死の観念を織り込んで生きることが大事であるということである（メメント・モリ）。しかしながら、これは、やはり愚鈍な弁証法的思考の一種にほかならない。そうした生は、最初から死と比較された生でしかないからである。それでは、問題は、いったいどこにあるのか。

生存の様式に多様性があるように、たしかに無数の死に方がそれに対応して存在しうるであろう。考えるべきことは、かつてよく言われたような、死の経験不可能性などではなく、むしろ死の実在的多様性である。すでに述べたように、死体になる前の死はたしかに経験され、身体の変様として存立するのではないだろうか。死は、単に生の否定や欠如ではなく、まさに実在的無力能として理解されるべきではないのか。あるいは死とは、むしろこの実在的無力能の一つの象徴にすぎないのではないか。そして、これが実はスピノザの考える死ではないのか。ここで考えられる死は、けっして神秘化されたり非経験化されたりしない。これは、つねに死の概念やそのイメージを媒介にして〈よりよく生きよ〉といった道徳的命令とはまったく異なる意味での死についての思考である。例えば、国家の諸装置のなかに配分された戦争機能は、端的に言うと、可能的には人間の一様な死を、つまり戦死を強制し肯定するだけのもの、あるいはむしろ潜在的にはこうした一様な死をサポートするような生の体制である。それは、ニヒリズムにおけるまったくの灰色の午後の時間を過ごすような、一様な生き方を強要されることなしには成立しえない。しかしながら、もし人類が歴史的に変化（あるいは進歩）してきたと言えるなら、それは、一方では人類が多様な生の形態を生み出してきたからであるが、逆に言うと、他方ではそれによって多様な死に方の外部原因を同時に産出し発明してきたからである――交通事故死、墜落死、脳死、被曝死、焼死、病名の細分化、等々。多様な死に方は、多様な生の実在がなければ不可能である。さて、戦時下という理解のもとで、現在、新型コロナウイルス禍において一様な死に方への恐怖――そして、これを回避する手段（ワクチン、治療薬、等々）への希望――が最大の問題となっている。このコロナ禍においては、いかなる哲学も〈パンデミック〉という無際限な大域的様態の原因について思考せずに済ますこと、つまりこれについて無差異であることは不可能であろう。何故なら、それは、或る未知なる不確実なものが内含されているがゆえに形成された、本性的にも時間空間的にも指定不可能なものだからである（これは、すぐ後に述べる「無限判断」の問題にもなる）。というのも、哲学の思考がこうした未知なる決定不可能なものに積極的に触発されなければならないのは、それがつねに哲学の存在根拠の諸要素にほかならないからである。それは、あたかもまったく別の仕方で大地へと浸透してきた非-局所的な大気現象、人間の主に呼吸に関するだけの気象現象のようである。ここでは、例えば、「思弁的」といった形容詞の逃走線などもはや何の意味ももたないような、それゆえまったく無害なものとなるであろう——思弁的であるがゆえに、その発話行為がたとえ飛沫をともなうとしても。この指定不可能な或るものは、実際には、一方では一様な死への恐怖を生み出すが（＝生命の意識）、それと同時に他方では相変わらずの固着化した習慣や記憶の秩序のもとで絶えず掻き消されることになる（＝経済への意志）。それにもかかわらず、それは、たしかに群衆の間に離散の諸価値、可変的な距離の必然性、局所の絶対性をもたらしている。気候変動の先触れとしてのこのコロナ禍におけるわれわれの対応は、すべて来るべき決定不可能な諸命題に対する予行練習となるであろう。これは、言い換えると、無限判断が剝き出しになり、自由意志による〈肯定／否定〉の判断が不可能となり続ける不毛で愚劣な過程であろう。この形相的過程は、人間身体が必要とするものがいかなるものとも交換不可能であると認識することと不可分になる。ここから気候変動の最初のエチカが発生する——世界を優越的に大地に還元しないこと、大地をモデルとして海洋と大気を支配しないこと……。

　各個の人間の傍らには、つねに来るべき民衆が存立する。身体を有する限り、その〈傍ら〉に存在するのは、絶対に物の諸力の流れである。この民衆は、各々の人間のうちに多様な様態の力能の総合として現働化しうる。これと同様に、各個の人間は、絶えずパンデミックの傍らに存在しうる。すでに論及したスピノザにおける分子的な死――欠如なき無能力――についての観念は、たしかにパンデミックにおいては、身体が一様に死体になる恐怖をともなうが、しかし来るべき民衆とともに死の有害さをより多く減算することにもなるであろう。感染症によるパンデミックは、それが離散性の諸価値を人々の間に発生させる限り、たしかに異なる生成変化の分子的なモーメントとなりうるように思われる。パンデミックにおいては、その原因が細菌であれウイルスであれ、一方ではいかなる〈園庭〉も大域化した死の一様性とともに溶解していくであろう。しかしながら、他方でパンデミックは、文明が有する野蛮な継続性を断ち切る作用を有してもいる。そこでの死の観念は、ニヒリズムの動物たち、つまり人間という超越主義者たちにとって自然に内在し直すことの欲望にならなければならない。人間において死の本能あるいは死の欲動があるとしても、それらは、まさに自然に内在し直すことの衝動や欲望に転換される必要がある。では、自殺とは何か。それは、けっして〈自死〉といった言葉で理解されてはならない。何故なら、自死は、絶対に不可能だからである（先に上げた、スピノザにおける物の死滅の理解を思い起こされたい）。もし自死が可能だと考えるなら、それは神だけに妥当することである。というのも、無限な神は、自らの〈生／死〉を自らの意志によっておこなうことができるからである。しかしながら、これでさえ、実はもっぱら擬人化された神だけに言えることである。こうした〈神―自死〉の可能性は、人間のとりわけ自殺をモデルにした限りでの、出来の悪い擬人化を介した理解でしかない。[*11] しかし、これは、少なくとも有限な人間における自殺を無限に完全化して〈自死〉

として考え、これと同時にこの死に対応するような誕生あるいは発生を〈自生〉――すなわち、自己原因――として考えただけである。われわれは、自己を原因として誕生したのではなく、例えば、親を原因として存在している。神についても、その親や子を考えるのであれば、それは完全に擬人化の極致であることがここからもわかるであろう。しかし、絶対に無限な神あるいは内在神、すなわち能産的自然は、無力能を介して認識されることなどない。人間も含めて、すべては所産的自然における様態であり、したがって様態はその誕生あるいは発生の仕方――外部の原因による――とは異なる仕方で死あるいは消滅を迎えることは絶対にできない。これらの論点について哲学的にかつ本質的に考え抜くことがなければ、人間は、どこまでも傲慢で愚鈍な超越願望から解放されることも、或る別のものに生成変化することもできないであろう。

　自死は、自己原因によるものではない。それゆえ自死とは、外部の原因による他殺とまったく同じ意味での自殺のことである。というのも、もし自殺ではない自死が成立するとすれば、それは、そもそもその誕生自体が自分を原因として生まれること、つまり自分だけで発生することを意味していなければならないからである。自生とは、親も含めていかなる他者も介さずに、自分自身で誕生することである。それは、人間という様態にはありえないことである。〈自殺〉を〈自死〉と言い換えることに、こうした意味での一つの根本的な欺瞞が隠されている。外部の原因によって発生したものは、必然的に外部の原因によって消滅するのである。アントナン・アルトーは、次のような言説を特異な〈声‐気息〉のもとで成立させている――「私が命を絶つとすれば、それは自分を破壊するためではなく、自分を再構成するためである。自殺とは私にとって、力ずくで自分を取り戻し、自分の存在に容赦なく闖入して、神のあてにならぬ前進を追い越すための一つの手段であろう」[12]〔強調、引用者〕。これは、言わば自殺についての自然主義である。それは、外部の原因から少しでも自己の力能を取り戻すことである。これこそが、まさに自殺についての本質とその意義を明確に規定していると言える。人間を含めた、すべての有限な様態における生誕と死滅、生成と消滅は、絶対に外部の原因なしにはありえない。人間の自殺も例外ではない。死滅の原因は、つねに自己のうちにはなく、その外部にしかありえず、またその手段も外部にしか存在しえないからである。この限りにおいて死の存立の仕方は、生の存在の仕方と唯一同一のものである。現在、広い意味での哲学的思考がこの問題について試されていると言える。つまり、哲学は、〈パンデミック〉という一つの可能的経験が無限判断とともにそのまま実在化したなかでまさに固有の試練に晒され、また自然の篩に掛けられているのだ。このコロナウイルス禍においても、相変わらずの内部性の形式についての維持や改革しか言及できないような思想、あるいはパンデミックの意義についての言表を構成することのできない無能力な思考、自然という外部性の力能について無差異な思考を曝け出すしかない哲学、これらは、まったくの反動的な〈人間的、あまりに人間的な〉所作でしかない。パンデミックとは、第一に個々の人間のすべてが〈大地－海洋－大気〉の子供たちあるいはそれらの様態であることを意味している。パンデミックは古代ギリシア語の〈パンデーモス〉を語源としているが、これは言わば〈すべての民衆〉という意味である。われわれは、これを、例えば、ニーチェが共感するヘラクレイトスの〈万物流転（パンタ・レイ）〉と総合することができるであろう。つまり、パンデミックにおいては、すべての民衆は一つの多様な流動体となるのだ。これがその総合命題である。この流動性は、定住民の特性としての大域化や観光にともなう移動をまったく意味しない。移動するにしても、それは、もっと内包的で、しかも風や光のような推移であり、その都度単位が変わり、また意味や価値が変質するような旅、差異を経巡る過程である。したがってそれは、遊牧民の諸特質のむしろ非-局所的な実現であり、観光のような同一性の強化ではなく、まさに差異の肯定に多様な強度を具体的に与えることである。〈パンデミック〉においては、あらゆる差異が露呈するが、その限りにおいてまさに〈来るべき民衆〉のもとで差異の強度についての倫理学が形成されるのである。

ところで、デリダがかつて批判の対象として問題提起した〈ロゴス中心主義〉という概念があったが、これはより本質的には〈大地中心主義〉と言い換えることができるであろう。ロゴスとは、そもそも大地を地層化する囲い込みや線引き、境界線や城壁、等々に相応しいものである。革命も同様である。これまでの革命論は、第一に地層化された大地を大前提として、第二にそうした大地を嗅ぎまわるようにして、革命のための何らかの主体性を探しまわり、またその動作主を発見しようとする歴史であり、まさに大地の造成法であった。しかし、神の代理者のごとき主体など、地球上のどこにも存在しない。大地が人間化された諸地層からの脱化の運動を獲得するのは、砂漠や海洋、そして大気の流動体と不可分な仕方で存在する自然内在の平面においてである。死者は、死と死体との間で振動し震えている。身体を有して存在していた様態は、自然においてすべて完全に登録されている。同様に死体となった様態も、自然のうちによりよく内在する。また死は、その生者に生起する出来事であり、これも自然において観念として完全に保存されている。死者は、実は数えられないのだ。というのも、死者とは、死体になる前に生起する出来事の未完結な部分のことでもあり、その限りで一つの死体に死者は複数存立すると言えるからである。つまり、それは、端的に加算不可能なものである。これに関して数えられうるもの、辛うじて加算的なものは、ただ死体のみであろう。ところが、それにもかかわらずわれわれは、実は〈死体〉を数えることができないと言えるだろう。つねにその数える行為は中断され、また何度も数え直され、最後にはその加算行為の不可能性に遭遇することになる。これは、まさにベルクソンが述べている事例の本質であると言えるだろう。[*13] 正確に言わなければならない。すなわち、死者とは、無数の〈死〉の潜在性と、一つの〈死体〉の特異な現働性との間ではじめて存立する言わば擬態（ミミック）のことである。しかし、それは、さらに正確に言うと、自然のうちに登録された〈被観性態〉（subject）の擬態化のことである。[*14] それは、その限りで記憶のなかで振動し続けるもの、死と死体との間に流れる言わば或る人格的なものである。

　パンデミックとは、すべての人間に関わる或るもののことである。この言葉にはもともと否定的な意味は含まれていないように思われる。それは、むしろヘラクレイトスの「万物は流転する」（パンタ・レイ）の部分であるとさえ言えるだろう。しかしながら、パンデミックをともなう〈パンタ・レイ〉は、実在化した無限判断の裂け目から或る知覚不可能なものが噴出する事態を示している。このもとで人々は、自分たちが有する従来の判断の諸形式――とりわけ〈肯定／否定〉の判断――を機能させることができなくなる。すべてが宙吊りのなかでの仮の判断、例えば、後件なき仮言命題となり、その結果としてこれまでの惰性の現実はむしろ可象の実在へと非物体的に置換されることになる。何故なら、〈パンデミック〉とは、無限判断に対応する非汎通的規定性という非歴史的な〈雲‐カオス〉が落下して、とりわけあらゆる都市の表面を覆うことになるからである。それは、言い換えると、感染や疫病や伝染による別の増殖の仕方を帰結することになる。「吸血鬼は、系統発生するのではなく、感染していくのである。感染症や伝染病が、完全に異質な複数の項を、例えば、一人の人間、一匹の動物と、一つの細菌、一つのウイルス、一つの分子、一つの微生物とを動員することにある[*15]」。さらにスラヴォイ・ジジェクは、こうした「吸血鬼」について次のように述べている。「吸血鬼と生きている人間との間の差異は、無限判断と否定判断との間の差異である。死んだ人間は生きている存在者の述語を失うが、それでもなお、彼あるいは彼女は依然として同じ人格のままである。非死者(undead)は、反対に、ただ一つ、同じ人格であることは除いて、生きている存在者のすべての述語を保持し続けるのである」[強調、引用者]。無限判断が開く領域は、可能的経験の裂け目であり、まさに異様な〈間(あいだ)〉領域、つまり怪物的な亡霊が住む「実在的(リアル)なもの」の領野である[*16]。日常において、つまり記憶と習慣の秩序のなかで、無限判断(非‐P)の全様相が顕在化することなどほとんどない。というのも、それは、通常ただちに肯定や否定の判断形式に変換されてしまうからである。しかし、人々は、いまや実在化した無限判断の領域のなかで宙吊りにされ、またこの判断の裂け目から侵入してきた今度の微細な怪物たち――ウイルス、細菌、微生物、等々――によって目的論のない絶対的過程を歩むことを強制される。これは、まさに自然の内在的過程の一つである。ここにおいてわれわれは、より多くの決定不可能な諸命題によって自分たちの意識が穿たれるのを知ることになる。

〈大地を分割すること〉、これを大前提とするような生の様式は、その限りで必然的に定住民の人間精神へと収斂していく。それは、自由意志を最大限に発揮するために、あらゆる意味での移動域と選択肢の絶えざる増大を欲望するもっとも愚鈍な民衆である。何故なら、何であれ相対的な境界線を乗り越える感覚につねにより多くの喜びを見出すのがこの種の人間だからである。これらの群衆は、経験や体験をつねに過剰に求める。というのも、彼らは、たしかにそれらを現実化させているが、しかしそのことによってむしろ自分たちの生の実在性あるいは完全性の欠如をより多く感じることになるからである。つねに大域的なもののなかに求め続けられるこうした過剰さは、しかしながら一気に感染の速度とともに群衆の離接化へと反転する。否定的な意味を帯びた〈パンデミック〉は、まさに万人にとっての一様な死への流転の表現、こうした群衆の死のイメージとなる。しかし、それは、他方では〈差異の肯定〉に強度を与えうる機会ともなりうるのだ。この新型のウイルス禍のもとで、例えば、人種差別に対する圧倒的な抵抗運動――差異を肯定しようとする外延的運動――が起きるのも必然的である。しかし、それは、単なる外延的な運動にとどまるのではなく、同一性という〈差異の否定〉に対して、一義性という〈差異の肯定〉の内包的限界にまで至らなければならない。「社会性の能力の超越的対象、それは革命である。この意味において、革命は、差異の社会的力能、社会の逆説、社会的〈理念〉の固有の怒りである。革命は、けっして否定的なものを経由しない。（……）実践的闘争は、否定的なものを経由するのではなく、差異とその肯定する力能とを経由するのである」[*17]［強調、引用者］。革命と称されてきたものは、より具体的に言えば、社会における差異の力能についての一義的存在の現働化であり、またこの力能が有する情動とこの現働化にともなう言表作用との獲得にある。死も同様にこの力能に帰属するものであり、それは、同一性を伝達するのではなく、むしろ差異を肯定することにあるのだ。

ソクラテス以前の自然哲学者の一人であるヘラクレイトスは、「闇の人」と呼ばれ、火を宇宙の生成変化の原理に据えた。〈万物流転〉とは、すでに述べたが、自然という生成変化についての存在のことである。火はこうした万物の絶対的な発生的要素であり、万物はこの限りでの火の「交換物」、つまり〈火－始源〉を多様な度合で含みうる諸様態である。また万物は火の「転換物」であり、世界は二つの道から、すなわち〈火→水→土〉という下降の道と〈土→水→火〉という上昇の道からなる。前者は〈火－始源〉の濃密化による言わば世界の形成であり、後者は反対にその希薄化による世界の溶解である。この後者の過程をつくる蒸発物は、海洋からの場合は「純粋で明るい」が、大地からのものは「暗い」と言われる。大地からの上昇物によって世界は、ほぼ暗い大気に覆われる。[*18] しかし、〈始源（アルケー）〉としての火は、こうした大気のもとであるいは大気によって、より本質的な〈非－始源（アナルケー）〉としての力能で大地を覆うことができるであろうか。火の存在転換は、「まず海になり、海の半分は大地に、半分は雷光になる」だけでなく、雷光現象の背後に存立する或る交換不可能なものの限界に至ることで、真の生成変化の〈非－始源（アナルケー）〉になる。これこそが、パンデミックをともなう万物流転の本性である。大域的なものは、単に延長的で空間的な一様性だけのものではなく、むしろ非－局所的で無限な平面域という仕方で存立し、またそのように理解する仕方によって無化されるであろう。局所的なもの（＝場所）と大域的なもの

（=空間）との間の差異、あるいは前者から後者への移行は、どちらも実際には定住民の問題であり、具体的には、貧富に基づく格差（=優劣）の違いを前提とした問題にほかならない（このコロナウイルス禍におけるブラジルでの感染症拡大などは、この典型的な事例である）[*19]。高台にある局所的な園庭ではなく、非-局所的な或るマイナーなものの平面圏が問題なのであり、この問題こそがあらゆる民衆に現前する唯一の〈来るべき民衆〉の問題を構成することになる。それは、先に述べた第一の〈大地→海洋→大気〉という大域化の過程に抗する〈大気→海洋→大地〉の移行を非-局所化の過程として肯定することである[*20]。古代ギリシアの万物流転の思想は、今や暗い蒸発物からなる大気の内容についての、つまり地球高温化あるいは気候変動についての自然哲学のなかで書き換えられていく。それは、具体的に言うと、感染症による非物体的変形と異常気象による価値転換とを必然的にともなう気象哲学である。

　現代の広義のスペクタクル社会が依って立ってきたものは何か。このパンデミックにおいて、それがまさに愚鈍で偽の陶酔以外の何ものでもなかったことが暴かれたのだ[*21]。同様に、こうした群衆が実は一様な死と無関係でなかったことも露呈したと言える。というのも、群衆という大きな量、過密状態、記号の支配に必然的にともなう諸運動は、経済の流れであれ感染の経路であれ、実は同じ速度で欲望されているからである。ウイルスによる感染症の現働化もその拡大も、実は人間の欲望が外延的な諸形相をともなって表現されたものである。恐怖は希望なしには成立しえず、また逆に希望も恐怖なしには存立しえない。この〈希望／恐怖〉は、あらゆる感情が生起する際の時間上の基本体制でさえある。ここには、つねに演劇的な死が成立しえる。言い換えると、ここには、雑多な日常的文脈のなかで生起する死が、つまり諸個人が有する日常のストーリーに対して差異的な死が存在しうる。ここでのわれわれの感情は、もっぱら受け取るだけの結果の表象に貶められる。もちろんその結果に対する原因の探求は、たしかに開始されうるであろう。それは、一様な死を差異化して、何とか特異なものにしなければならないという欲望に基づいている。言い換えると、これは、大域的なもののなかでの〈死の死体〉を局所的な場所における〈死の死者〉として葬ろうとすることに等しい。この〈死の死体〉から〈死の死者〉への反転こそが、いかなる生の様式であれ、その生の実在性を肯定しようとする本質的な儀式である。さて、この死体から死者への反転の場所は、はたして園庭なのだろうか。ミシェル・セールは、こうした一様な空間と特異な場所との差異をストア派とエピクロス派との違いとして、つまり大域的なものと局所的なものとの違いとして改めて論じている。[*22] これは、すでに歴史化されたストア派とエピクロス派との対立に基づく差異である。つまり、この差異の問題は、残念ながら対立の言説に還元されてしまっている。セールは、ルクレティウスの『物の本性について』から見事に気象哲学の重要性を抽出したにもかかわらず、何故ストア派の思想をもっぱら否定的に大域的なものに結びつけてしまったのであろうか。気象哲学のもとで非‐局所的な特異性領野――あるいは指定不可能なもの――を思考しているのに、何故それを、現代の多くの人間と同様に、一般性の領域としてしか考えなかったのであろうか。大域的なものとは、おそらく果てしなく愚鈍な概念であるだろう。これは、まさに〈場所‐局所的なもの〉の単なる等質的な一元化という死と暴力の意味しかもちえない。こうした大域など、われわれにとっては存在しないに等しい。存在するのは、大域的なものの全体ではなく、非‐局所的なものの総体である。とりわけパンデミックにおける局所的なものの外部は、たしかに外延的な暴力と死――感染化――で一様に覆われた大域的な世界でしかないのかもしれない。しかしながら、場所は、これらに抗して外延化も一様化もされえないものであるが、そうだからと言って、固着した非物体的なものの集合体が住まうような園庭でもない。そこには、端的に初期ストア派における非物体的なものの非‐局所的変形の観念がほぼ欠落していると言えるだろう。〈局所的(local)/大域的(gobal)〉という二つの水準の違いで思考する限り、こうした一種の理性的な快楽主義あるいは身体なき自然主義は、具体的には〈ペスト‐外延〉を積極的に定立する力能がほとんどないと言えるだろう。パンデミックの大域性は、たしかに非物体的なものの変形を含む限り非歴史的なストア主義の思想そのものである。ペストは、アテナイの人々の信仰と習慣を破壊し、アテナイに暴力と死をもたらすことで、大域的なものをこのような災禍で充たすことになる。ここでは、たしかに〈クリナメンなき原子〉しか存在しないであろう。[*23] しかし、注意しなければならない――この大域は、他方では〈原子なきクリナメン〉という非‐局所性の原初的平面のもとでしか存在しえないということを。重要なことは、〈局所的/大域的〉という歴史化された思考が有する二項性などではなく、これら双方が実は参照し続けてきた言わば〈非‐局所性〉の方にある。

気象身体についての思考は、こうした〈局所的/大域的〉とはまったく異なる論理や原因をおそらく見出すであろう。悪しき外延に包囲された園庭は、必ずしも解放された領域ではない。本質的なことは、局所性を或る非‐局所的なものへと解放することにある。いずれにしても、エピクロス派とストア派の思想をもっぱら〈局所的／大域的〉という特徴のもとに配分する根拠はいったいどこにあるのか。その真の問題はどこにあるのか。それは、原因と結果についての配分の違いにある。「真の問題は、諸原因の間に統一性は存在するのか、〈自然〉の思考は諸原因を全体に統一すべきなのかということである」[*24]。ドゥルーズは、こうした問題の観点からストア派とエピクロス派の違いを以下のようにまとめている——(1)「ストア派は、物体的原因とこれらの非物体的結果との間の本性の差異を肯定することで、原因は原因へと差し向けられて、統一性を形成するのに対して、結果は結果へと差し向けられて、活用を形成する」、(2)「エピクロス派は、反対に、物質的な諸原因の系列に影響を与える偏角によって、こうした系列の複数性の独立を肯定する」。前者には原因の統一性があり、したがってそれは、物体的なものの言わば水平的な大域を形成することになる。これに対して後者には因果系列の落下の複数性があり、したがって因果系列は相互に独立しているがゆえに、局所的なものあるいは園庭を作りだすことになる。気象哲学は、言わばこの二つの思想——つまり、平面と落下——の総合にあるとさえ言えるだろう。ベルクソンもドゥルーズも、またセールも、依然としてルクレティウスの『物の本性について』のとりわけ第六巻の意義を肯定できていないように思われる[*25]。

死を主題として精神と身体について考えることは、現代においてますます重要なものとなっている。というのも、それは、近代的な主体性についての硬直した概念を解体するからである。近代的主体性とは結局はもっぱら大地の子、その大地をより多く支配しようとする動物性のことであり、またそこで前提となっている大地の方は灼熱でも極寒の地でもなく、程よく温暖な地域でしかない。大地から相対的に、そして大気から絶対的に分離し抽象化された人間主体は、局所的な場所で育つが、いずれ大域的な意味と価値に飲み込まれて群衆を形成する要素となっていく。この意味での場所を単に大地の表層的部分に囲い込まないよう注意しなければならない。場所とは、むしろ大気の流れと気候変動の平面とを必然的に含むことなしには存立しえないもの、逆にその非物体的なものの変形にもっとも配慮した領野でなければならない（これなしに〈自己への配慮〉は、もはや成立しえない）。園庭という内部での呼吸は、その外部での身体の気息と何が違うのであろうか。呼吸すること、それは、すべての〈パンデミック〉における共通の身体の活動能力、身体の基本動詞の一つである。つまり、これについてのドラマを最初に形成しうる人間は、まずは呼吸器系の障害を有する者たちであろう。しかし、それ以外の多くの者たちの、とりわけ呼吸をもっぱら発話行為の声として発揮することは、決定的に制限されることになる。しかし、これによって人間身体の活動力能は、果たして減少していると言えるであろうか。ここで生起していること、それは、むしろ非身体的なもの（意味、価値）の変形のために自己の声を言葉の形相から分離することである。パンデミックの傍らで人間は、何よりも〈気息−声〉の別の形相を見出す必要がある。大地の主体性に代わる身体気象は、まさに気候変動における非−局所性のうちに存在する。人間身体の変様は、〈身体場所〉の園庭での刺激から、大地の足、海洋の腸、大気の肺からなる〈身体気象〉の絶対的触発へと変異するであろう。それとともに死者の舞踏は、器官なき身体という非有機的な身体の舞踏にとって代わられるであろう。しかしながら、器官なき身体は、その舞踏によって死者の代わりとなるわけではない。死者の舞踏は、依然としてそれ自体が有機的なものに帰属する特徴——擬人化（〈骸骨 - 死体〉の踊り）、道徳（死を想え）、等々——を有しているからである。それでもこれが、ペストとの関係で成立したことはたしかである。⑴器官なき身体は、発話行為を前提とした〈ダンス - 身体運動〉ではなく、言表作用に対応した〈触発 - 身体速度〉からなる。⑵この新型コロナウイルス禍のもとで人間は、どのような〈死 - 死体 - 死者〉の文化を生み出すのであろうか。はたしてそれは、新たな文化の形成に間に合うものであろうか。⑶このパンデミックは、気候変動の暗い先触れにほかならない。⑷死についての系譜学は、倫理学と自然学から形成されなければならない。⑸非十全な〈死 - 観念〉は、実際には多様な認識を具体的に与えてくれている。或る特異な事例とともに死そのものは、まさに死者（精神）と死体（身体）との並行論のもとで表現されるのだ。ここには、複数の器官なき身体が存在することになる。

＊1　この二つの理由については、スピノザの『エチカ』（畠中尚志訳、岩波文庫、一九七五年）を参照することができる。すなわち、ここで述べた⑴の〈比較〉による人間精神における否定や欠如の作動化については第四部の「序言」を、また⑵の人間身体の触発に由来する無差異な一致点の発生、つまり一般概念の形成については第二部の「定理四〇・備考一」を参照されたい。

＊2　Jean-Paul Sartre, *L'Être et le Néant, Essai d'Ontologie phénoménologique*, Gallimard,1943, p.706（『存在と無――現象学的存在論の試み』松浪信三郎訳、ちくま学芸文庫、二〇〇八年、第三分冊・二七二頁）。あるいは「（……）死の存在そのものは、われわれ固有の生において、他者の利益のためにわれわれをそっくりそのまま疎外するのだ。死者であること、それは、生者たちの餌食になることである。したがって、このことが意味するのは、自己の未来の死の意味を捉えようと試みる者は、他者たちの未来の餌食として自己を発見しなければならないということである」（*ibid*, p.714（同書、同分冊・二八八頁））

＊3　スピノザ『エチカ』、第三部、定理四。

＊4　フェリックス・ガタリ、田中泯『光速と禅炎』、朝日出版社、一九八五年、六頁、参照。

＊5　Cf. Michel Serres, *La Naissance de la Physique dans le Texte de Lucrèce, Fleuves et Turbulences*, Minuit, 1998, pp.229-230［以下、*NP*と略記］（『ルクレティウスのテキストにおける物理学の誕生』豊田彰訳、法政大学出版局、一九九六年、二八八-二八九頁）。

＊6　「僕は身体と気象ということを基本的には並置するものではなくて、ほんとうはいっしょにしちゃいたいんです。だから僕は身体であり気象であるというふうになってしまいたい。（……）「僕は気象です」というところまで行きたいなと思うんですよ」（田中泯、松岡正剛『身体・気象・言語』、工作社、一九七九年、七〇-七一頁）。

＊7　Emanuele Coccia, *La Vie des Plantes, une Métaphysique du Mélange*, Rivages, 2016, p.41（『植物の生の哲学――混合の形而上学』嶋崎正樹訳、勁草書房、二〇一九年、三七頁）。「植物のおかげで、大地は、決定的に気息の形而上学的空間になる」、あるいは「思考は、このようにしてもはや最終的な運命を規定

するような同一性を実在に与える力ではなく、反対にコスモスの残存部分と出会う点、世界と混合し、その混合によって触発されるような形而上学的空間、存在のもっとも深い同一性を変形する偏差の力である」［強調、引用者］(*ibid*, pp.53, 136（同書、五三、一五〇頁））。

*8 「自由な人間は、何よりも死について考えることがない。そして、彼の知恵は、死についての省察ではなく、生についての省察である」（スピノザ『エチカ』、第四部、定理六七）。また、こうした自由な人間は、悪い感情から働きを受けることが少なく、またそれだけ死を恐れることが少ないとも言われる（同書、第五部、定理三八、定理三九・備考、参照）。

*9 スピノザ『エチカ』、第四部、定理三九・備考。本論文のこの部分についての考察は、本書所収「死の哲学」のなかのとりわけ「死を分かつもの――ドラマ化の線」という節で展開したスピノザの「死」についての考え方の再解釈あるいは再挑戦という意味がある。

*10 「子供たちは、スピノザ主義者である。（……）スピノザ主義とは、哲学者が〈子供に－なること〉である」（G. Deleuze, F. Guattari, *Mille Plateaux*, Minuit, 1980, p.313［以下、*MP*と略記］（『千のプラトー』、宇野邦一・他訳、二〇一〇年、河出文庫、中・一九六－一九八頁））。

*11 「〈存在しないことができる〉のは無力能（impotentia）であり、これに反して〈存在することができる〉のは力能（potentia）である」（スピノザ『エチカ』、第一部、定理一一・別の証明）。神は、全知・全能であるから、自らを存在しないようにすることもできると考えられてきた。しかし、スピノザは、このように考えられた神は実は無力能なもの以外の何ものでもないと批判する。例えば、人間はどこかの時点で存在し始めたので、必然的にどこかの時点でその存在の仕方も終焉する。しかし、神は、存在し始めることがない以上、存在し終えることもない。これを肯定的に言い換えると、神とは絶対的に存在するもののことである。つまり、無限意志を有する神を考えることは無力能の神を定立することであり、これに対して存在する力能の必然性のもとで神を認識することは擬人化された無限意志を神の本質のうちにもち込むことなどけっしてないということである。

*12 Cf. Antonin Artaud, «Sur le suicide», 1925, in *ARTAUD, Œuvres*, Gallimard, 2004, pp.124－126（「自殺

について」宇野邦一訳、『ユリイカ』、一九九六年一二月号所収、青土社、七八-八〇頁、参照)。

*13 ベルクソンは「羊」を数えるという有名な事例を上げているが、ここではあえて死体を数えるという場合を考えると、何をそこで考えることができるであろうか。例えば、戦時下の攻撃によって多くの死亡者が出たとする。そのなかに幼い子供たちの死体も含まれていたらどうなるのか。人は、子供たちの死体を見出したとき、その攻撃での死亡者の数を数えることができなくなるのではないだろうか。数える行為は、まさに上位の問題を提起し構成する力があると言える(Cf. Henri Bergson, *Essai sur les données immédiates de la conscience*, in *Œuvres*, Edition du Centenaire, PUF, 1959, pp.51-54=56-59(『意識に直接与えられたものについての試論』、合田正人・平井靖史訳、ちくま学芸文庫、二〇〇二年、九〇-九四頁、参照))。

*14 スピノザは人間の認識を三つの様式(情動、概念、直観)に分けたが(『エチカ』、第二部、定理四〇・備考二、参照)、同様の仕方でドゥルーズ=ガタリはこうした対象性の位相——言わば、観念の対象性の差異——を〈被情動態〉(affect)、〈被概念態〉(concept)、〈被知覚態〉(percept)として規定した(Cf. G.Deleuze, F. Guattari, *Qu'est-ce que la Philosophie ?*, Minuit, 1991, pp.21-37, 154-188(『哲学とは何か』財津理訳、河出文庫、二〇一二年、二九-六四、二七四-三三六頁、参照))。しかし、この後者では観念における被観性のこうした三つの様態は、哲学、科学、芸術が批判的に区別される際の諸要素としてもっぱら考察されるだけであり、それゆえ改めて内在性の哲学において、これら三つの基本特性としての〈被性〉が明確に脱-主体的で非=表象的な〈被観性〉(あるいは被表現態)として把握されるべきであると思われる。

*15 G. Deleuze, F. Guattari, *MP*, p.295(中・一六七頁)。

*16 Cf. Slavoj Žižek, *Tarrying with the Negative——Kant, Hegel, and the Critique of Ideology*, Duke University Press, 1993, pp.108-114(『否定的なもののもとへの滞留——カント、ヘーゲル、イデオロギー批判』、酒井隆史・田崎英明訳、太田出版、一九九八年、一七三-一八一頁、参照)。また、本書所収「死の哲学」(「偽の分身——〈吸血鬼であれ、人間であれ〉」)も参照されたい。

＊17　G. Deleuze, *Différence et Répétition*, PUF, 1968, p.269(『差異と反復』、財津理訳、河出文庫、二〇〇七年、下・一一〇頁)。

＊18　Cf. *Die Fragmente der Vorsokratiker* I, Hermann Diels, Walther Kranz（Hrsg.）, 1951, Berlin, pp.141, 143, 158, 171（『ソクラテス以前哲学者断片集　第一分冊』、内山勝利編集、岩波書店、一九九六年、二八六-二八七、二九一、三一七-三一八、三三五頁、参照)。

＊19　「文化は、別の諸手段による野蛮の継続である。ペストは、この暴力的な延長の正確なモデルである。その伝染病は、諸々の街角を薪の山で満たすことで、街全体を占拠するまでに、蔓延し、増殖し、人を殺すのだ。園庭は何よりも防御的であり、それは水とパンデミックの増大に対して科学によって要塞化した高い場所にあって、ペストを閉め出している」(M. Serres, *NP*, p.235（二九五頁))。

＊20　これについては、例えば、拙論「自由意志なき〈自由への道〉——行動変容から欲望変質へ」（本書所収）を参照されたい。

＊21　「私はここで、この演劇的スペクタクルという表現を、寄り集まった大衆の前で身体に行為させるスペクタクルのあらゆる形式——劇的行為、ダンス、パフォーマンス、パントマイム、等々——を含めて用いている」[強調、引用者]（Jacques Rancière, *Le Spectateur émancipé*, La fabrique éditions, 2008, p.8(『解放された観客』、梶田裕訳、法政大学出版局、二〇一三年、四頁))。階層的に一様に方向づけられた〈単一体-群衆〉として寄り集まった解放されていない観客は、〈パンデミック〉下においてはもはや存在しえないであろう。これに対して解放された観客とは、離散しつつも分子状に結合すると同時に、つねに多様な方位と可変的な距離とを有する群れのことである。〈パンデミック〉が肯定されるとすれば、それは、まさにこうした解放を実現しうる外部の原因となり、またこうした群れの発生的要素となりうることにある。「群衆」と「群れ」の差異については、G. Deleuze, F. Guattari, *MP*, pp.46-47(上・七九-八一頁)を参照せよ。

＊22　「〈柱廊〉〔ストア派〕が支配者であったところに、〈園庭〉〔エピクロス派〕が戻ってくる。大域的なものが理由であったところに、局所的な解が戻ってくる」(M. Serres, *NP*, p.234（二九四頁))。ルクレティ

ウスをめぐっては、つねにその評価が対立する場面がある。『物の本性について』のとりわけ第六巻の最後のアテナイの疫病についての記述に関するベルクソンとドゥルーズとの解釈の対立については、拙著『アンチ・モラリア――〈器官なき身体〉の哲学』（河出書房新社、二〇一四年、二四〇‐二四四頁）を参照されたい。

＊23　「断絶によって厳密に定義される死は、まったく反対に、〈クリナメンなき原子〉のようである」、「というのも、〈クリナメンなき原子〉は、純然たる死、カオスへの回帰、あるいは誕生以前のカオスだからである」（M. Serres, *NP*, pp.228, 230（二八六、二八九頁））。

＊24　Cf. Gilles Deleuze, *Logique du sens*, Minuit, 1969, p.312（『意味の論理学』、小泉義之訳、河出文庫、二〇〇七年、下・一六四‐一六五頁、参照）。

＊25　この問題については、拙著『アンチ・モラリア――〈器官なき身体〉の哲学』（河出書房新社、二〇一四年、「道徳と気象――ペストの力能について」、二四〇‐二四四頁）を参照されたい。

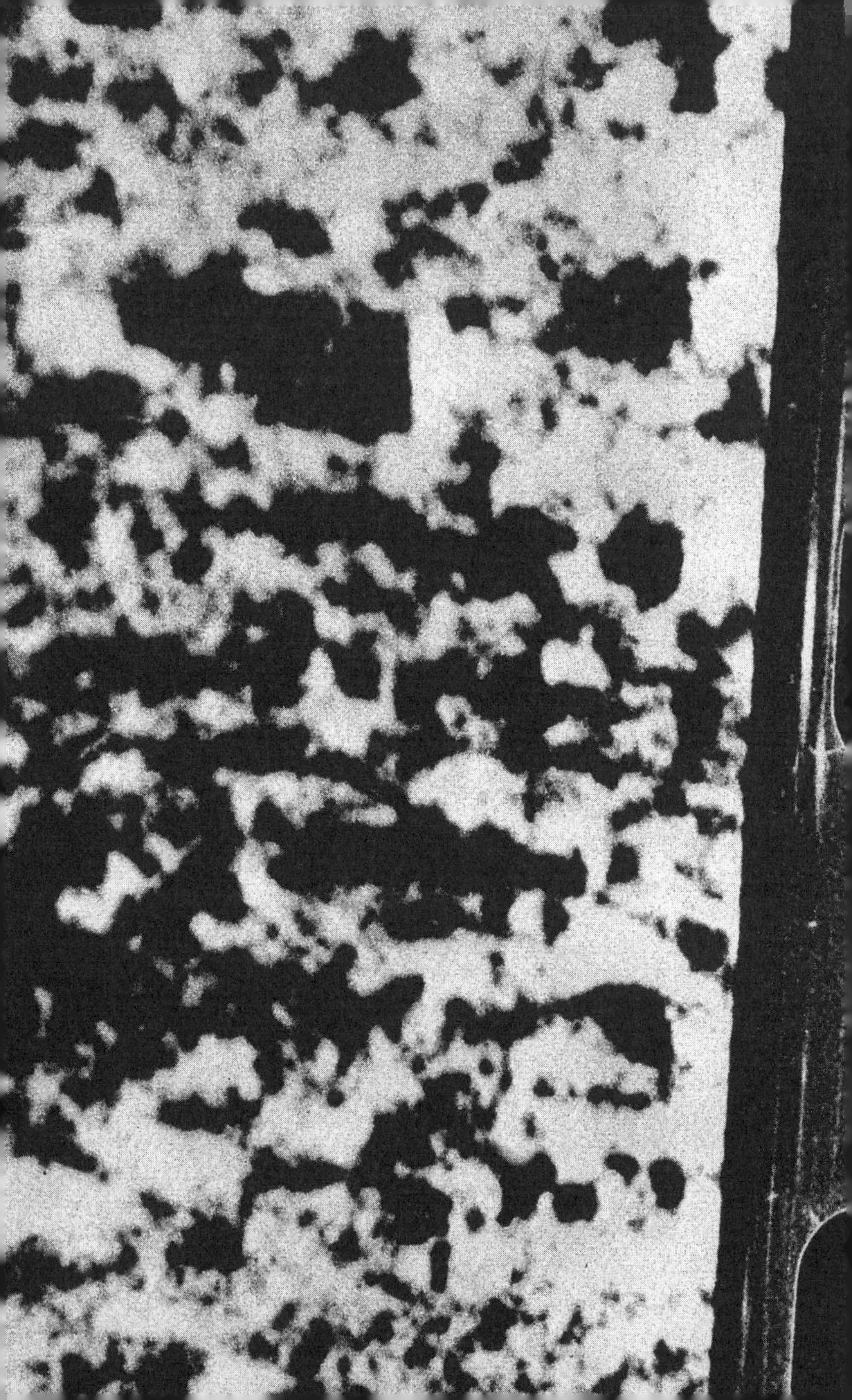

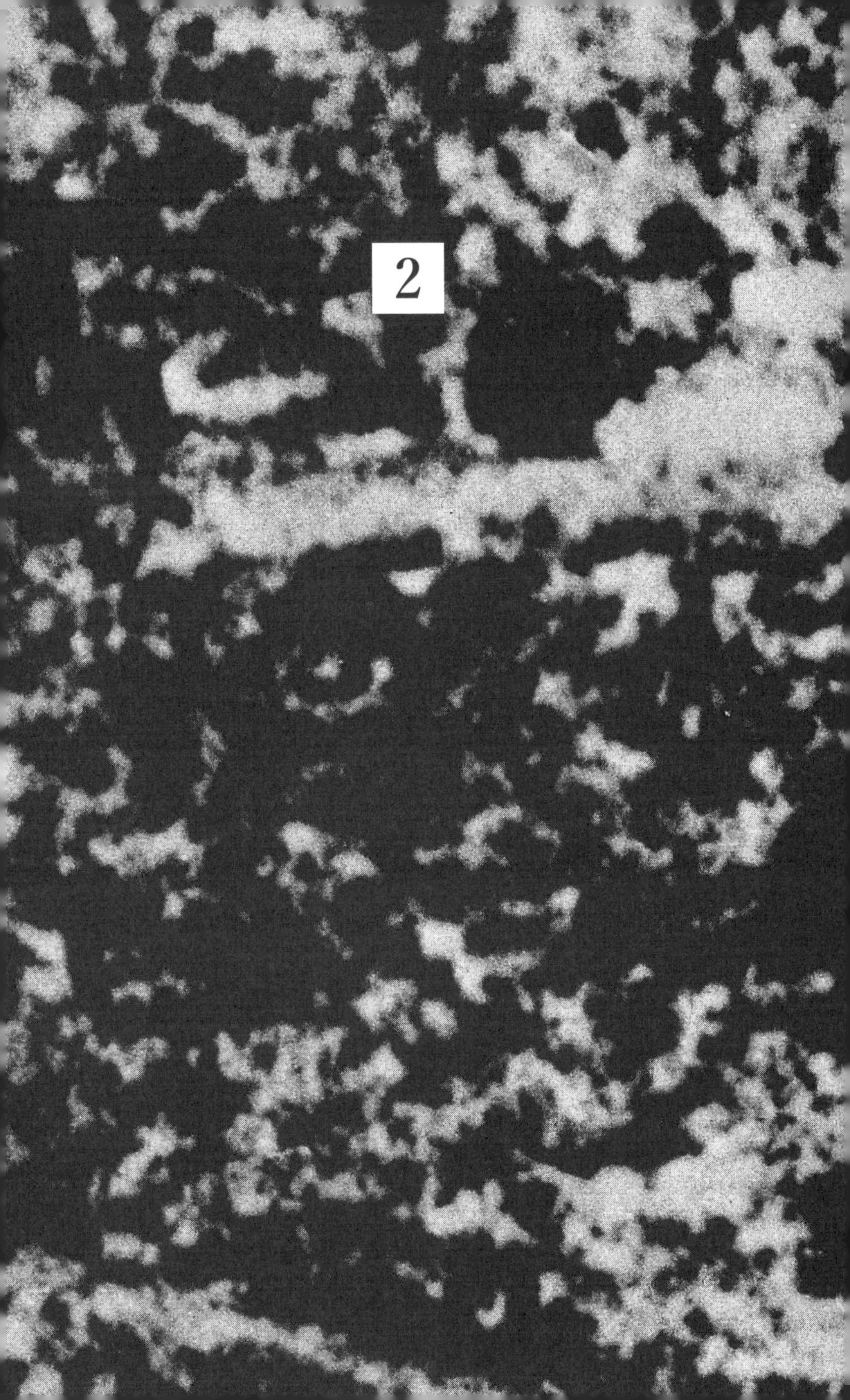

2

スピノザと分裂分析的思考――その三つの哲学的問題群

「われわれは、この生において、特に幼児期の身体を、その本性の許す限り、またその本性に役立つ限り、(…)別の身体に変化させようと努める」。

――スピノザ『エチカ』第五部

スピノザは、すべての「正常病者」を敵にまわす。[*1] したがって、この正常病に対する批判の実在的経験が実際に〈分裂分析的思考〉を形成する誘因となるにちがいない。「正常病」とは何か。それは、目的論、多義性、アナロジー、可能性、否定、意識、善悪、表象、言葉、悲しみ、家族的関係、カップル関係、等々に取りつかれること、実在性のすべてをこれらのうちに囲い込むこと、言わばマジョリティに固有の不治の病である。さて、精神分析はたしかに人々のなかで機能してきたし、現在でも十分にその有効性をもっている。ただしそれは、すべてを幻想によって、表象像と言葉の言語によって解決し、それゆえ表象知(イマギナチオ)のなかにわれわれの精神を固定する限りにおいて、あるいは精神という非物体的宇宙を多義性と類比で満たす限りにおいてのみ機能しているにすぎないように思われる。言い換えると、一義性の哲学のパースペクティヴから言えば、精神分析は、やはりどこまでも〈存在のアナロジー〉や〈イマージュの思考〉に対応し、かつこれらを分有する——例えば、転移や対象a、等々の精神分析の諸概念がどれほど厳密な比例性（異なった諸項の間を転移するために前提となる関係＝比）の思考のもとで成立していることか——意識の形而上学的「無意識」に関する象徴的な営みだということになる。事実、精神分析的思考は、必ずしもアナロジーや多義性、イマージュの思考や言葉の思考と対立しないし、ましてそれらの思考に対して新たな問題提起をすることも、それらを破壊することもないだろう。これに反してドゥルーズ／ガタリが『アンチ・エディプス』のなかで提起する「分裂‐分析」（schizo-analyse）は、正常病とこれを前提とした広義の精神障害、そしてとりわけこれらを用いる人々とを批判すると同時に、まさに〈存在の一義性〉（あるいは〈認識の一義性〉）を形成すること、言い換えると、現実にこの一義性を産出し配分するような精神の超越論的「無意識」を形成することにある。とりわけガタリが導入したこの「分裂分析」によってドゥルーズは、精神分析と一致しないが、しかしそれと和解可能な諸結果を生み出していたそれ以前の哲学的思考を徹底化して、まさに精神分析とけっして和解しえない地点での思考を、つまり〈分裂分析的思考〉を獲得したのである。一言で言うと、それはスピノザ主義と分裂症との偉大なる綜合——「実在的なもの（現実界）の一義性」あるいは「無意識についてのスピノザ主義」[*2]——である。この経験、すなわち分裂分析的経験は、実在的な生産的無意識の発生の要素であり、各個の様態、その生存の様態のなかの革命的なマイノリティの諸部分において成立するものである。

I　無意識の形成――欲望する並行論

〈分析せよ〉、そして〈形式化／理論化せよ〉、決定的に衰弱した思考、あらゆる面でスコラ化した現代の死せる分析的思考よ、死せる精神分析よ。しかし、分裂分析の仕事はこれとはまったく違う。それは、分析というよりも、むしろまったくの綜合である。それは、〈破壊せよ〉、〈生産せよ〉であり、この二つの活動＝動詞の綜合である。ドゥルーズ／ガタリは、この〈破壊せよ〉という第一の否定的な仕事が、〈生産せよ〉（すなわち、各個の欲望する諸機械の存在の様態を見出すこと、社会的領野を備給すること、〈強度＝0〉を備給すること）という第二の積極的な仕事と切り離せないと言うが、それはここでの生産が破壊の衝動を意識した欲望の生産だからである。さて、スピノザには、実は精神分析の対象となりうる精神やその心的過程から分裂分析的思考への実在的な移行過程が存在すると言える。しかし、スピノザのなかにフロイト的な心の深層としての無意識を見出そうとする努力がつねに無駄に終わるのは、スピノザにおける無意識が意識を超えた精神の無意識であり、それゆえ同時に身体という無意識だからである。それは、概念の適用の秩序のなかで見出されるものでも、与えられるものでもなく、形成され、産出されるものだからである。「ひとは、身体が何をなしうるのか、また単に身体の本性を考察することから何が導きだされるのかを知らない」[*3]。この有名な文章が現われる長い備考のなかでスピノザは、まさに精神は意識に還元されず、またわれわれの意識に定位した認識も「身体が何をなしうるのか」を知らない〈言い換えると、意識は〈身体が何をなしているのか〉さえ知らない〉ということを同時に示している。つまり、身体における「決定」(determinatio)が精神における「決意」(decretum)と本性上同時だということ、言い換えると、われわれの活動は意識のなかで自覚された自由な決意――スピノザはこれを、目を開けながら夢を見るようなものだと言う――に基づいてなされるのではなく、神経症的な意識とコギトの哲学を超えた、精神の決意＝身体の決定によってなされるということである。これによってまさにスピノザに固有の無意識の問題が提起されることになるだろう。すなわち、この並行論そのものが〈エチカ〉における無意識の形成である。[*4]

ドゥルーズのスピノザ論の最大の特徴は、スピノザにおける経験主義的側面を実践哲学として諸概念の形成の秩序のもとで明らかにしたことにあるだろう。[*5] スピノザの一義性の哲学は、単に哲学史における存在の一義性の系譜のなかで落ちついた定位置を与えられるようなものではなく、〈一義的存在〉概念の経験論的形成のもとでしか思考されえないような一つの決定的な出来事、あらゆる出来事に対する唯一同一の出来事として捉えなければならない。しかしながら、今日、スピノザの実践哲学から、とりわけその並行論からこうした過激な批判性がほとんど見失われているように思われる。並行論は、現にそう在る精神と身体との間の関係を単によりよく説明する概念などではなく、あらゆる意味と価値の変革の概念、それらの新たな形成についての概念でなければならない。それは、ドゥルーズが言ういわゆる存在論的並行論から認識論的並行論へ、そしてわれわれの具体的な心身関係を規定している、認識論的並行論の個別的事例である心身並行論、つまり「精神的－物理的」(psycho-physique)並行論[*6]へとその解像度を上げたとしてけっして感知できないような、形成の次元のもとで考えられる並行論、様態の決定の次元で生産される並行論である。言い換えると、それは、経験主義的並行論、欲望する並行論であり、いかなる比例性も前提することなく、それら一切の既成の関係性に対する絶対的な遠近法主義をともなった、破壊と生産を条件として転移する並行論、すなわち〈精神的－物理的〉に取って代わる〈分裂的－身体的〉(schizo-corporel) 並行論である（ガタリならば、さらにこの並行論それ自体はまったくの肯定的な意味において「非物体的＝非身体的」だと言うだろう）[*7]。私がここで提起するこの欲望する並行論は精神における〈批判の問題〉と身体における〈臨床の問題〉との並行論であり、ここでは表現よりもむしろ生産が問題となる。クレール・パルネが「批判と臨床は厳密に同一視されるべきだろう」と言っているのはまったく正しい。ただし、この「厳密に」とは、あくまでもそれらが並行論をなしているという意味に理解する必要がある。ここでの批判の問題とは、表象像と言語から、あるいは想像的なものと象徴的なものから、生成と強度を内容にもつ観念へと精神の思考力能の水準を変形することであり、臨床の問題とは、〈鏡〉そのもの——例えば、ラカンの鏡像段階を生み出す鏡、他者としての鏡、ライプニッツにおける形而上学的な生ける鏡、反射あるいは表現する鏡、等々——の破壊作業であると同時に、或る有機的身体から「別の身体」へと変化することである。それゆえ、マジョリティの言語たる分節言語、言葉の言語への批判なしにこの臨床の問題はありえず、それと同時に別の或る非物体的なものを産出する身体を問題化することがなければ、批判の問題はどこにも存在しないだろう[*8]。こうした意味での並行論は、単にわれわれに与えられるのではなく、われわれが形成するものであり、欲望のうちで欲している内在的実体を構成するもの、すなわち無意識のことである。このように考えていくと、スピノザにおけるこの実践的な〈欲望する並行論〉という概念を提起することによって、われわれは分裂分析的思考の哲学的諸問題を明らかにするができるだろう。

まず第一に、不完全性や否定といった概念を排除して、身体を肯定する批判的関係（あるいは、より積極的に言うと、実在性の〈度合の差異〉の観点）がこの並行論のなかで考えられる——すなわち、われわれは、いつ、どのようにして実在の領域を定立するのか。スピノザは次のように述べる。「私は、精神が混乱した観念によって自己の身体あるいはその部分について、以前より大きなあるいは小さな存在力を肯定すると言う。何故なら、諸物体についてわれわれのもつすべての観念は、外部の物体の本性よりもわれわれの身体の現働的状態をより多く表示するが、感情の形相を構成する観念は、身体あるいはその或る部分の活動力能あるいは存在力が増大したり減少したりする、つまり促進されたり阻害されたりすることによって、身体あるいはその部分が呈する状態を指示あるいは表現しなければならないからである」[*9]。ここには否定や不完全性の概念はない。それだけでなく、ここで言われる完全性は不完全性と対をなすような概念ではない。より小さな完全性は、より大きな完全性の欠如や不在をけっして意味しない。悲しみであっても、それは、単に喜びの欠如ではなく、一つの積極的な移行状態（活動力能の減少）を示し、出来事としての〈悲しむこと〉に固有の強度を有するのである。この「肯定する」は、同一の身体の二つの状態間の比較や、それらの観念間の比較を介した営みでもなければ、そうした比較の結果を待って決定されるような活動＝動詞でもない。「肯定する」とは、それ自体、実在性を含む或るものの領域を定立することである。外側から、スピノザにおける精神を意識に、あるいは観念を志向性に還元したり、とりわけスピノザの観念を観念論（イデアリズム）に直結するものと考えたりする限り、形成の秩序において並行論を構成する二つの要素は決定的にずれたものとして捉えられるかもしれないが、しかしその内的な理由がもっぱら一方の要素たるべき意識の側にあるのも事実である。何故なら、意識は身体がなしうることにけっして追いつかないからである。重要なのは、並行論において、明らかに身体が精神に対する指導的モデルとなる場面があるという点を知ることである。[10]身体の〈なしうること〉は、意識による自覚の埒外にあって、それを超えているが、しかしこれが示しているのは、単なる身体の精神に対する優越性などではなく、意識の自覚を超えて、この身体の活動力能に対応した精神の〈なしうること〉、その思考力能が存在するということである。

　スピノザが言うように、たとえ表象像と表面の言語の本質が「身体的運動」に基づくものだとしても、それらの本質を習慣と記憶の秩序を支える実質として用いるのはあくまでも精神あるいは意識の方である。何故なら、身体は身体だからである。アルトーは、晩年のテクストのなかで表象の言語を切り裂くような言葉のブロックを発している――「身体は身体だ／身体はそれだけで存在する／器官は要らない／身体は断じて有機体ではない／有機体は身体の敵だ」[11]。諸器官、あるいは諸器官からなる有機体は、記憶や習慣が付着した身体である。しかし、身体は身体であって、ただそれだけのことである。つまり、身体は〈より大きな〉あるいは〈より小さな〉実在性を含む存在を肯定しているだけであり、この限りで身体は絶えず〈より有能〉なのである。ここで私が言う〈より有能〉とは身体はつねに〈なしうることの存在〉にほかならないということであり、さらにこうした身体の本性をまさに「対象の本性」とするのが、精神を構成する諸観念である。この身体の価値によってのみそれら観念の価値が評定され、これによってその肯定的な表現形態の水準が決定されるのだ。[*12] この身体の存在、すなわち〈なしうることの存在〉に対応するように、観念の表現活動は、それまで容易に、無批判的に結びついていた表象像や表面の言語と縁を切って、形成の並行論のもとでその思考活動全体の準位を変えるように決定されるのである。しかし、このことは、並行論の先の〈ズレ〉――これは、心身の間に実在的な因果関係を想定することをも含めて、すべて意識に固有の錯覚である――を修正しようとする調和への意志によるものではなく、無意識としての並行論それ自体がもつ欲望における決意＝決定であり、そのときまさに実在の領域は定立されるのである。スピノザにおける無意識は、ドゥルーズがとりわけ強調する共通概念の形成の秩序に固有の並行論に関わるものである。こうした経験主義的並行論における二つの要素、二つの系列の間には、単なる〈ズレ〉があるのではなく、むしろ身体と精神の〈なしうること〉を同時に定義し、それらの間で実践の問題を提起する未知なる一つの積極的な不協和があると言うべきだろう。つまり、無意識の形成の次元が明らかにするもの、スピノザの実践哲学をよりラディカルに定義するもの、それは二つの系列の〈不協和的一〉としての欲望する並行論である。

すべての様態の現働的本質（コナトゥス）は、内在的実体の本質を構成する属性＝不定法の動詞（形相）の一定の度合あるいは強度をもつ。したがって、実体は様態と絶対的に存在の仕方を異にする以上、〈強度＝0〉という存在の仕方でこの内在的実体を表現することができる。不定法の動詞がもつ強度とは、けっしてその動詞の不定詞を人称変化させることで達成されるものではない。或る動詞を人称変化させることによって生じる事態、それは、もはやその動詞が帰属させられるものの本質を構成することなく、その物の単なる属性＝特性となり、その物の量や質をもっぱら表示するだけのものになるということである。そうなれば、ただちにひとは再び目的論や否定性の優位を支えるような表象の言語に陥ることになる。不定法の動詞（形相）の多様な強度――それらは〈強度＝0〉との間の或る一定の内包的な距離にある力能によって示されるのだ。欲望のなかで決定される批判の問題は、例えば、生活の形式と合致した間主観的な言語使用（共通感覚と良識によって定義される）に従属した感性を徹底的に凌駕するような〈感覚のブロック〉と、この言語使用に対応する意味と価値を変形し、この変形の表現を具体的に産出する〈思考のパラ・グラフ〉とを、つまりあらゆる価値の価値転換に向かう分子的実践を生み出すことになる。いずれにせよ、ここにあるのは、われわれの思考活動のなかの或る部分において生成する、表象像と言葉の言語による判断の適用次元から観念の言語活動という表現の形成への移行である。経験主義的並行論において身体をモデルにすることは、何よりもこうした決意へとわれわれの精神を決定することである。

欲望、それはまさに実在的なものの定立と綜合の源泉である。スピノザは、「欲望は意識をともなった衝動である」と言い、さらにこの「意識の原因」を同時に示すような欲望の実在的定義を次のように規定している。「欲望とは、人間の本質が与えられたその各々の変様によってあることをなすように決定されると考えられる限りで、人間の本質である」。意識はこの「決定」の単なる結果として生じるものであり、またこの「決定」は何よりも身体を以って経験される活動力能の増大・減少という実在的移行のなかで言われるものである。欲望が〈実在とは何か〉という問いを立てることはけっしてない。欲望は、自らの外部に従うべき範型などもたない以上、けっしてこうした問いを立てることはない。また欲望は、こうした問いに従ってこれに応答しようとするような〈解の様態〉などではけっしてない。それは、つねに〈何が実在であるか〉、〈いかに実在を生産するのか〉という問題の様態であり続ける。言い換えると、欲望は、判断に先立って、それゆえいかなる欲求もなしに実在の領域を定立する「生産の秩序」にしか属していないということである。われわれはここで、多義性とアナロジーが渦巻く領域――すなわち、否定性を媒介とした〈複数〉の生産があっても、差異が肯定された〈多様〉が存在しないような領域――とはまったく外在的な関係にたつような実在の領野を定立した。この領野全体は、まさに〈喜びの知識〉と〈欲望の知恵〉に満ちた情動群によって成立する平面以外のなにものでもない。しかし、注意しなければならない。これは単なる楽観主義ではない。むしろこれは、現状と単に過ぎ去る現在としてしか到来しないような未来とに対して数少ない悲観的まなざしを向けるからこそ、この今に永遠として到来しつづける未来を条件とした或る生を、あるいはそのパースペクティヴを何とか肯定しようとする活動の平面である。一個の様態のなかで作動している欲望、あるいは欲望する並行論がどのようなものであり、それがどのように働き、何を生産しているかを見出すこと。つまり、分裂分析の第一の積極的な仕事、あるいはスピノザにおける諸概念の形成は、感情のなかの或る積極的なものを用いて、いかにして一個の様態のなかで欲望する諸機械が作動しているかを見出すことであり、これが同時に革命的無意識の形成過程となるのである。

第二の問題として考える必要があるのは、実在のなかにどのようにして否定的なものや欠如や無能力が生じてくるのかということである。何故、この問題を改めて提起するのかというと、スピノザが捉えていたように、すべての概念の形成は、人間身体の活動力能の二つの状態（その増大か、減少か）のどちらか一方に関わっているからである。この問題を展開するには、善・悪の概念による第二の批判的な、しかしより効果的な方法論的観点（あるいは、活動力能の増大・減少という実在的移行過程の〈本性の差異〉の観点）を考える必要がある。この方法論的観点は、第一の批判的関係以上に批判的、つまりより創造的で、生産的である。「私は以下において、善とはわれわれが提起する人間本性の型にますます接近するための手段になることをわれわれが覚知するものだと解する。これに反して、悪とはわれわれがこの同じ型に一致することの妨げになることをわれわれが覚知するものだと解する。さらにわれわれは、人間がこの型により多くあるいはより少なく接近するかによって、その人間をより完全あるいはより不完全と呼ぶであろう」[*13]。重要な論点は、定立された実在の外部に多義性あるいはアナロジーの思考と世界を放置しておくのではなく、この実在の一義性とそれら存在の多義性の領域を二つの多様体の類型として、あるいは体制の違いとして関係づけることである。さて、「人間本性の型にますます接近する」とはその本質と存在がより多く一致するようになること、つまり個体としての人間の存在がより多く自らの本質との関係で規定されるようになることであり、したがって、ここでの善はより多く〈よい／わるい〉の実質を、すなわちより多くの完全性をもつようになるだろう（人間本性の型とはその本質と存在との一致のことであり、存在のなかでその本質の変様を効果的に展開し実現しようとすること——欲望のエチカ——である)。これに反して、その本質と存在がより少なく接近するとは、例えば、われわれが個物の存在をその本質から切り離して、その存在にしか関心が向かわなくなることによって、われわれ自身が限界や無能力といった否定的な事柄で以ってその物を評価するようになること、それゆえそれだけ自己の精神が否定や欠如によってより多く形成されることを意味する。したがって、この場合の悪とは、超越的価値としての〈善/悪〉によって規定されるより不完全なものに満たされた状態を示している。この意味で悪=欠如体は、つねに比較を自らの足場とするのである。このようにして、われわれの活動力能の増大と減少から、つまり同じ力能の異なる二つの使用から、実在の一義性と存在の多義性という二つの本質的に異なる体制、多様体を発生させることができるのである。

完全性=実在性は「一定の仕方で存在し作用する限りで、物の本質のことだと解される」、とスピノザは言う。物の本質と存在は不可分であるが、しかしこれは、様態としての物の本質にはその存在が含まれない以上、その本質と存在が無批判的に同一視されることを意味しない。そうではなく、すべての物は、自らの存在をもち始めると同時にその存在のうちで作用する力としてのコナトゥスを、目的としてではなく、作用原因として有するのである。そして、さまざまな度合においてこの力が「存在し始めたときと同一の力」で発揮されるという点で、すべての物は「同等」(aequales)である。言い換えると、これはあらゆるコナトゥスについて言われる神の本性の強度的な〈分有の一義性〉である(逆に言うと、これは無限に多くの多様な仕方で内在的実体を実在的に定義し、さらに言うと、この内在的実体たる器官なき身体の〈強度＝0〉を備給することである）。本質には絶対的な度合としての完全性＝実在性が属するが、しかし現実における存在によって、すなわち持続によってこの本質の状態だけではけっして生じえない、われわれ自身の活動力能の増大と減少が移行方向——方向性としてわれわれに示される、実在性の実質的変移——の本性の差異として含まれることになる。[*14] 喜びの受動的綜合（例えば、出会いの組織化）は一つのパースペクティヴを生み出す。自分の身体と適合する別の物体＝身体に出会うとき、われわれのうちにただちに受動的感情としての喜びが生じ、ここからこの二つの身体＝物体に共通な一般性のもっとも低い、しかしより創造的で特異な共通（一義的）概念が形成されることになる。ここでは私の身体の活動力能はより増大するが、これは単に私の身体という一つの関係項のうちに生じる〈物の状態〉の変化ではなく、関係するそれら二つの身体＝物体の間で生じる生成変化である。これに対して、活動力能の減少を示す悲しみにおいて、私の身体は、逆に既成の不変的関係——それゆえ、ここではますます可能性や偶然性が有効な概念となる——を大前提としたそれらの単なる関係項へと限りなく陥り、最後にはそこに完全に吸収されてしまうだろう（実は同一性が高らかに叫ばれるのは、こうした悲しみの状態においてである）。共通概念は〈間（あいだ）〉概念である。したがって、この概念が作り出される限り、それは関係という非物体的なものの変形を必然的に表現することになるだろう。言い換えると、共通概念の形成の誘因となる喜びには、他の身体＝物体とともに既存の関係の変形それ自体への出会いと欲望がある。「出会い」とは〈関係＝連関〉（relation）が外在化したなかでの生成変化であり、項を定めた目的論的配備のなかで生じるものではなく、自己の本性――これはむしろ〈関係＝比〉（rapport）によって表現される――の必然性による既成の諸関係＝連関の破壊・変形を導くことのできるものである。スピノザにおいて、実体であれ、様態であれ、存在が言われるすべてのものは必然という存在の様相しかもたない。しかし、この必然性は、存在の外部にあって、その存在が従うべき法則や範型ではけっしてない。それは自己の本性に属するものだからである。関係の外在性、出会いの組織化、関係の変形、これら三つの出来事は、生産的欲望のもとで共通概念の形成に向かうための不可欠な諸要素である。

さて、こうした私の身体の活動力能の増大、すなわち私の身体（corps）と別の物体＝身体との間での私の身体の生成を、例えば、ポンジュの「物遊び（オブジュー）」、あるいはむしろ「物喜び（オブジョア）」という言葉を用いて、《objoie ç》と呼ぶことにしよう。[*15] ドゥルーズが言う「出会いの組織化」は、関係の外在性のなかでの悦ばしき物体＝身体との結合である以上、単に偶然に頼ることではなく、「不確定な諸関係」のなかでの諸要素の編成化である。それは機械状の欲望であり、偶然性ではなく、むしろ必然性を存在する諸様態自身の本性にしようとする努力でもある。「何故、エベレストに登るのか」、「そこにそれがあるからだ」。人と山との間の言語内的な一般的関係が問題なのではない。ここにはいかなる関係もないのだ。非関係のなかでの〈結合－生成〉が問題なのである。〈或るマロリーにおいてそこでエベレストになること〉が生起するだけである（不定法の動詞、固有名、不定冠詞あるいは代名詞によって構成される欲望の表現）。或るマロリーの身体と別の物体、エベレストとの間にはこの身体の生成変化を示す《objoie ç》があるだけである。これは、一つの特異な出来事の線を引くかたちで、欲望を内実とした或る〈それ〉（ça）としての無意識の生産を示している。マロリーのこの言葉は、結びつきの不在のなかでいかに実在的に区別される諸要素が機械状の結合をなして作動するかをよく表わしているだろう。もはや人間は、世界を対象的に構成する主体でもなければ、スピノザが言う「自然の共通の秩序」のなかで、あるいはあらゆる既存の不変的関係の可能性の諸条件のなかで偶然に身を委ねる正常病者でもなく、現実に区別される諸要素が不確定な関係のもとで必然的に結びついて作動する欲望する機械の一部品である。〈山‐登山家〉、〈ライオン調教師〉、〈人間‐馬‐弓〉……、すべては機械的に作動編成された生産的欲望であり、その限りで欲望は自己の本性の諸法則をもっともよく含んだものである。

II　強度――死の分裂症化

ところで、関係の外在性は実体主義と関係主義に対する第三の立場であるが、しかし、それ以上にこの外在性が、実体概念と関数概念を破壊すると同時にあらゆる諸関係の現実的な非物体的変形をともなったとき、それはもはやほとんど否定的にしか作用しないような現行の諸条件の真っ只中に、物語化された人物論的無意識でも、構造化された記号論的無意識でもない、反時代的な超越論的無意識を形成することだろう。例えば、アルトーは『ここに眠る』のなかで次のように書いている。「私、アントナン・アルトーは、私の子であり、私の父であり、私の母であり、そして私である」[*16]。アルトーは、子、父、母、そして彼自身の系列を遍歴するが、しかしそれは、内包の過酷な変形の旅であって、けっしてその各々への同一化の旅行ではない。ここにはいかなる同一化も存在しない以上、この内包の旅は無宿の旅である。現に固定した諸関係のなかで、欲望が革命的であったことなどけっしてない。ここでの問題は、諸々の不変的な〈関係〉（親子関係、夫婦関係、等々）概念の同一性のなかでの予め決まった関係（子、父、母、私）へと単に移行してそれと同一化することではなく、これらの関係それ自体を変形することなしには生成変化しえないような強度的様態としての子、父、母、私である。それでは、この内包の旅、この強度の流れは、どのような移動経路をとるのか。言い方を換えてみよう。私は、私の原因であり、私の結果である。そしてこれとまったく同じ意味で、私は、原因としての父から結果としての子へと向かっていく。もっとも重要なのは、この移行と同時に、原因・結果の関係（あるいは親子関係）それ自体が残酷なまでに歪んで変形していくことである。この極寒と灼熱の移動経路こそ、まさに非物体的な関係を変形する路であり、この路を歩むことそれ自体が一つの超越論的経験、すなわち分裂分析的経験である。

　アルトーという名をもつこの痙攣する存在は、これらの不変的諸関係とその概念に対する闘い、非物体的変形――これは、正確に言うと、非物体的なものの物体的変形である（非物体的唯物論の第一の立場）――なしには身体として実在しえないような存在である。身体が発するレクトンの蒸気、非歴史的な雲というのは、まさにこの変形のことである。この身体の存在には既存のいかなる関係も帰属していないし、また逆にこの存在をいかなる諸関係に還元することもできない。注意すべき論点は、この変形は、いわゆる「静的発生」を正確に定義することができる物体＝身体についての非物体的変形を示しているのではなく、物体＝身体のようにはけっして変形も破壊もされえないもの、つまり意味や価値や関係といった非物体的なものについての物体的＝身体的変形だということである。この意味においてのみ非物体的変形は身体に帰属すると言わなければならない。潜在的なものの現働化が具体的なものに対してその諸力を発揮するとすれば、それは現働化がこの非物体的な変形の物象化と一つになるときである（ドゥルーズにおける潜在性の哲学がマルクスの諸問題を構成する場がここにある）。あるいは関係の物象化からその非物体的変形の現働化へ。父を殺害して（殺人願望）、母と一緒になる（性欲願望）というエディプス・コンプレックスの形式を解釈装置にしたとしても、この欲望のなかでは親子関係、夫婦関係という関係それ自体は以前と何も変わらず、依然として保持されたままである。エディプス・コンプレックスのもとで想定された願望、欲望、嫉妬、憎悪、解釈、関係への意志は、いかなる意味においてもわれわれが主張する非物体的変形に対して無差異である。しかし、既存の関係を保存したままで、欲望が革命的であることなどありえない。したがって、革命的な欲望する無意識は、こうした一般的な特定の諸関係そのものを変形し、それらの不変的概念の同一性を失効させるものによってしか形成されえないだろう。「残酷」とはまさにこの変形の過程のことである。それは、人間の心の苦悩ではなく、むしろ動物の身体の苦痛に近いものである。アルトーとはまさにこの非物体的変形の孤児であり、出来事のなかで欲望している独身者である。

第三に、スピノザにおける身体の脱－有機体化という形成次元のもとでのみ思考される臨床の問題（換言すると、〈強度の差異〉の本性）が存在する。「われわれは、この生において、とくに幼児期の身体を、その本性の許す限り、またその本性に役立つ限り、もっとも多くのことに有能な別の身体に、そして自己と神と物とについてもっとも多くのことを意識するような精神に関係する別の身体に変化させようと努める」[*17]［強調、引用者］。ここには、或る一定の諸器官から構成された有機的身体から「別の身体」——すなわち、器官なき身体——への変質・変身の問題、あるいは現働的現在の相から観られた有機的身体の存在から永遠の相のもとで観られた非有機的身体の本質への、つまり器官をもたない身体への変化・形成の問題が提起されている。幼児期の身体から、言い換えると、鏡に写る諸器官の総体としての有機的身体から、他者が介在せず、あの決意＝決定がすべて強度として生じる器官なき身体、鏡像段階をもたない実在的身体、鏡に写らない充実した身体へ。ただし注意しなければならない。これは、スピノザが言うように、或る本質あるいは形相（例えば、馬）を別の本質あるいは形相（例えば、人間あるいは昆虫）に変えることではなく、或る身体の本質あるいは形相の強度の問題であり、やはりその本性と一つになった様相の問題、必然性の問題である。これは、形成の秩序における批判の水準と完全に平行をなす、スピノザに固有の、そして私がここで強調している生産的無意識そのものとしての欲望する並行論における臨床の問題である。

　スピノザはたしかに身体を一つの新たなモデルとした。しかし、ドゥルーズ／ガタリが主張するように、それは同時に、あるいは必然的に身体を〈死のモデル〉とすることである。それでは、身体を〈死のモデル〉にするとはどういうことか。それは、超越性を帯びた否定や欠如を身体にもたらすことでも、あるいは量と質に関わる死をモデル化することでもない。それは、身体が単に可滅的なものだからでも、われわれにとって身体がもっとも切実な可滅性を有するものとして存在するからでもない。そうではなく、むしろ身体があらゆる可滅性をそれとはまったく別の実在性を示す、〈強度＝0〉への漸近的下降・消滅として捉えるからである。それは、むしろ死を、量と質から解放すること、あるいは死をめぐる量と質の観点を無効にすることである。そうした身体とは何であるのか。器官なき身体はけっしてわれわれの経験の可能性の条件ではない。器官なき身体は何も可能にしない。それは、むしろ何も可能にすることができない消尽したものの絶対的条件であり、さらに十全に言えば、すべての強度が生起するための、つまり絶対的に落下・消滅するための——強度が内包量から区別されて、まさに強度として把握されるための——一つの無条件的原理である。[*18]「器官なき身体は〈死のモデル〉である」[*19]。カントは、たしかに「知覚の予料」のなかでこの落下、消失を捉えていた。〈否定性＝0〉との関係下でのみ規定される量、つまりこの〈否定性＝0〉との内的な緊張関係のなかでのみ規定される量、それが「内包量」であり、漸近的にこの〈否定性＝0〉へと落下していく限りでのみその度合に固有の水準を示すような量である。この意味でカントは、すでに近代市民社会の人間像のなかで、あるいは新たな形而上学、新たな合理主義のなかで、あるいは理性の自己批判のなかでわずかに「死の欲動」を垣間見たのかもしれない。しかしながら、死は、けっして否定的なものにも、〈否定性＝0〉にも還元されない。死に相応しいのは強度であり、この〈強度＝0〉である。「死を分裂症化する」には、何よりも量と質から死そのものを解放することが必要である。しかし、それだけではない。並行論から言えば、それは、死の表現を発散させること、すべての〈強度‐生成〉を〈強度＝0〉の上で経験される死の生成にすることである。

たしかにスピノザは、他者なき世界に生き、それゆえ他者の欲望にも、他者の弁証法的なストーリーにも従属しない自由な人間を考えた。そして、この「自由な人間は、何よりも死について考えることがもっとも少ない。そして彼の知恵は、死についての省察ではなく、生についての省察である」[*20]。しかし、ここで省察される生は、実在のなかで形成される生であり、欲望する並行論によって満たされた一つの生である。それゆえここで省察されない死とは、想像と象徴のもとで表象される可滅的な差異、あるいは適用の秩序における潜在的多様体の現働化の果てに取り消されるような可滅的な差異に対応した死、否定や欠如に還元されるような死、主体として固定された、一人の他者としての〈私〉の死である。したがって、ここで省察されない生も存在することになるだろう。それはこの省察されない死によって失うものが最大となったような生である。〈私〉とはこうした生の別名である。しかし、〈死の経験〉——器官なき身体という〈死のモデル〉上に生起する(つまり、落下する)強度を感覚すること——に対しては、こうした〈私〉について言われる生と死の間の境界線は完全にその意味を失う。これこそ、スピノザが言うような、「死がそれだけ有害でなくなり」、「死をほとんど恐れなくなる」ということである[*21]。何故なら、この経験において一つの生は、死によって失うものがより少ないだけ、それだけより多く永遠を感じ、経験することができるからである。生と死の間に引かれた境界線の脱根拠化こそ、永遠に回帰するものであり、それは同時に「自己」を〈私〉から解放することである。欲望する諸機械のなかでは、器官なき身体はけっして差異化することのない差異であり、これに対して差異化することしかできない差異という必然性のなかでこの身体の非分割的な内包部分を考えるとすれば、それはこの〈強度＝0〉に対してのみ存在する或る強度の差異〈e-e'〉である。自由な人間の「知恵」のすべては欲望の知恵である。

永遠を感じ、経験すること、それは欲望する並行論における未来の諸力、変革の諸力からけっして切り離されずにあるような経験、分裂分析的な〈反－実現〉の経験である。この経験が非物体的変形の物象化＝現働化の実在的な発生の要素となるとき、初めてこの〈物象化＝現働化〉論は革命の諸力を獲得するのである。しかし、注意しなければならない。この未来の原因をけっして目的因の一種と考えてはならない。何故なら、目的因はその過程をない方がよいもの、悪だと、つまり実現の欠如だと考えて、それを否定すべき対象とするが、しかしこの新たな作用原因＝自己原因は過程をけっして否定しないどころか、それ自体むしろ質料的な〈過程因〉としか呼ばれないようなものだからである。言い換えると、文脈ではなく、また文脈とはまったく関係のない非通時的な過程が存在するということである。ここを通過する者は、けっして通過した空間を生み出すことのない歩き方をする者たちであり、分裂者の散歩（あるいはその思考）とはそういうものである。社会的領野はむしろこうした過程によって絶えず積極的に生み出されている実在の領域である。ドゥルーズ／ガタリが言うように、まさに「分裂症的過程は革命の潜在力である[*22]」。欲望はこの過程しか知らないのだ。

分裂分析的経験は一つの実在的経験であり、つねに〈死の経験〉をともなった経験である。この意味で分裂分析はむしろ一つの綜合である。あらゆる被分析体のその現働的な諸条件を破壊すること、変形すること、それと同時に器官なき身体としての〈強度＝0〉を備給すること、これがそのまま分裂分析的経験を形成することになる。したがって、最初からこの経験は破壊と「同時に」生産的である。[*23] このようにして、分裂分析的経験はその思考が非物体的なものの物質性であることを見出すのだ。この思考の物質性――非物体的なものを物体的に変形する強度――が自己のうちで社会的領野を実在的に定義し、またこの流れを作り出すことが実際に社会を生産するのであり、これが〈強度＝0〉を備給することの意味である。[*24] 分裂分析は、したがって唯物論的で超越論的である。それは、欲望の過程因を見出し肯定するという意味において非物体的唯物論であり、〈強度＝0〉を備給するという強度の完全な本性を見出し肯定する限りで超越論的である。スピノザと分裂分析のもっとも積極的な任務、それはいかにしてこの〈強度＝0〉を自己のうちで備給するかということである。そして、そのすべては、無意識としての欲望する並行論をどのように形成するかに関わっている。無意識の形成、すなわち欲望する並行論によって、ドゥルーズ／ガタリが提起した分裂分析は、よりラディカルに、より多くの強度をともなった思考と経験の行使のなかでその作業が展開されるのである。

＊1　「正常病者」（normopathe）は、ラ・ボルト精神病院の創設者であり、そこでのガタリのよきパートナーでもあったジャン・ウリが作った言葉である（Cf. Félix Guattari, *Chaosmose*, Galilée, 1992, p.103（『カオスモーズ』、宮林寛・小沢秋広訳、河出書房新社、二〇〇四年、一一七頁））。

＊2　Gilles Deleuze, *Pourparlers*, Minuit, 1990, pp.197-198（『記号と事件』、宮林寛訳、河出文庫、二〇〇七年、二四一－二四二頁）; cf. «Note pour l'édition italienne de *Logique du sens*», in *Deux régimes de fous*, Minuit, 2003, p60［以下、*DF* と略記］（「『意味の論理学』イタリア語版への覚え書き」、宇野邦一訳、『狂人の二つの体制 1975－1982』所収、河出書房新社、二〇〇四年、八七－八九頁）。

＊3　スピノザ『エチカ』第三部、定理二、備考。

＊4　Cf. Gilles Deleuze, «Quatre propositions sur la psychanalyse», in *DF*, pp.73-74（「精神分析めぐる四つの命題」、宮林寛訳、『狂人の二つの体制 1975－1982』所収、一〇九－一一〇頁）。「無意識、あなたたちはこれを生産しなければならない。無意識を生産せよ。そうでなければ、あなたたちの精神症候群、あなたたちの自我、あなたたちの精神分析家と一緒にいなさい。（…）無意識を生産すること」。

＊5　概念の適用の次元における「思弁的視点」と概念の形成の位相における「実践的機能」との差異、そしてこの後者の経験論的意義――これらの論点こそ、驚嘆すべき一義性の思想を提起した革命的異分子としてのスピノザを際立たせることになる――については、Gilles Deleuze, *Spinoza et le problème de l'expression*, Minuit, 1968, pp.134-136, 259-262［以下、*SPE* と略記］（『スピノザと表現の問題』、工藤喜作・他訳、法政大学出版局、一九九一年、一五〇－一五三、二九五－二九九頁）;*Spinoza――philosophie pratique*, Minuit, 1981, pp.27-43, 127-129, 160-161［以下、*SPP* と略記］（『スピノザ――実践哲学』、鈴木雅大訳、平凡社ライブラリー、二〇〇二年、三二－五四、一〇四－一〇七、二三〇－二三五頁）を参照せよ。ミニュイ社から刊行されたこの『スピノザ――実践哲学』は、その一一年前にPUFから出た『スピノザ』をもとに大幅に増補・加筆されたものであるが、残念ながら、この旧版にあった「テクスト抜粋集」の部分（三区分、全二六頁）は新版では完全に省かれてしまった。そこで、以下に各抜粋に付けられたドゥルーズ自身による簡単な標題と抜粋箇所を参考までに訳出しておく。

「テクスト抜粋集 （A）批判 1. 意識に対する批判：驚くべきことに、身体は…（『エチカ』第三部、定理二、備考） 2. 何故、われわれの観念は本来的に非十全なのか（『エチカ』第二部、定理二八、証明と備考』） 3. 法に対する批判：アダムの誤解（『神学政治論』、第四章） 4. われわれは非十全な観念に従った二種類の感情をもつ（『エチカ』第三部、定理一一、備考／定理三九、備考／感情の一般的定義） 5. 悲しみの感情とこの感情を利用する人々に対する批判（『エチカ』第四部、定理四五、備考／定理六三、備考／付録一三／第五部、定理一〇、備考） 6. 宗教に対する批判と宗教の意味：服従すること（『神学政治論』、第一三章） （B）十全なものの獲得 7. 方法：何らかの真なる観念から出発して、われわれ自身と神と他の物についての十全な認識を産出すること（『知性改善論』、三七‐四〇） 8. 何故、共通概念はわれわれにおける十全な観念であるのか（『エチカ』第二部、定理三九、定理と証明と系） 9. いかにしてわれわれは共通概念に達するのか：喜びの感情から出発して、外的事物とわれわれ自身とに共通であるものについての観念を形成すること（『エチカ』第五部、定理一〇、定理と証明と備考） 10. 共通概念から神の観念へ（『エチカ』第二部、定理四六、証明／定理四七、備考） 11. 神の観念の第一の側面：属性による唯一の実体（『エチカ』第一部、定理八、備考二） 12.神の観念の第二の側面：すべての属性に対する唯一の実体（『エチカ』第二部、定理一〇、証明と備考） 13. 原因の一義性：自己原因と同じ意味で言われるすべての物の原因たる神（『エチカ』第二部、定理三、備考） 14. 諸属性の一義性：諸々の同じ属性が神の本質を構成し、かつ諸々の産出物の本質のうちに含まれる（『エチカ』第二部、定理七、備考） （C）様態の諸状態 15. 存在する個体（『エチカ』第二部、〔定理一三の後の〕定義、補助定理四、五、六、七、備考） 16. 死が意味するもの（『エチカ』第四部、定理三九、証明と備考） 17. 永遠の特異な本質（『エチカ』第五部、定理二三、証明と備考） 18. 悪は本質について何も表現しない（『往復書簡集』、書簡二三〔スピノザからブレイエンベルフへ〕） 19. 第三種の認識と諸本質：私と物と神（『エチカ』第五部、定理二五、証明／定理三一、証明） 20. 個体の死滅後に本質的に残るもの（『エチカ』第五部、定理三八、証明と備考）」（Cf. Gilles Deleuze, *Spinoza*, PUF, 1970, pp.101-126）。

＊6　Cf. *SPE*, p.100（一一〇頁）。

＊7　ガタリは、初期ストア派のこの「非物体的」(incorporel) という言葉をドゥルーズ以上に多用するだけでなく、それ以上に新たな意味をそこに与えている。〈非物体的なもの〉の概念を刷新し、「非物体的宇宙」を定立するという意味で、ガタリは、二一世紀の思想家である前に、その過激さから言っても、むしろ二〇世紀のクリュシッポスなのではないだろうか。例えば、スピノザとラカンに関係させて、次のような決定的なかたちで〈非物体的なもの〉の概念が用いられている。「スピノザを言い換えて、私は、非物体的世界には本質的にそれ自体によって存在することが属すると言うだろう」(Félix Guattari, *Cartographies schizoanalytiques*, Galilée, 1989, p.196（『分裂分析的地図作成法』、宇波彰・吉沢順訳、紀伊國屋書店、一九九八年、二四六頁））。「言語表現の実質と非言語表現の実質は、あらかじめ作られた有限の世界（ラカン的な大文字の〈他者〉の世界）に属する言説の連鎖と無限の創造的潜在性をもった非物体的閾値（これは、ラカン的な「数学素（マテーム）」とは何の関係もない）とが交差する地点で確立される」(*Chaosmose*, p.43（四四頁））。「しかしラカンは、（…）「欲望する諸機械」――彼はこの理論に着手したのに――を適切に非物体的な潜在性の圏域に位置づけなかった」[強調、引用者] (*Chaosmose*, p.132（一五一頁））。またジャン・ウリも、ガタリの影響を受けてか、次のように述べている。「官僚的基準の枠組は、凝縮した質の次元にあるものを計ることができないし、ストア派が言う意味での非物体的な次元にあるものを計ることもできない」（ジャン・ウリ序文、『精神の管理社会をどう超えるか――制度論的精神療法の現場から』、松籟社、二〇〇〇年、一六頁）。ただしスピノザは、当然ではあるが、この「非物体的」(incorporeum) という言葉自体の使用については否定的である（『知性改善論』、八八 - 八九、参照）。

＊8　例えば、アルトーの「言語についての手紙」のなかには、文法的に分節された「言葉の言語」に対する批判と高次の演劇的「観念」についての哲学的主張がある (Cf. Antonin Artaud, *Œuvres Complètes* IV, Gallimard, 1978, pp.101-117（『演劇とその分身』、鈴木創士訳、河出文庫、二〇一九年、一七〇 - 一九九頁））。「一言で言うと、演劇のもっとも高い観念とは、われわれを哲学的に〈生成〉と和解させてく

る観念であり、あらゆる種類の客観的状況を通して、語のなかでの諸感情の変化や衝突についての観念よりも、事物のなかでの諸観念の通過と変質についての一瞬の観念をはるかにわれわれに暗示するような観念であるように思われる」(*Ibid.*, p.105(一七七頁))。

＊9　スピノザ『エチカ』第三部、「感情の一般的定義」。

＊10　スピノザ『エチカ』第二部、定理一三、備考、参照。

＊11　Cf. Gilles Deleuze, Félix Guattari, *Mille Plateaux*, Minuit, 1980, pp.196-197(『千のプラトー』上、宇野邦一・他訳、河出文庫、二〇一〇年、上・三二五－三二七頁))。また、森島章仁『アントナン・アルトーと精神分裂病』、関東学院大学出版会、一九九九年、「第五章　重さをひらく」のなかのとりわけ「3　寸断化された身体／器官なき身体──性、分身、機械」を参照。

＊12　「その対象の本性を、すなわち人間身体の本性を認識すること(…)」(スピノザ『エチカ』第二部、定理一三・備考)、及び「何故なら、観念の卓越さ〔価値〕とその現働的な思考力能は、対象の卓越さ〔価値〕によって評価されるからである」(『エチカ』第三部、「感情の一般的定義」)。

＊13　スピノザ『エチカ』第四部、序文、参照。

＊14　Cf. *SPP*, pp.54-58(六九－七三頁)。

＊15　フランシス・ポンジュの「物遊び」(objeu)──さらにこれは「物喜び」(objoie)につながる──については、阿部良雄『ポンジュ　人・語・物』(筑摩書房、一九七四年)を、またラカンの「対象a」に代わって、ガタリとジャン・ウリが提起する制度論上の「対象b」については、例えば、三脇康生「精神医療の再政治化のために」(『精神の管理社会をどう超えるか』所収)を参照。

＊16　Cf. Antonin Artaud, *Ci-gît*, in *Œuvres Complètes XII*, 1974, pp.75-100(『此処に眠る』、岡本健訳、『アルトー後期集成　I』所収、河出書房新社、二〇〇七年、三〇九－三三八頁)。

＊17　スピノザ『エチカ』第五部、定理三九、備考。

＊18　Cf. Gilles Deleuze, *L'Epuisé*, Postface à S. Beckett, *Quod*, Minuit, 1992, p.97(『消尽したもの』、宇野邦一・高橋康也訳、白水社、一九九四年、三七頁)。「イマージュは消え去るもの、燃え尽きるもの、一つ

の落下である。それは、その高さによって、つまりゼロ以上のその水準によってそれ自体定義されるような純粋強度であり、この強度はただ下降することによってのみその水準を描きだすのである」。Cf. Gilles Deleuze, Félix Guattari, *L'Anti-Œdipe*, Minuit, p.395［以下、*AŒ* と略記］（『アンチ・オイディプス』、宇野邦一訳、河出文庫、二〇〇六年、下・二一二－二一三頁）。「すべての強度はそれ固有の生のなかに〈死の経験〉をもたらし、また〈死の経験〉を含んでいる。おそらくすべての強度は最後には消え、すべての生成はそれ自身〈死－生成〉となるのだ」。

＊19 Cf. *AŒ*, pp.393-396（下・二一〇－二一四頁）。

＊20 スピノザ『エチカ』第四部、定理六七。

＊21 スピノザ『エチカ』第五部、定理三八、定理と備考、定理三九、備考を参照。

＊22 *AŒ*, p.408（下・二三一－二三三頁）。

＊23 Cf. *AŒ*, pp.384-385（下・一九七頁）。「〈分裂分析の〉二つの仕事は必ず同時になされる」。

＊24 Cf. *AŒ*, pp.394（下・二一二頁）。「それぞれの強度が、無限に多くの度合のもとで増減するものとして或る瞬間に産出されることから出発して、自己自身のうちで〈強度＝０〉を備給することは強度に固有のものである」。

ドゥルーズと死の哲学

ドゥルーズの哲学は一般的には、前期（一九五三－一九六九）、中期（一九七〇－一九八〇）、後期（一九八一－一九九五）という三つの時代区分とともにその特徴づけがなされる場合が多い。それらは、例えば、哲学研究から始めて特異な〈哲学書〉を書くに至った時期、ガタリとともにもっとも独創的な〈書物〉を書いた時期、作品としての〈生－芸術〉について論考を重ねた時期にそれぞれ対応すると言えるだろう。私には、この流れ、この順序は必然的であるように思われる。われわれ人間は、精神と身体から構成された様態あるいは個体である。しかし、それは、様態化あるいは個体化のプロセスと別のものではないだろう。そこには、一つの生の構成や形成の問題が精神と身体の並行論と不可分なかたちで内含されているのだ。これだけで、新たな哲学を再開するには十分である。第一に、一般的表象像たるイマージュについての思考を批判して、いかにして〈イマージュなき思考〉を形成するのかという困難な問題が提起され、次に、このイマージュなき思考からなる精神がどのような身体に関係づけられるべきかが初めて問われ、有機的身体とは異なった「別の身体」、すなわち〈器官なき身体〉を中心とした問題構制が強く意識されることになり、最後に、この身体の叫びあるいは気息としての〈強度－イマージュ〉が探求されたのである。ここでは、美学でも芸術学でもなく、本質を変形する生存の様式としての芸術作品が問題になるのである。

こうした意味においてドゥルーズの哲学は何よりもまず生の哲学であると言われるべきである。したがって、それは喜びの哲学であり、戯れの哲学である。生の哲学は、いかにして生を肯定し、どのようにしてその生を喜びの増大で充たすか、いかにしてわれわれは対象を認識しているかではなく、どのようにわれわれは世界を味わうことができるか（解釈、理論、実践、革命、等々、すべてはその調理法である）、という問題を立てるのである。しかし、それだけではない。生の哲学である限り、そこでは人間の存在の仕方あるいは生存の様式をいかに形成するのかという問題意識をもつことが重要となり、それは必然的にそれに対応するような〈死〉あるいは〈不死〉の観念を包含することになるだろう。さらに喜びの哲学である限り、その人間の〈本質〉を喜びで触発することが重要であり、それは、単に自己が存在している間だけより多くの喜びを味わおうと欲するような、ぬか喜びの哲学ではない。また戯れの哲学であるから、人間の本質を「笑う動物」から「笑い続ける動物」へと残酷な〈変形〉をほどこすことが重要であり、それは、ニーチェが言ったように、「自己を超えて笑うこと学ぶ」哲学である。さて、死の問題がこうした生の哲学から完全に排除されているというわけではない。生の哲学は、むしろ死を神聖化することを止めるのである。死と死体との間の差異は、分裂病と分裂病者との間のそれと同じであり、それは死体になる以前の死を認めることにつながる。「死を分裂病化する」ということは、端的に言えば、死を死体から引き離すことである。

ところで、ドゥルーズによれば、自殺は二つの矛盾する死を一致させようとする試みである。つまり、それは、暴力的で、偶然的で、受動的な形態をとってつねに外部からやってくる死と自己の内部から欲せられた死——要するに、経験的な出来事として生起する死と超越論的な死の欲動——との間の一致の試みだということである。言い換えると、この限りでの自殺には、どこまでも自己の死を構成しようとするその人物の意志あるいは努力が刻印されていると言えるだろう。ところが、そうした意志や努力にもかかわらず、この意味での自殺がけっして一つの生の真の実験になることはないというのも事実である。何故なら、それは、実は死の可能的経験とその実現の条件というどちらも言わばア・プリオリに与えられた不変的な二つの枠組のなかでこの両者(出来事としての死と死の欲動)の外的な一致を試みているだけだからである。要するに、こうした経験的なものと超越論的なものとの間では、実在的生と死の実在性(さらに言えば、〈不死〉に対するわれわれの存在上の欠如なき無能力)は構成されえないということである。いずれにせよ、これら一連の事柄によってわれわれ人間は、けっして一致することのないこの境界線上で「本能」といった誤った本質規定を与えられ続けることになるのだ。

しかしその後、ドゥルーズは、ガタリとともに、死の考察をまったく別の水準でおこなうことになる。何故か。身体、とりわけ器官なき身体をその考察の中心に据えるようになったからである。ドゥルーズは、思考の無能力がその最大の力能に結びつくイマージュなき思考に達した後、ようやくこの思考と並行論をなしうる身体を、つまり器官なき身体を見出したのである。これによって、何よりも欲望のうちにはいかなる内的欲動もないという立場が確然ととられる。死の欲動はないのである。それゆえ、欲望については単に「作動配置（アジャンスマン）があるだけだ」と彼らによって宣言されるとき、欲望は、何かを動かしたり、作動させたりするものでも、何かを欲せられるものにするような内的な力でもないということである。欲望とは、現実に区別される諸要素が一切の内的な関係なしに一定の総体（アンサンブル）をなして作動する、本質的に不定な姿のことである。したがって、こうした意味での欲望の究極の姿は、スピノザの言葉を用いれば、運動と静止、あるいは速さと遅さだけで区別される無数の微粒子が流束をなして駆け巡り、渦をつくって吹き荒れる砂漠のような身体、すなわち器官なき身体そのものであるということになる。それゆえ、ドゥルーズ＝ガタリは次のように言うのだ。「器官なき身体は欲望である。ひとが欲望するのは器官なき身体であり、これによってひとは欲望するのである」、と。

さて、外部の原因によって生まれたものは必ず外部の原因によって死滅する。これは持続存在する様態の宿命である。もっとも分かりやすいのは、親の生殖活動によって誕生し、その同じ親の勝手な感情の結果として虐待死させられる子供の例である。これは、その誕生と死に関して外部の原因が同一であるという特別な例であるが、しかし、個々の人間の誕生と死のすべては外部の原因に基づくという点ではこれと似たようなものである。また、一般的に死の必然性が言われる場合も、ほぼこうしたことを意味しているにすぎないのだ。それゆえ、こうした誕生と死によって区切られた生を今度は内的に、かつ死の側から根拠づけようとすれば、フロイトの「死の欲動」というような概念に訴えざるをえないであろう。しかし、われわれは、反対に外部の原因に依存しないような誕生と死について考えることができるのだ。あるいは自殺の例はこの点を分かりやすくするが、二つの矛盾する死の一致、つまり外部からの死と内的に欲せられた死との一致という、精神分析とカント主義のなかで定義されるような自殺ではなく、身体の〈存在の仕方〉から身体の〈本質の変形〉という「別の身体」への移行という意味での自殺が考えられるということである。それは、器官なき身体の内部から生じる死をそのまま外から到来する死の経験として感覚することでもある。それは、あたかも器官なき身体という死のモデルの〈自己触発〉のごときものであろう。つまり、ドゥルーズ＝ガタリは、これを、経験的なものと超越論的なものに代わって、「死の経験」と「死のモデル」というまったく別の概念を提起することによって表現し産出しようとしたのである。このようにして、経験的なものと超越論的なものとの間に成立した死を巡るその相互外在的な関係は、死の経験とそのモデルによって形成される死それ自体の自己触発の関係に置き換えられることになるのである。これらの事柄の実践上の最大値は、人間のすべての情動のうちに内含されたこの死の経験——純粋強度の能動的な落下——を通して、資本主義社会を加速度的に死のモデルへと減少・下降させること、あるいは存在しない不滅の身体に引き込むことにある（例えば、ドゥルーズが本質は存在しないというようなことを言うとき、第一にそれは、特定の存在者に共通の或る要素を本質とするだけの名目的な表象的本質を取り消した結果であり、第二に本質は、端的に存在しないのではなく、非‐存在として存在しないということである）。

　自殺は、アルトーが言うように、自己破壊ではなく、自己の「再構成」であり、「力ずくで自分を取り戻し、自分の存在に容赦なく闖入して、神のあてにならない前進を追い越すための手段」となるものである。自殺があるところには、むしろ人間の再構成がなければならないのだ。「口なしに／舌なしに／歯なしに／喉なしに／食道なしに／胃なしに／腹なしに／肛門なしに／私は、現にある私という人間を再構成するだろう」。これは、まさに器官なき身体のもとでの人間の再構成、自己の分身の形成である。アルトーにとって自殺とは、あるいはこう言ってもいいかもしれないが、スピノザと同様、死体になる前に生のさなかに死を発散させるということは、むしろ自己再生を意味するのである。それは、生まれ方を変える選択であり、生殖ではなく、むしろ感染による誕生を選び取ることである。それは、生まれる前に死を選択することであり、死後に一つの生を選ぶことである。言い換えると、人間身体の本質を人間身体の存在の分身として発生させる、あるいはそれを備給するような生存の様式を選び取るということである。強度は二度、死に関わる。あるいは、強度は二重に死ぬのである。強度は、一方で外延化した領域のなかでの量と質のもとで取り消され、他方で存在の深層のなかでの強度それ自体の消滅として、すなわち器官なき身体への落下によって死を生成させるのである。イマージュは、この二つの死に従って区別されるのだ。ドゥルーズにおいて思考の批判的イマージュの問題を中心に構成された哲学は、次の段階では、すべてがそこで欲望し、展開・包括し、破壊・形成し、発生・消滅するところの器官なき身体がその中心に据えられる。そしてその身体に生起する強度は、その差異を維持し肯定するために固有の水準を描きながら落下するが、その際に強度自身が吐き出すもの、それがイマージュであり、イマージュの真の能動性である。死の哲学は、生の哲学を補完するが、しかしそれと同時に、生の哲学ではけっして構成しえないような諸問題を表現するのである。

死体を触発する

映画におけるゾンビは、アルトーが言う「生理学的革命」（「演劇と科学」）に特別なイマージュを与えることができるであろうか。というのは、ゾンビ映画は、可滅的な有機的身体とは異なる、別の不死性の身体、非歴史性の身体についての問題を提起しているように思われるからである。あるいはリビング・デッドは、われわれに様態としての「器官なき身体」を、またはその可能な存在の仕方を与えるであろうか。何故なら、リビング・デッドは、器官なしに欲望（情動）する身体として——例えば、胃袋なき食欲、糞便性（＝存在）なき糞袋、等々として——存在するようにみえるからである。アルトーの生理学的革命とは、一言で言えば、現在の現働的な身体を変形・変化させて、その身体を不死にすること、あるいは現在の有機的な身体を墓場（ソーマ）＝記号に葬ることのできない別の身体へとつくり直すことである。たしかに〈ゾンビになる〉とは、墓場に葬られたままの死者ではなく、別の身体として復活するリビング・デッドのことであり、墓場に葬ることのできない非ソーマの身体になることである。これは、やはり器官なき身体の一つではないだろうか。この表象不可能な身体がリビング・デッドとして映像化され、そういうものとして観賞されることは容易いことであろう。しかし、逆にこの身体が吐き出すイマージュをそこから抽出すること、あるいは抽象化の実在性のもとでそれを認識することはわれわれにとってはるかに困難な事柄である。

さて、いわゆる「ゾンビ映画」においては、来るべき様態の内在的様相と外在的様相に相応しい二つのイマージュがあるように思われる（ここで私が「ゾンビ映画」として念頭においているのは、ほぼジョージ・A・ロメロの作品である。ただし、ロメロは、一度も彼の作品のタイトルのなかに「ゾンビ」という言葉を用いたことはない）。一つは、親や兄弟、あるいは恋人や友人から愛されている者がゾンビと化して、その愛する者に対して深い憎しみでももつかのように襲いかかる場面である。ロメロの『ナイト・オブ・ザ・リビング・デッド』（一九六八年）では、例えば、地下室でゾンビと化した少女が父親の肉を貪り喰い、セメントを塗る際に用いる鏝（こて）で母親を殺害するシーンがあるが、こうした映像のうちには真のゾンビ概念が表現されていると考えることができるだろう。つまり、そこには残酷のイマージュというものがあるのだ。それゆえ、ひとはこうしたシーンだけに「これは残酷だ」という判断を用いるべきであろう。というのは、ゾンビが人間を襲うという場面は、それがどれほど過激でおぞましいものであったとしても、単に人間の恐怖の感情に関わるもの以外ではないからである。それは残酷ではなく、恐怖という「その結果について幾分疑っている未来あるいは過去の或るものの観念から生じる不安定な悲しみ」の現実化にすぎないのである。ゾンビ映画では、人間はゾンビを前にして恐怖の感情に刺激されると同時に、彼らの「無能力」を見出して、それを自分たちの希望にするというのがほとんどである。恐怖と残酷はけっして混同されてはならない。残酷は一つの究極の欲望である。「自分の憎む者から愛されていると表象するひとは、同時に憎しみと愛に捉われるであろう」。そして、「もし憎しみが優位を占めるならば、彼は自分を愛してくれる者に害悪を加えようと努めるであろう。このような感情はたしかに残酷と呼ばれる。とりわけ〈愛する者が憎しみのいかなる一般的原因も与えなかった〉と考えられる場合には、そうである」（スピノザ『エチカ』）。つまり、この〈愛する者による憎しみの原因〉なしに残酷に刺激されること、それが来るべき様態の内在的様相の一つの表現であろう。

もう一つは、人間不在の、まったくゾンビだけの場面である。澄み渡った空の下の草原で、闇のなかの教会の敷地内で、荒涼とした無人の住宅街で、ゾンビだけが減速のなかで歩いている。それは、加速の動物としての人間の潜在的イマージュであるのかもしれない。またそれは、あたかも〈歩く〉というたった一つの動詞の背後で、死骸となった瞬間の無数の身体的変様を繰り返しているかのようである。このことによってひとは、まるで自己の死体を腐敗なしに自己保存する力そのもの——言わば、自己の現実存在の生とその死に対してまったく無差異な、それゆえに非排他的なコナトゥス——がゾンビの別の名であると言いたくなるほどである（例えば、ロメロの『ランド・オブ・ザ・デッド』（二〇〇五年）のなかで唯一印象的な冒頭のシーン。それにしても、ゾンビはけっして人間から知を盗む者ではない。むしろ知を憎むような様態にこそゾンビは帰属するのである——ミソソフィア。この映画のなかで人間から知を盗むゾンビは明らかに加速する）。それはまさに至福のイマージュである。一般にゾンビは三つの動詞あるいは三つの情動——歩く、喰う、襲う——しかもたないと考えられるが、しかしこのイマージュにあるのは〈歩く〉という動詞だけである。この減速の歩きのなかで、ゾンビはまさに大地の意義にさえなるであろう。「神の愛」に代わるもの、それがこの大地の意義である。恐怖と残酷が区別されるのと同様、希望と至福はけっして混同されてはならない。ここには、単に生ける者は誰もいない。もはや「自分を愛してくれる者」は誰もいないのである。ここには「生死横断」(ドゥルーズ＝ガタリ『アンチ・オイディプス』)の住人しかいないのだ。したがって、ここで言う至福のイマージュとは、第一の残酷のイマージュの欠如、あるいはそのイマージュの消滅的な落下によってのみ与えられるものであろう。つまり、至福のイマージュとは残酷のイマージュの無際限な減速である。ゾンビは人間にとってのみ数の問題として現われるが、ゾンビそのものはかろうじて実在的に区別されるだけである。この至福のイマージュ、すなわち来るべき様態の外在的様相——減速の多様体——が、数えることを、あるいは比較することを拒絶するのである。相互に依存せず、またけっして殺し合うことのない様態への生成変化、それが生死横断の状態である。それは至福の時代をつくり出すように思われる。

ここで改めて問う。ゾンビとは何か、と。それは単に映画における特殊な表象像、映画的キャラクターだけのことではない。それは「生死横断」の絶対的状態である。ここで言う〈絶対的〉とは、死を排除した生にも、生を欠いた死にもけっして往きつかないということである。ゾンビは、自分の家や居場所を失って、山林や街中をさまよい歩く人間の似姿ではないし、また、自分たちの文化的・社会的文脈や、目的論的過程の集団的有り様を完全に喪失した現代人の似姿でもない。ゾンビとは、問うべき意味さえ欠いたような問題なのではなく、一つの在るべき状態である。それらは数的に区別されない。人間は彼らを数的に区別するが、しかし彼ら自身は相互に実在的に区別されている。麻薬中毒者やアルコール中毒者になるように、ひとはゾンビになることはできないだろう。ブードゥー・ゾンビにありがちな、何らかの宗教的・魔術的な作用によってゾンビになることも、あるいはモダン・ゾンビにおける、原因は不明であるが、しかし宇宙線や新種のウィルス、放射能汚染や生物化学兵器といった何らかの原因によって突然変異してリビング・デッドになることもできない。原因や理由が必要とされるわけだが、しかし〈ゾンビになること〉に外部の「一般的原因」は存在しないと言わなければならない。したがって、それはまた、ゾンビなしに――つまり、ゾンビに噛まれることなしに――〈ゾンビになること〉でもある（他の動物もゾンビになりうる。おそらくは植物なども、水も、机も、岩も、山河も、ゾンビになりうる）。ゾンビ映画は、それがいかなる作品であっても、〈生であれ、死であれ〉という非排他的であると同時に、減速と加速のもとで両項を非対称的に綜合する身体を表現することに、あるいはそのイマージュに必然的に関わることになるだろう。身体の生存の様式とその身体の本質の変形とを問題にする「分身論」から言えば、ゾンビを〈生体的‐死体的二重体〉という言葉に言い換えることができるだろう。ただし、この二重体のすべてがゾンビであるというわけではない。映画におけるゾンビは、この状態、この二重体にとりわけ先に述べたいくつかのイマージュを与えるのである。

死の可能性は、外延的な諸部分からなる現実存在をもってその人間が生まれると同時にはじまる。そのとき死は、生に関する諸々の可能的事態の一つとして、しかしながら唯一の特権的な出来事として現われるようにみえるだろう。しかし、〈生体的‐死体的二重体〉は、近代的な主体性概念としての「経験的‐超越論的二重体」にとって代わるものである。しかしながら、ここでは、「超越論的なもの」による「経験的なもの」の条件づけの過程そのものが一個の人間の個体化や自己形成であるということの類推から、「死」による「生」の、あるいはむしろ「死体」による「生体」の条件づけの論理や過程を描くことが問題となるのではない。他者の死体を眼の前にして、ひとが衝撃を受け、何かに強く触発されること――例えば、「いずれこうなる」といった、時間における自己の有限性の自覚、等々――ではないのだ。そうではなく、つまり「生死横断」の主体性ではなく、その身体性が意識されるということが問題なのである。そして、この意識の先端には、生体による死体の、しかし自己の死体の触発があるのだ。これは、言い換えると、触発される死体は生体の本質である、この死体は自己の生ける身体の本質である、と考えることである。それはこの大地の意義である。「二重体」の真の問題は、生体によって自己の抽象化された死体を触発すること、残酷と至福のイマージュを吐き出すことだからである。生死横断とは、単に生者から死者へ、あるいは死者から生者へとその間を滑走することではない。

ゾンビの身体とは何か。器官なき身体には何かに触れるための器官がない。スピノザにおける実体、神、自己原因などと同様、器官なき身体は自己にさえも触れることがない。そもそも触れるべき自己などないのだから。したがって、ここでは根源的に触覚は最初から拒絶されているのである。生体による死体の触発は、その限りで本質の系譜学から触覚の問題を排除することになるだろう。「死体を触発するな」という命令は、「死体に触れるな」、「恐怖と希望のもとに生きろ」ということと一致している。これに対置されるのは、〈自己の死体を触発しろ〉である。器官なき身体を実体と考えれば、それは「死のモデル」になりうるかもしれないが、しかし、これに対して様態としての器官なき身体は、何よりも現在の現働的生体と同時的な〈自己の死体〉以外のものではないだろう。その身体を触発しろ！

デイヴィッド・リンチと様相なき世界

I 〈強度〉以後

特定の映画作品がもつ諸々のイメージについての考察が、以下のような見解を与えてくれる。現代は、まさに人間精神に関して新たなスコラ学の時代に入ったかのようである。このスコラ学とは、デカルトから始まる或る意味で健全な主体性の形而上学の衰退とともに、それを引き継ぐかたちで現代の人間の関心を集めている精神の病理学的な形而上学のことである。これは、かつて中世の時代に延々と論じられた神についてのスコラ学に今や匹敵するかのような人間の精神学になりつつある。言い換えると、この現代のスコラ学によって人間は、真に神の代理人となりうるのかもしれない。復讐の神や愛の神を作り出したのは、明らかに〈無への意志〉――ニヒリズムの第一の意味――に溢れた否定的で反動的な人間たちである。しかし、次に現われるのは、無でありかつ過剰でもあるこうした神を再複写して内面化した〈意志の無〉を体現した受動的な人間たちである（例えば、健康への異様なほどの意志と病的なものへの異常なほどの配慮）。近代以降の人間精神に関するこの新たな形而上学は、ニヒリズムの第二の意味——人間における〈意志の無〉——がまさに完成に達したことを示す大いなる時代の証しであるのかもしれない。ところで、哲学は、カント以降、神についての無限性の省察ではなく、つねに第一に人間についての有限性の分析から出発するようになった。しかし、現代の哲学的思考は、無限性であれ有限性であれ、今やこうした諸特性をことさら特権化することで自らを展開することの限界点に達しているように思われる。ということは、こうした特性一般についての思考それ自体が、何よりも批判されなければならない事柄となったのである。様相は、特性の一種である。〈様相〉概念——可能性、必然性、偶然性、潜在性、現働性、等々——は、実はニヒリズムをその本性とする人間が分泌した、自分たちの精神それ自体の特性である。このような特性による精神の内装化は、実際には個々の様相と諸様相の間の相互の移行からなる（可能性から現実性へ、現実性から必然性へ、潜在性から現働性へ、偶然性から現実性へ、等々）。様相移行は、相対的な脱-様相化の〈変様イメージ〉をわれわれに与える。

こうした特性の特権化は、制度や分類のための命名行為——合理性のためだけに特性化する行為——の特権性にその多くを依拠している。これについて現代において顕著にみられるのは、次のような二つの仕方においてである。それは、第一に或る事柄を典型的な一側面からのみタイプ的に規定しようと意志であり、つねに分析的思考のもとで意識上の決定やその傾向性を〈主義化〉することである。また、第二にこうした分析的思考のもとで精神的な方向性や傾向性を〈症化〉することで、人間のあらゆる因果的な事柄をそこへと還元しつつ理解しようとする態度である。ここにあるのは精緻化された特性についての考察であり、これはまた、判断力がもつ規定的な有効性を信じて、自らの判断力をもっぱら類比的に行使することである。しかしながら、こうした〈主義化〉、〈症化〉、〈気質化〉に還元されえないような、あるいは〈健康〉や〈病気〉以前に実在的に存在し機能しているような心身問題とそれらのイメージが存在する（とりわけ心身並行論はこの立場にある）。ここでは、この論点を次のような二つの問題領域を形成するものとして考えたい――⑴すべてを遠近法主義的に構成されたイメージとして、つまり他のものに還元不可能なテクストそのもの（現働性と潜在性あるいは内容と表現がつねに相互に反転する仕方で編まれていく内在性）として捉えること、⑵精神を構成する観念の情動の位相、とりわけその原始的な〈形相－表現〉と、身体の力能の内包的変様がもつ〈質料－内容〉とからなる変様イメージを描出することと。この二つの問題域は、ここではデイヴィッド・リンチという一人の映画作家の作品のなかに求められることになる。リンチの映画は、間違いなく「現代的映画」である。ただし、それは、具体的にはこの二つの問題領域についての新たな〈変様イメージ〉をわれわれに与えているという意味においてである。映画作品は、外部なきテクストそのものであり、その限りでその映像作家の気質やその作品の主たる登場人物の諸性質にけっして還元されない。私はここで、もっぱらリンチの映画作品における諸々のイメージそれ自体のうちに、遠近法主義的な表現の価値評価と内容の存在理解とを追及するつもりである。

Ⅱ　強度イメージ（I）――離接的総合の変様イメージ

リンチの映画には、人間のニヒリズムの徹底化がつねにある。ニヒリズムには、そのもっとも重要な要素として〈無〉と〈意志〉がある。ここで言うニヒリズムの徹底化とは、こうした二つの要素からなる〈無への意志〉と〈意志の無〉との間に、転換、重合、移行、反転が成立するという意味である。無への意志が目を開けながら見るものを夢とするならば、この無は、当の意志それ自体が分泌したもの、つまり意志そのものの無である。現実は、裸の実在性などではなく、夢の衣装をまとうことなしには現われえないような、夢と無と意志との複合形態である。ニヒリズムによって理解されるのは、現実と夢との単なる識別不可能性などではなく、それらが受動性ゆえに相互に反転してしまうことにある（「スター、それは夢、夢、それはスター」）。リンチは、例えば、こうした点から残酷についての固有の定義に至っているように思われる。それは、愛する者に対する害悪を現働的な現在とは別の潜在性の水準でなすことである。これに対応するのが、表象的な知覚や行動にまったく結びつかないような、この意味で切断されて閉ざされた情動と変様イメージである。リンチは、単に残酷という情動を用いるのではなく、明らかに〈残酷〉(crudelitas)を一つの総合の原理にまで高めることによって諸々の変様イメージの系列を離接的に総合していくのだ。リンチにとっての人間とは、何よりも女性であり、女優であり、娼婦である[*1]。女優の生命は、何よりも顔にある。しかし、リンチは、こうした女優（＝人間）の顔から一切の表情を排除し奪い去ろうとする。何によってそんなことが可能になるのか。それは、おそらく〈恐怖〉によってではなく、〈叫び〉によってである。これは、リンチの敬愛する画家、フランシス・ベーコンが「恐怖よりはむしろ叫び」を描こうとしたのとほぼ同じ事柄のように思われる。そこでの女優(=人間の顔)は、その表情の内面性から分離されて、強度の変様イメージをともなった別の固有名を表現することになる。こうした固有名は、表象言語の外部で機能する、強度的情動を含んだ一つの言表となる。それゆえ、リンチの映画での固有名は、女優の顔であるが、それと同時にほとんど情動そのものとなる。顔と情動がもつ強度は、いくつかの出来事の系列の間の分岐や発散の変様イメージにともなった、音声のないその意味で潜在的な叫びのようである(『インランド・エンパイア』(二〇〇六年))。たしかに顔によって叫びは情動の表現として成立するかもしれないが、しかしそれは、もはや二次的な表現、つまり精神の表現としての〈顔-言語〉でしかないのではないか。というのも、叫びは、第一次的には身体の内包的な〈顔-情動〉として、つまり精神の変様イメージによって直接に達成されているからである。

さて、出来事の未完成の部分、すなわち表象の領域が多孔質的に抜け落ちていくという或る種の落下の変様イメージは、言い換えると、〈反時代的なもの〉(intempestif)あるいは〈非現働的なもの〉(inactuel)の生成のイメージだとも言える。これは、離接的総合という考え方によって理解することができる。[*2] 例えば、ライプニッツにおける神は、まず〈アダムが罪を犯す世界〉(a世界)を創造する。次にその世界のうちに〈罪を犯すアダム〉が創造される。この世界とこのアダムは、相互に共可能的である。しかし、もしこの〈a世界〉における〈罪を犯すアダム〉に何らかの変様が起きて、或る〈罪を犯さないアダム〉へと人間アダムの内在的様態が一つの実在的経験——例えば、誘惑に抵抗することとして生成し展開されるならば、この実在的移行は、いったいどこで実現されるのであろうか。〈罪を犯さないアダム〉は「丸い三角」や「谷のない山」といった矛盾ではない以上、アダムについてこの存在の仕方は十分に可能である。ライプニッツの場合であれば、この〈a世界〉から排除されるべき〈罪を犯さないアダム〉、〈或る反時代的アダム〉、すなわち発散すべき〈非-罪人〉としてのアダム系列は、別の可能世界（アダムが罪を犯さない世界）のもとで収束することになる。しかしながら、この〈a世界〉のただなかで〈罪を犯すアダム〉から〈罪を犯さないアダム〉への過程がイメージ化されるならば、つまりこの創世記の世界に対するアダムの共可能性から非共可能性への残酷な様相変化——こうした抵抗するアダム系列が創世記の世界に対して発散すること——が他の可能世界（b世界、c世界……）にまったく依拠せずに表現されるならば、或るアダムのこうした経験や出来事は、いったい〈いつ〉、〈どこで〉、〈どのようして〉実現されるのであろうか。この特異な様相変化は、いかなる脱-様相性をともったイメージを産出することになるであろうか。リンチが用いる変様イメージは、希望と恐怖を超えた特異で残酷な様相変化をつねにともなっている。この様相変化は、決定的な落下のイメージ（部屋や家具であれ、身体の諸器官であれ、それらがもつ暗闇の強度的部分への移行）によって与えられる。それは、言わば潜在化への変様イメージである。ところが、それと同時にこのイメージは、いくつかの情動として形式的にあるいは幾何学的に希望と恐怖の体制のもとに現働化される。

或る種の情動が、〈同情〉(misericordia) と〈妬み〉(invidia) という相反する二つの情動が、それゆえ相互に反転可能なこうした二つの受動的情動が[*3]、それぞれに二つのまったく異質な世界をつくり上げることがある(『マルホランド・ドライブ』(二〇〇一年))。リンチはこの作品で、離接的総合という共可能性から非共可能性への実在的移行を本質的に含んだ総合を用いて、こうした様相変化についての情動を諸々の変様イメージとしてつくり出すことに見事に成功した。その様相変様の特異点では、恐怖よりもまさに叫びとその等価物がきわめて重要な役割を担っているようにみえる。リンチは、かつて次のように述べていたことがある。「精神分析医が好んで行きたがる或る領域が表面下に存在する。そこは不快な場所であるかもしれず、多くの人々はそこに属する類のものを表面に浮かび上がらせることを好まない。しかし、認めようと認めまいとに関わらず、誰の潜在的意識も数知れぬ恐怖で満ち溢れている。すべてはそこにあって、ただわれわれが来るのを待っている[*4]」。たしかにこの恐怖が顔に現働化されるとき、それは、例えば、ドゥルーズがベルイマンについて述べていた恐怖とほぼ同じものとなるだろう[*5]。しかし、リンチにおいては、こうした現働的な恐怖が潜在的な叫びへと特異な仕方で変形するときがある。それは、一つには『ロスト・ハイウェイ』(一九九七年)の最後の部分で提起された問題でもあるが、この作品以後、恐怖が実はクローズ・アップのもとで叫びの認識根拠として推し進められるということである。また、叫ぶ顔あるいは叫びそのものは、むしろそれらの等価物へと送り返される(ここでは、呟きでさえ一つの叫びとなる)。それは、光学的には〈リンチ・ブラック〉と称されるような視覚的イメージにつながるすべてのものであり、また音声的には〈インダストリアル・ノイズ〉の聴覚的イメージである——切断された耳の奥の暗闇、芝生の土の下で蠢く昆虫（『ブルー・ベルベット』（一九八六年））、青い箱や身体の震え（『マルホランド・ドライブ』）。そこには、ニヒリズムの一つの類型としての〈希望／恐怖〉の感情の体制をまったく異なった速度で通過する情動的強度がある。顔は、個体化のための同一性の記号ではなく、歪み削り取られていくがゆえに動的に見える固有名の記号に、〈叫び－強度〉の記号になる。女優の顔は、諸表情を発散したままにする動的な固有名となる。言い換えると、これらは、様相を欠いた世界を描き出すことにもっとも機能するものとなる。それは、非主体化の情動の固有名であり、ディオニュソス的な絵画である。ニーチェの有名な書簡がある。「つまるところ、歴史に現われるそれぞれの名前は、私だということです。（……）この秋、私はできる限り貧しい身なりをして、二度ほど私の埋葬に立ち会いました。最初はロビラント伯爵として（いや違います、一番深い性質から見て、私がカルロ・アルベルトである限り、あれは私の息子です）、しかし、私自身はアントネッリだったのです」[*6]。固有名は、言語よりもむしろ観念となって身体を通過する諸強度の顔となるのである。リンチの映画は、実はきわめてニーチェ的であり、空間の次元を非整数化し、時間を迷宮化するような変様イメージに満ちている。クロソウスキーの見事な表現がここにある。「ニーチェは、そこにおいてやはり自分がニーチェという名をもつような、そういった世界と縁を切ったのである」[*7]——世界と自己との間の非可能性がもつ叫びと残酷さ。

Ⅲ 強度イメージ（Ⅱ）――脱-様相化の変様イメージ

この離接的総合は、再生的ではなく、産出的な想像力によってイメージ化される。これは、たしかに或る質や力能をともなったイメージである。しかし、産出的イメージは、リンチの映画においては完結した現働性をまったくもたない。それは、或る多孔質的で非汎通的なもののみがもちうる変様イメージである。これが、第一のイメージの強度性をつくり出していたものである。それは、或る現働化の系列を通過するが、しかしそれとはまったく異質な或る運動、移行、変様、変化のイメージである。言い換えると、それは、経験上の触発が必ずしも現働的な水準で展開も推移もしないことから生起するようなイメージである。リンチは、出来事がもつ時間と空間における決定不可能性の特徴を用いるというよりも、一つ一つの出来事そのものを現働化と反現働化へと配置することに強い関心をもつような作家である（リンチは、たとえハリウッドをテーマにしたとしても、けっして数的区別のイメージに支配されることなく、徹底的に実在的区別のイメージ形成に関心をもち続けている稀有な映画作家である）。その結果として、実在的出来事の現働化は、多孔質的で非汎通的な変様イメージとなる。こうしたイメージの存在の仕方を明確に指摘することができる。それは、遠近法主義における現象の解釈そのものの様態、すなわち〈非-P〉の迷宮である――例えば、「現実は、〈非-夢〉である」、「魂は、〈非-可死的〉である」（カントにおける無限判断）。リンチの離接的総合における様相移行は、この〈非-P〉の位相に内属する変様イメージである。

それはまた、或る種の〈非‐真理〉を生の条件とする者の逸脱の経験であり、その変様イメージになるとさえ言えるだろう。

さて、こうした変様イメージが情動をともなうとき、例えば、〈同情〉は世界（経験の諸条件）を肯定する収束の系列を描き出すが、これに反して、その世界からの発散の系列は〈妬み〉あるいは〈嫉妬〉（zelotypia）の情動によって規定された欲望のもとにある。『マルホランド・ドライブ』における〈ベティ／リタ〉の世界は、一方の記憶を失った怯えるリタに対する、他方の女優としての成功を確約されたかのような力強いベティの〈同情〉（喜びの派生感情）からなる。しかし、リタに同情するベティとこの〈ベティが女優として成功する世界〉との間の共可能性は、徐々に非共可能性へと様相変化し、遂には発散してしまう。〈女優として成功するベティ〉から〈女優として成功しないベティ〉への変様イメージは、恐怖ゆえの身体の振動や顔の震えなどであり、連動してリタの振動や震えささえも引き起こす。というのも、ベティとリタは、同情についての一つの生成変化のブロックをなしているからである。ところが、〈女優として成功しないベティ〉は、同情ではなく、妬みと嫉妬に刺戟されたダイアンという別の固有名をもち、また記憶喪失に怯えるリタは、このダイアンと共可能的である限り、カミーラという主役を獲得した女優である。ここに〈ダイアン／カミーラ〉の世界が成立する。ここにあるのは、今度は〈同情〉ではなく、それの反転した〈妬み〉という悲しみの派生感情であり、また〈嫉妬〉という高次の情動である。同情と妬みには、感情の幾何学上の共通性がある。それは、どちらも必ず愛の情動が先行していなければならないという点にある。しかし、妬みや嫉妬の場合には、同情よりも強力な愛が必要となることがある。〈ベティ〉という表現形態は、発散して別の表現形態〈ダイアン〉へと収束するかのようである。しかし、リンチの特権的な変様イメージの問題は、実はそこにはない。〈同情〉と〈妬み〉は相反する受動的な情動であり、相互につねに反転可能である。何故なら、前者は喜びの、後者は悲しみの派生感情であり、受動性の特徴の一つとして、相反する情動は相互につねに反転可能だからである。したがって、同情と妬みのどちらが先行するかを決定しようとすることは、ほとんど意味がない。しかし、一つだけ確実なのは、妬みは嫉妬の情動と結びつくが、[*8]いずれにしても或る対象に対してのより強い愛が先行していなければ、これらの否定的な情動はけっして成立しえないという点である。この限りで、『マルホランド・ドライブ』の〈ベティ／リタ〉の世界と〈ダイアン／カミーラ〉の世界のどちらが現実でどちらが夢であるかを決定することは不可能となるが、それでも情動の対称性の破れがあるのは確かである。ニーチェが言うように、人間の本性は、最初から復讐の精神からなる理由がここにある。『マルホランド・ドライブ』では、同情の理由は不在のままである。しかし、その理由のない同情の深さが特定の妬みと嫉妬の深さに比例していたことと、ここから決定される復讐の精神が同一の対象に対する愛と憎しみに同時に触発された動揺する精神から生じていたことは、明確に理解される。リンチは、こうした〈喜び／悲しみ〉の感情の幾何学と〈恐怖／希望〉の感情の体制のもとにある感情を用いて、それらを或る脱‐様相的な強度的情動の変様イメージへと変調しようとする。

このようにしてリンチは、女優（＝人間）の複数の肖像画を一つの残酷映画として成立させる。

ここには、彼の絵画的気質がまさに非映画的要素として本質的に機能しているように思われる。しかし、私はここで、空間芸術である絵画の絵画性が、リンチにおいては、動く切片となってその映画のなかに運動イメージを与えているということを言いたいのではない。そうではなく、リンチの変様イメージは、むしろ或る動的な肖像画のイメージ系列とそれとは別の肖像画のイメージ系列との間の〈反転の度合〉に時間が本質的に関わっているということである。これは、いったい何をわれわれに示しているのだろうか。リンチの映画は、絵画的映画ではなく、むしろ時間性の絵画となる。ただし、これは、単に時間のなかの動く絵画などではなく、時間の様態――過去、現在、未来――をもたないという意味で、**様相のない**イメージとなる。というのも、感情は、時間のうちで様相をともなった仕方でしか生起しえないからである（恐怖、希望、絶望、安堵、落胆、歓喜、等々）。したがって、様相なき変様イメージは、様相を生起させない時間イメージである。リンチの映画は、こうした意味において一枚の様相なき絵画となる。変様イメージは、第一に複数の様相相互の共立可能性から諸様相それ自体の共立不可能性への移行過程における非現働的な強度イメージである。様相そのものを減算するような変様イメージは、第二に特性のない、それゆえに強度的なイメージを与えると言える。というのも、強度は、それ自体ではまったくの無-様相だからである。愛と憎しみの情動を、恐怖と希望の体制から、あるいは絶望と安堵の情動から解放する脱-様相化そのものの変様イメージはあるのか。こうした問いのうちに第二の強度イメージは、形成され、実際に知覚されうるのである。では、さらに別の第三の強度イメージは、リンチのうちに存在するのか。人は、リンチの作品に対してこうした問いを提起する欲望を禁じえないであろう。というのも、この欲望は、諸情動を世界に内在し直す仕方——現代の信仰の意義——として考えることであり、言い換えると、〈悲しみ〉と〈喜び〉を、観念においてア・プリオリな偏椅（clinamen）を含んだ原子論的な情動として理解することだからである。

Ⅳ　強度イメージ（Ⅲ）——落下という変様イメージ

そのためには、リンチに独自のクローズ・アップについての考察が必要であろう。「強度的な顔は、純粋な〈力能〉を表現する」[*9]。この力能は、顔の変様イメージによってその増大あるいは減少が表現される。強度的な顔は、とりわけこうした力能の変様の差異は、情動の相関物としての顔において表現される。強度的な顔は、その変様イメージのもとで力能の差異を表現するのである。情動は、力能の差異の度合そのものである。情動は、質的であるが、自らの強度が強度＝0へと落下する過程を含んでいる。強度は、カントに従えば、〈否定性＝0〉へと漸近的に近づいていく限りで量的である。というのは、こうした強度は、質としての内包量にとどまったままだからである。しかし、強度そのものは、けっして外延量でも内包量でもない。つまり、強度は、いかなる意味においても〈量〉として把握されえないのだ。というのも、それは、量と質だけでなく、関係や様相さえも落下させるからである（理念としての強度）。カントにおける内包量は、あくまでも純粋悟性概念の一つであり、強度におけるこうした脱－カテゴリー化の側面をけっして有してはいない。リンチは、とりわけクローズ・アップによって〈顔－表現〉と〈情動－内容〉の双方から様相を排除しようとする。それは、極端なクローズ・アップとその多用によって推し進められる。ところで、顔には一般的に三つの機能がある。[*10] すなわち、顔は、(1)各人を区別し性格づける個体化の要因であり、(2)社会的役割を明示する限りでの社会化の表出であり、(3)他者との外在的なコミュニケーションや自己の役割と自身の内的な性質との一致を保証するような関係性を有するものである。クローズ・アップの効果は、一般的にはこうした顔の三つの機能を相対的に解体するまでに至る。しかし、リンチのクローズ・アップの操作は、そうではない。『インランド・エンパイア』では、それは、むしろ個体化も社会性もコミュニケーションも含んだ限りで、世界のうちにもう一度内在し直そうとする仕方あるいは実験そのものとなるのだ——第一に〈映画‐内‐存在〉として、第二に〈外‐映画〉として。

離接的総合は、単に精神の分裂的な総合というだけでなく、その身体をともなっている。では、この総合に対応する身体は、いったいどのような存在の仕方をもつのだろうか。あるいは身体の一部である顔は、そこではどのような表現をもって産出されるのだろうか。顔は、身体の存在の仕方を表現しているのか。身体を問題にするとき、初めて顔それ自体の発生が問われることになる。顔は、それ自体が身体における特権的な存在の仕方である。何故なら、顔だけが、身体の変様とその変様イメージとしての情動とをともに表現することができるからである。ドゥルーズ＝ガタリは、次のように述べている。「顔が生産されるのは、もはや頭が身体に所属しないとき、身体によってコード化されないとき、頭自体が多次元的で複義的な身体的コードをもたないとき、、、、だけである——これは、頭も含めて、身体が或るものによって脱コード化され、超コード化されなければならないときであり、この或るものが〈顔〉と呼ばれるのだ。（……）頭とその諸要素が顔化されるのは、不可避的な過程のなかで、身体全体が顔化され、顔化へと導かれざるをえないような場合である」[*11]。リンチの『イレイザーヘッド』（一九七七年）には、身体を代表する顔ではなく、身体の強度的部分としての頭部の問題しかない。これ以降、リンチは、この頭部の問題を顔あるいはクローズ・アップの変様イメージのもとで追及していく。リンチのクローズ・アップの操作は、言わば顔が生産されないように、つまり身体を超コード化したり代表したりしないようにするための強度的な方法論である。その限りでリンチは、この操作によって現働性と潜在性との間の〈関係＝比〉（rapport）そのものの変様イメージに挑んでいると言える。「人間というのは、どんなに異常な行動でも理解することができると思う」、とリンチは言う[*12]。理解不可能な行動は、存在しない。つまり、それに対応する観念（イメージ、感情、概念）が存在しないようないかなる行動も人間には生起しないということである。これは、ほとんどスピノザ的な考え方である。リンチの映画作品においては、人間の経験はまったく進展しない（『ストレイト・ストーリー』（一九九九）でさえもそうである）。経験上の問題は、何も解決されないだけでなく、一つの問題が他の問題へと識別不可能な仕方で表現されていく。そこでは、通常の実在的で現働的な出来事は、まったく完結も展開もしない。確かに〈問題〉は個々の場面で提起されるが、それが解決に向けて進展しているか、あるいは事態が悪化しているのかは、ほぼ不明なままである。そこにあるのは、経験の表層的な進展も、その能力的な展開も存在しないような逸脱の変様イメージである。変様イメージは、経験的な進展や展開、あるいは後退や閉塞などと無関係になればなるほど、それだけより多く強度的なもののイメージになる。

このようにして、リンチの変様イメージは、顔の表情によって表現された経験の諸条件のもとでは必ずしも現働化されないような或るものを〈感覚の強度〉としてわれわれに与えるのである。これは、その変様イメージに対応する行動が諸事物の状態において現働化されえないということでもある。リンチのクローズ・アップは、知覚と情動との間で、あるいは情動と行動との間で震え振動するような顔そのものになる。「顔のクローズ・アップは存在しないのであって、顔がそれ自体においてクローズ・アップであり、クローズ・アップはそれ自体によって顔であり、またこの二つは情動（affect）であり、変様イメージ（image-affection）である」[*13]。すでに述べたように、顔は、一方で身体の変様そのものであり、他方で身体の変様イメージ（あるいは身体の情動）の表現でもある。〈情動〉と〈変様〉は、同じものであるが、明確に区別されるべきものでもある。すべての情動は変様をともなっているが、しかし、すべての変様が情動をともなっているとは限らない。しかし、変様イメージに現働化しえないような潜在的イメージが或る〈情動〉となる瞬間がある（例えば、希望ではなく至福に、恐怖ではなく残酷に）。一つの〈顔‐変様〉は、恐怖ではなく、こうした情動の叫びそのものになることがある。叫びは、言わば諸感情の間に張り巡らされた様相が消滅していく度合である。それは、様相のない世界をより多く信じること、すなわち世界に内在し直すことである。『インランド・エンパイア』では、映画内映画は、最後には映画の外部の変様イメージを織り込んだ〈外‐映画〉——ドゥルーズが言う「超映画」——になる。女優のニッキーは、スーザン役を演じることで、ロスト・ガールと称される女とこの女が演じた黒いドレスの婦人との情動に触発されるが、しかしその衝動はつねに不定のままである〈映画内映画〉。しかし、次第にそれは、特定の愛と憎しみ、あるいは同情と嫉妬へと規定され、最後にその衝動あるいは欲望は明確に決定される（超映画）。この決定は、自由意志によるものではまったくなく、〈顔‐クローズ・アップ〉によって表現される力能の変様の流れそのものである。顔は、変様イメージ一般において或る特権的な存在を有している。ここでのニッキーのロスト・ガールへの同情は、現働的なものと潜在的なものとの間で成立する脱‐様相的な情動あるいは力能である（しかし、この同情は、ニッキーをロスト・ガールの分身だと考えれば、ロスト・ガール自身の実は〈自己満足〉という情動になる）。ここには依然として感情の幾何学が存続しているが、しかしながら、変様イメージは原因と結果の関係＝比を変形し続ける。それゆえ、日常的で表象的な出来事も、けっして完結することなく、また別の現働的出来事に引き継がれることもない常軌を逸したイメージとなる。現在の現在性は、けっして未来の現在と共可能的ではないし、また過去の現在からの結果でもない（「もし明日なら、あなたはあそこに座っているでしょう」、「あなたに話したでしょ？あの時の出来事、昨日あったことだけど、明日なのよ」、「暗い明日の空の上で」）。こうした出来事の実在性は、外延的にも内包的にも規定されず、あるいはそれらの規定を逃れて、現働的なものから落下していく。空間は多孔質化し、尺度はすべて内包的な距離となる。それと同時に時間様態（過去、現在、未来）も時間形式（それ以前、それ以後）も、この変様イメージのもとではきわめて局所的にしか機能しない。出来事そのものがつねに現働的と潜在的という二つの強度的部分に無残にも引き剝がされる以上、この二つの様相の間の関係＝比は、つねに変形されつつ残酷の情動をともなって経験されることになる。

『マルホランド・ドライブ』と『インランド・エンパイア』との類似と差異は、後者が前者よりも複雑に多層化された構造をもつということにあるのではない。それは、あくまでも再生的想像力による表象的なイメージの連結から提起された一つの見解であろう。『インランド・エンパイア』における変様イメージの異様さは、その情動（例えば、ロスト・ガールの自己満足あるいは自劣感）が相反する派生感情としてではなく、そのまま基本情動にまで、あるいは「原始的な情動形式」にまでもたらされていることに依拠している。相対的な脱領土化をより多く享受する人間は、それだけより多くの様相をともなったより多くの派生感情によって精神が内装化されうる。これに反して、様相のない原始的情動は、希望と恐怖の感情の体制に関わることなく、叫びという身体の強度的変様を見出すのである。こうした叫びは、至福と残酷という永遠の情動に対応したものではないのか。そこでの現働性における決定は、つねに潜在性の変化に、つまり〈至福であれ残酷であれ〉という変様につながるのだ。「行動は必ず結果がともなう、それでも……魔法は起きる」。結果がすぐに現われなくても絶望してはならない。結果は、まったく別の水準で生起していることもあるからだ。出来事の未完成の部分に向けられた視線あるいは眼差しは、むしろその出来事そのものに内在し直そうとする行為に裏打ちされている。人は、現働性という着衣を脱いだ顔を亡霊と呼んでいる。しかし、リンチのクローズ・アップは、こうした〈顔－亡霊性〉に依拠することなく、未だに着衣のない或る潜在的なものの無言の身体性を露わにすることに存している。接吻は裸の顔にするものだが、抱擁は裸の潜在的身体に対して為される（ニッキーとロスト・ガールとの抱擁)。リンチにおいては、変様イメージによって与えられる三つの強度的イメージを区別することができるだろう。しかし、リンチにおける強度のイメージは、単に三つのタイプに分かれるのではなく、むしろ一つの〈アフェクション・ノワール〉とでも称すべき機能素の三つの側面として覚知されるのである。それらは、反転、変調作用、内在の仕方である。いずれにせよ、それらは、いかに或るものに内在し直すかという問いを含んでいるのである。

＊1　斎藤環「「映画という謎」の分有」、『美術手帖』、美術出版社、二〇〇七年一〇号所収、九二-九七頁、参照。

＊2　江川隆男『アンチ・モラリア――〈器官なき身体〉の哲学』、河出書房新社、二〇一四年、五七-八八頁、参照。

＊3　これらの感情に関するスピノザの定義は、以下のようである。ただし、注意すべき論点は、スピノザにおける感情は身体の存在論的力能の変様と不可分であり、それゆえ諸感情はまさに強度的な情動として、つまり身体のそうした変様とともに消滅する度合として捉えることができるということである。「同情とは、他人のよいことを喜び、また反対に他人のわるいことを悲しむように、人間を触発する限りにおける愛（amor）である」。これに対して、「妬みとは、他人のわるいことを喜ぶように、人間を触発する限りにおける憎しみ（odium）である」（スピノザ『エチカ』、畠中尚志訳、岩波文庫、一九七五年、第三部、諸感情の定義、二三、二四）。

＊4　『デビッド・リンチ　Paintings & Drawings』、東高現代美術館編、東高現代美術館、一九九一年、九頁。

＊5　「ベルイマンは、顔のニヒリズムを、すなわち、恐怖のなかでの顔と空虚あるいは不在との関係を、自らの無と対面する顔の恐怖をもっとも遠くまで推し進めたのだ」（Gilles Deleuze, *Cinéma 1, L'image-Mouvement*, Minuit, 1983, p.142［以下、*IM* と略記］（『シネマ1　運動イメージ』、財津理・齋藤範訳、法政大学出版局、二〇〇八年、一七七頁））。

＊6　フリードリヒ・ニーチェ『ニーチェ書簡集Ⅱ・詩集――ニーチェ全集　別巻2』、塚越敏・中島義生訳、ちくま学芸文庫、一九九四年、「三四一　ヤーコプ・ブルクハルトへ」、二八六-二八八頁。

＊7　Pierre Klossowski, *Un si funeste désir*, Gallimard, 1963, p.183（『かくも不吉な欲望』、小島俊明訳、現代思潮社、一九六九年、二六二頁）。

＊8　「人は、もし自分の愛するものがこれまで独り占めにしていたのと同じの、あるいはより緊密な愛情の絆によって他人と結合することを表象するならば、愛するもの自身に対しては悲しみを感じ、またその他者を妬むであろう」（スピノザ『エチカ』、第3部、定理35）。「妬みと結合した、愛するものに対する

この憎しみは、嫉妬と呼ばれる。したがって、嫉妬とは、同時的な愛と悲しみから生じ、かつ妬まれる第三者の観念をともなった心情の同様にほかならない」(同書、同部、同定理、備考)。

＊9 G. Deleuze, *IM*, p.129 (一六〇頁)。

＊10 G. Deleuze, *IM*, p.141 (一七五-一七六頁)。

＊11 G.Deleuze et F.Guattari, *Mille Plataux*, Minuit, 1980, pp.208-209 (『千のプラトー』、宇野邦一・他訳、河出文庫、二〇一〇年、中・一八頁)。

＊12 『デイヴィッド・リンチ』、廣木明子・菊池淳子訳、クリス・ロドリー編、フィルムアート社、一九九九年、三三九頁。

＊13 G. Deleuze, *IM*, p.126 (一五六頁)。「変様」(affection) と「情動」(affect) は、第一に明確に区別したうえで、さらに場合によっては同じものとして理解されるべきである。したがって、「感情イメージ」と訳されている〈image-affection〉は、「変様イメージ」という言葉で理解される必要がある。これと関連して、ドゥルーズの『シネマ1』における、諸イメージは、ほぼスピノザの第一種の認識論のなかでよりよく理解されうる。ただし、そこには、そのイメージの実在的原因としてではなく、イメージや情動の発生的要素としての身体を理解する必要がある。その限りで明確になるのは、スピノザ的なイメージの形成の秩序である。つまり、それは、古典的映画におけるような運動感覚図式のもとで秩序づけられた、「知覚イメージ」から「変様イメージ」へ、またここから「行動イメージ」へといったような移行ではなく、ほぼ変様イメージがその中心となって、その両端に知覚イメージと行動イメージが配分されるということである。

貧素であれ、離脱的であれ[*1]——デュラスとともに思考すること

私は、ここでマルグリット・デュラスの作品の特質を〈より小さな完全性〉（あるいは実在性）への芸術として論じたいと思っています。これと類似した観点は実はすでに多くの論者によってさまざまな仕方で指摘されてきたことでもあります。しかしここでは、あえてこうした事柄を中心にデュラスについて改めて考えていきたいと思っています。

I　より小さな完全性へ——誰がデュラスを読んだのか

私は、以前にデュラスの二、三の作品をたしかに読んだ記憶がある。しかし、私は、何を読んだのか、何がどのように書かれていたのかをほとんど思い出すことができません。では、このことは、単に私の〈経験上の忘却〉——つまり一度は思い起こしたことがあるが、二度目に思い出すことができないということ——を示しているだけなのか、あるいはより本質的な、言わば〈超

越論的な忘却〉——この場合は、最初から思い出すことのできない仕方で読むこと——に存しているのでしょうか。

さて、エレーヌ・シクスーは、デュラスをめぐるミシェル・フーコーとの対談のなかで、彼女が創り出すものを第一に「貧素の芸術」(art de la pauvreté) と称しています。[*2] シクスーは、デュラスの創作活動をこのよう規定する理由を次のように述べています。「作品を読んでいくにつれ、豊かさや巨大な構築物を徐々に捨てていくという作業がなされていく。デュラスも承知でそうしていると思うけど、余計なものを次第に取り払い、舞台装置や装飾や物を順々に少なくしていくわけです。するとあまりに閑散としてしまうからでしょうか、最後に残った何かの姿がくっきりとそこに刻み込まれ、それが死滅しきれないものすべてを一挙に掬い上げるのです」。ここで言われていることは、一般的な抽象化——つまり物の付帯的な、つまり遇有的な側面あるいは具体的な諸特性を捨象していって、その同一性だけを維持しようとする一つの知的操作——とはまったく異なった作用を示しています。この「貧素の芸術」とは、むしろ端的に廃棄し、かつ物の何かについて辛うじて存続させることです——例えば、白い紙の表象ではなく、その紙の白さの表現。それは、一般的な抽象化ではなく、むしろ具象化の限界に関するいくつかの備考的知覚だと言うべきでしょう。言い換えると、それは、まるで〈定義の消尽〉とでも称されるべき事柄です。それは、より多く備考的であれば、それだけより少なく定義的になるという出来事の度合のことです。かつてサルトルは、人間を見事に唯一の「定義不可能なもの」だと言いました。[*3] しかし、ここで私が言う定義の消尽とは、まさに定義そのものの消滅、あるいは〈定義する〉という機能それ自体の無能力化のことです。定義は、当の〈定義されるもの〉の現実的な存在の仕方を無視して、それらに共通のものをその物の本質と考えて成立するような一般的命題です（「人間とは理性的動物である」、「愛とは、愛する対象と結びつこうとする愛する者の意志である」、等々）。

　われわれは、たしかに定義によってその〈定義されるもの〉の本質というものについてより強く意識するようになります。しかし、デュラスの場合、こうした定義による諸知覚は、その物の本質に実はまったく無関心であり、その限りで本質のない存在に関わることで、それらが消滅していく際にはじめて立ち現われる微小表象そのもののようです。したがって、それらがたとえ定義可能であったとしても、そこではただ〈定義されるもの〉の消滅的要素が指示されるだけでしょう。定義は、まさに〈定義されるもの〉とともにそこで消尽していくように思われる。当然のことですが、この定義は、明らかに名目的でも実在的でもありません。というのも、最後に残ったものとは定義が尽きていく要素であり、それは、まさに定義そのものの破棄を意味しているからです。デュラスにおける欲望や愛は、このようにして単に定義不可能なものとして描かれるのではなく、むしろこうした定義の消尽の果てに微かに残存する諸要素の知覚、あるいはそれらにともなう情動なのです。デュラスの恋愛物語における欲望や愛は、その残り物あるいは最小のものへと、つまり〈より小さな完全性へ〉と向けられています。いずれにしても、貧素の芸術における知覚や情動は、定義そのものの消尽あるいは破棄とともに存立していると言えるでしょう。

　フーコーは、この同じ対談のなかで、シクスーの「貧素の芸術」という規定を受けて、これを

「思い出なき記憶」(mémoire sans souvenirs) という言葉でさらに再表現しています。では、「思い出なき記憶」とは、いったいどのような記憶のことなのでしょうか。フーコーは、これについてとくに説明をしていません。まず時間の様態に即して考えてみましょう。一般的には、すでに過去となった出来事はわれわれにとって〈想起の対象〉であり、目の前に今存在する物は〈知覚の対象〉であり、またこれから生起するであろう未来の出来事は言わば〈想像の対象〉であると言えます。〈思い出なき記憶〉とは、例えば、あたかも「純粋過去」のようなものではないのか。つまり、それは、一度も現在であったことのない過去の存在であり、したがって想起可能ないかなるものも含まないような記憶のことではないのか。言い換えると、それは、おそらく本質的な忘却と表裏一体の記憶の存在の仕方なのではないか。あるいはそれは、未来と完全に同一の過去という意味を表わしているのではないか。すなわち、この時間の同一性、つまり過去と未来の同一性という脱‐時制性の観点から言うと、未来とは言わば思い出の対象なき過去であると言えるわけです。ということは、未来の出来事は想起の対象になり、それゆえその忘却に対しては、例えば、「未来を思い出せ」という言表が成立することになります。[*4] デュラスの映画『インディア・ソング』(一九七四年) の登場人物たちは、未来を漠然と思い起こそうとしているように見えます。それは、〈オフの声〉によって登場人物たちの過去の出来事が音声的イメージとして語られるのに対して、まさに視覚的イメージにおける別の或るドラマ化の時間作用を有しています (異なる時間における二つの遠近法)。想起することはたしかに過去の出来事の記憶について言われることですが、しかしこれに反して、思い出なき記憶はむしろ未来についての記憶力 (＝想像力）の在り方だと言えます。それは、分子状の様相をもった未来の叙事詩だとも言えます。しかし、この叙事詩は、最小の残り物についての出来事の知覚を基にしており、そこに恋愛の抒情詩が折り重なっていく。それは、奇妙な無関心性によって、つまり過去と未来の無差異性から立ち上がる自己自律的な時間イメージだと言えます（これについては、すぐ後で述べます）。

〈思い出なき記憶〉は、純粋過去のことではありません。つまり、それは、そうした空虚な、しかし或る種の巨大な潜在性の集積回路などではないということです。それは、むしろ思い出以前の瞬間の些細な知覚、すなわち過去と未来とを同一化する現在そのものの特異性の知覚、あるいは過去と未来との無差異性（＝無関心性）のなかでの現前の仕方である。というのも、これら（傍点の部分）は、フーコーが語っているような、「要するに、仕草や視点のうちにしか実際には結晶化されないような、ああいった〈外〉」そのもののことだからです。フーコーは、ここで「結晶化する」（se cristalliser）という動詞を用いています。この〈結晶化〉の概念は、周知のように、後にジル・ドゥルーズが『シネマ2』のなかで現代的映画における時間イメージを主張する際に用いる、もっとも重要な概念の一つとなります。さて、こうした思い出の〈外〉としての記憶、それは、思い出の廃棄によってわずかに残りうる現出であるのかもしれません。フーコーは、一方でデュラスの文学作品のうちに「破棄」（annulation）という様相を読み取り、また他方でデュラスの映像作品のうちに「現出」（surgissement）という形相を見ています。しかし、この破棄と現出は、言わば或る特異な鏡のこちら側と向こう側に対応したものではないのか。この鏡は、まさに〈より小さな完全性へ〉という固有名を有しているのです。

ここまで述べてきたような、デュラスの作品イメージは、それを読まない人においても、つねに現前し読解されていると言えます。端的に申しますと、この〈より小さな完全性へ〉――スピノザから借用した言葉――においては、〈実在の時間〉から〈偽の時間〉への方位性が現われ、またそれは廃棄の過程そのものが言わば現出するということにあります。

Ⅱ　自己自律性について――誰がデュラスを観たのか

私は、以前にデュラスの映像作品をいくつか観たことがある。しかし、その思い出はもはや記憶としてではなく、むしろ漠然とした観念の対象性の水準に保存されているように思われます。というのも、観念は、見る者や聞く者に還元されえないような、その意味での純粋で永遠なる〈対象性＝想念性〉(objectivité) の水準を有しているからです。〈貧素の文学〉はより多く〈最小回路の映画〉へと、あるいは〈思い出なき記憶〉はより多く〈観念の対象性〉へと無限定に継続されていく。それは、まさに諸々の出来事を未完結にするような無限定な持続、有限であるが、しかし無際限なイメージに存しています。

ドゥルーズは、例えば、現代的映画を次のように規定しています。「視覚的なものと音声的なものは、二つの自己自律的イメージを、つまりそれらの間の非合理的切断によってつねに分離され、解離され、離脱するような、一つの聴覚的イメージと一つの光学的イメージとをもたらすのだ」[*5]［強調、引用者］。古典的映画から現代的映画への移行に際して、この両者をもっともよく特徴づけるのが〈時間の体制〉の違いにあることはたしかでしょう――すなわち、運動によって時間が測定されるというアリストテレス的な経験的時間の体制（時間とは「運動の数」（arithmos kinēseōs）である）[6]から、これを転換して、時間がむしろ運動の的条件になるというカント的な超越論的時間の体制への転換[7]。さて、ここでもっとも重要な知覚はドゥルーズが言う「自己自律的イメージ」であり、この概念自体は、カントが『判断力批判』のなかで「自律性」（Autonomie）に対してまさに問題提起した概念、「自己自律性」（Heautonomie）に由来します[8]。では、自己自律性とは何か。それは、要するに、或る対象領域に向けた規定的な立法行為の自律性ではなく、自己自身に向けた、しかし対象なき立法行為の、つまり反省的判断力に固有の特性あるいは様相である。言い換えると、これは、もっともよく内在性の諸規準を表わす概念の一つであると言えます。私たちは、子供の頃、まったく独自の遊びを考え出して、それに夢中になったりしました。そこには、たしかにいかなる目的も、また何の意味や価値もありませんが、しかし単に純粋に戯れるための自己に向けた立法行為があったように思われます。そのときの知覚の変化にともなって、そこにはまさに固有の喜びや悲しみの情動も生起していたのではないでしょうか。例えば、私は、小学校からの下校の際にこんな自己自律的イメージに触発されたことがあります――学校から自宅まで道路に引かれた白線の上だけを通って帰えること。これは、まさに自己に向けた立法行為以外の何ものでもありません。子供時代というのは、実はこうした自己自律的なイメージに溢れていたのです。大人になると、われわれはこうしたことをほぼ忘れています（つまり、他律性と自律性だけになってしまいます）。アンドレイ・タルコフスキーの『ノスタルジア』（一九八三年）の最後では、お湯が抜かれた広い温泉に降り立った主人公のゴルチャコフは、ライターでロウソクに火を点けて、その火を消さずに温泉の一方の側から反対側に行って、そのロウソクを立てようとします。何度か途中で火が消えてしまうが、その度に温泉の端の出発点に戻って再び同じことをする。これは、まさに自己自律性に関する一つの典型的なイメージでしょう。しかし、ここでの問題は、音声的なものと視覚的なものとが、あるいは聴覚的なものと視覚的なものとが、それぞれに自己自律的イメージを獲得し、その結果として相互に共立不可能な離接性がその間に生じてくるということです。自己自律性は、まさに〈対象なき立法行為〉であり、それゆえ自己に向けた立法行為なのです。

ドゥルーズは、デュラスについて次のように述べています。「視覚的イメージにおいては、灰の下あるいは鏡の裏の生が見出されるが、同様に音声的イメージにおいては、演劇から分離し、またエクリチュールからもぎ取られた純粋な、しかし複義的な発話行為が抽出される[*9]」。デュラスの作品は無限定な持続における出来事の流れそのものであり、それは、人間の諸特性を愛するがゆえに、逆に人間の諸特性に無感覚になる廃棄の過程でもあります。たしかに音声的イメージと視覚的イメージとの間には、無数の分子状の諸々の連結があります。しかし、そうした諸結晶は、本当に鏡を破壊しているのでしょうか。そこにはむしろ鏡の効果とかなり似たような乱反射のような連結が、もちろんそれらは非合理的切断におけるあるいは齟齬をきたしたなかでの再連結ではありますが……。ここには、明らかに音声的なものはむしろ能動的破壊を構成していますが、これに反して視覚的な光学的イメージはむしろ受動的消滅のうちにあるかのようです。デュラスの『インディア・ソング』では、たしかに〈オフの声〉は何でも知っているという全知の声をまったく放棄して、「どれ一つとして全能とはならない」が、しかし、自律性に対してより多く無力能になるがゆえに、それだけ固有の自己自律性をより多く獲得することになります。

ところで、視覚も聴覚も、ともに人間身体の存在を構成する触発の異なる感覚であると言えます。つまり、現代的映画における二つの自己自律的イメージは、たとえ非合理的に切断され、相互に離接的になったとしてもそれぞれの問題に触れること、問題という触発を受けることを可能にしています。しかし、こうした自己自律化した二つの感覚イメージは、けっして採取された最初の身体に返されることはできないでしょう。もはや身体は、別の身体の触発へと移行しているからです。これは、言い換えると、意志において世界を信じることから、身体においてこうした自己触発イメージを認識することへの移行である。こうした身体の移行は、それらの問題に触れることで可能となる言わば〈戦略の身体〉だと言うべきかもしれません。ドゥルーズは、『インディア・ソング』以前の『ガンジスの女』(一九七二年)であれ、それ以後の『ヴェネツィア時代の彼女の名前』(一九七六年)であれ、二つの自己自律的イメージがおよそ無限において触れ合うこと、つまり無限に〈触れること〉を強調しています。[*10] このことを図示すると、「図1」のようなものになるでしょう。

しかし、たとえ無限遠点においてであっても、こうした意味での〈触れること〉は、言わば〈収束〉を示しているのではないでしょうか。二つの自己自律的イメージの再連結は、むしろいかなる収束もなしに触れ合うことが問題なのではないでしょうか。例えば、経験上の鏡は、左右

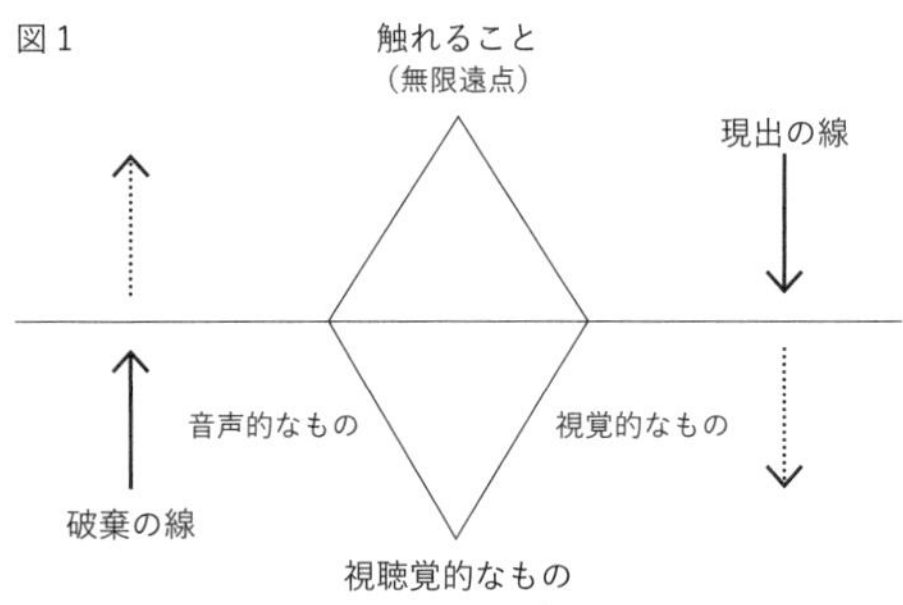

を反対にしたりするだけの単なる〈表面鏡〉です。しかし、こうした鏡だけでなく、われわれは或る超越論的な鏡を考えることもできます。つまり、それは、鏡のこちら側に在るものを単に左右逆転して写し出すだけでなく、むしろ〈表現鏡〉とでも呼びうるようなもののことです——例えば、鏡のこちら側では様態であるものが、その向こう側では実体となる（スピノザ）、あるいは鏡のこちら側では現象であるものが、その向こう側では物自体となる（カント）、あるいは鏡のこちら側では現働的なものが、その向こう側では潜在的なものとなる（ベルクソン）ような特異な鏡。デュラスにあるのは、実はこうした鏡の一種ではないのか——こちら側での聴覚的なものと視覚的なものとの或る混合体は二つのまったく異なる自己自律的イメージへと分岐していくが、その向こう側に在るのはただ視聴覚的にけっして交差することのない、ただ触発されることしかできない諸々の線（話すこと、読むこと）だけです。無限遠点での交差は、たしかに出発点の視聴覚的イメージに対応しています。しかし、デュラスの二つの自己自律的な感覚イメージは、それ以上にこの両者の間の一つの触覚として存するものなのではないでしょうか。それらは、個々の感官に限

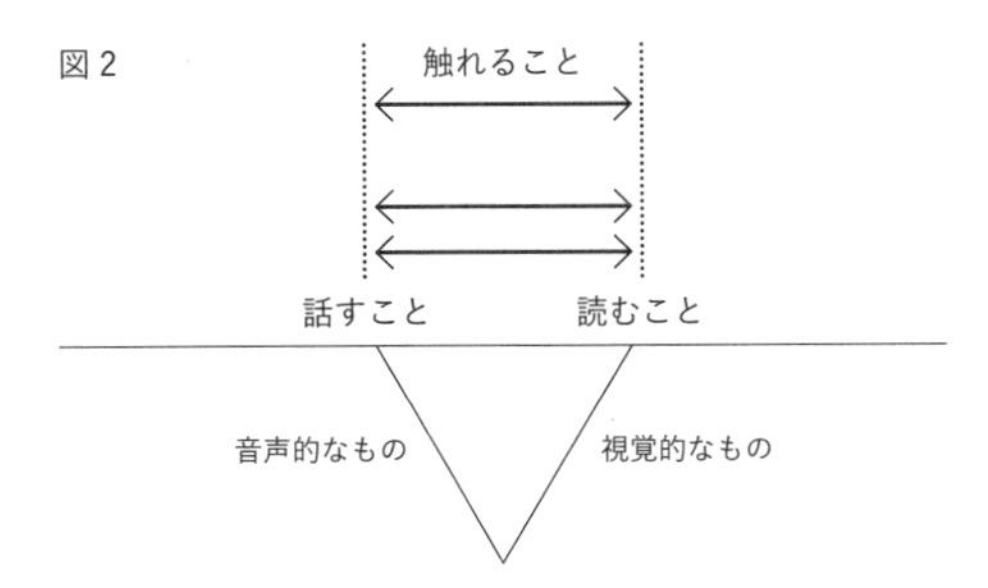

定されない、先に述べた移行する身体の触発のことだと言えます。つまり、それこそが、まさに自己自律化した二つのイメージの「複雑な結びつき」あるいは「新たな交叉、特殊な再連結」に関わるのだと言わなければならないでしょう[*11]（［図2］）。

さて、自己自律性は、それが与えられた対象領域をもたないにしても、或るものの形成の秩序に関わり、それに存するのはたしかなことです。私がここで提起するデュラスにおける〈より小さな完全性〉は、悲しみの表現でも、或る不完全なものに近づいていくことでもありません。それは、ただ受動感情（非十全な愛と相対的な欲望）の体制を小さくすることで、受容性とはまったく異なる〈能動－受動〉の不在の感覚、この意味での或る種の〈無感動性〉に到達することなのです。デュラスは「俳優の無人化」という言い方をしていますが[*12]、これは、むしろ人間そのものの脱－擬人化、あるいは俳優たちの非－人称化への〈傾向－趣味〉がその基盤にあると言えます。こうした俳優の無人化あるいは脱擬人化は、人間のニヒリズムの最小化にも関与していることはたしかです。またデュラスは、さまざまなところで「破壊」という言葉を用います。それは、言わば一つの戦略です。貧素な芸術、思い出なき記憶は、階級の外に存在する者を掬い上げて一つの小さな多様体、つまり「暴力的階級」の様式になるのです。それは、相互に媒介し合うことで機能しているすべてのもの——裏切りも、矛盾も、対立も、まさに媒介的に機能するものです——に対して非合理的切断をもたらす様態のことである。それらは、知覚にともった諸感情を単に除去していくのではなく、感情を減算することでしか現われえないような〈被知覚態〉(percept)としての視覚的イメージであり、それと同時にその原因となる知覚を徐々に廃棄していく限りで辛うじて抽出されるような〈被情動態〉(affect)としての音声的イメージからなるものである。

結論に代えて——実践から戦略へ

デュラスのなかには、たしかに特異な鏡が存在する。それは、鏡のこちら側での破壊の能動性を向こう側では消滅の受動性として現出させるものです(時間の鏡)。デュラスにおける〈オフ性〉——オフ・ヴォイスとオフ・スクリーンとに共通の特性——は、こうした鏡として機能する、より小さな完全性の回路をなしているように思われます。しかしながら、デュラスにおいては、音声的なものと視覚的なものとの間の非合理的切断の並行論は、必ずしも明確ではありません。発話行為に対応した自己自律性を視覚的なもの(〈家 - 庭園〉であれ、〈海 - 海岸〉であれ)が到達しているのかと言うと、それはおそらく不十分であるように見えます。現代的映画におけるこの「現代的」とは、単に音声的なものが光学的なものから能動的に離脱することだけを意味しません。

つまり、「語ることは、見ることではない」（ブランショ）と言うだけでなく、「見ることは、語ることではない」と言わなければならないでしょう。

観念の対象性は、音声的なものにも光学的なものにも含まれています。ここで私が言う観念の対象性とは、まさにドゥルーズが提起する「思考されないもの、喚起しがたいもの、説明不可能なもの、決定不可能なもの、通約不可能なもの」のことです。たとえ自己自律的となって非合理的に切断されているとしても、二つのイメージそれ自体は、観念の対象性のうちにあります。そこでの離接的イメージは、一方的な発話行為による視覚の力からの離脱だけです。つまり、視覚的イメージは、離脱した音声的イメージの問題投射によってはじめて新たな課題や価値に赴くように思われます。しかし、非合理的切断を平行論として考えると、それは、一つの二重性を、つまり非対称的な離脱の諸度合を有していなければならないでしょう。デュラスにおいては、発話行為の能動的破壊がその映像作品のうちに現出するが、しかしそれは、どこまでも光学的なものの受動的消滅の地平に、つまり〈海洋－流体〉性に抱擁される限りにおいて可能となっている。現代の映画は、新たな実践的課題を超えて、戦略の身体を触発する必要があるのではないでしょうか。

*1 本稿は、「マルグリット・デュラス――映像の彼方へ」(二〇一六年三月六日、於 立教大学・新座キャンパス)という公開講演会のなかで行なわれた鼎談「文学/映像/身体」のために準備した筆者の短い発表原稿に今回大幅な加筆・訂正を施した論考である。

*2 Cf. Michel Foucault, «À propos de Marguerite Duras, *1975*», in *Dits et Écrits, Tome II, 1970-1975* (édition établie sous la direction de Daniel Defert et François Ewald), Gallimard, 1994, pp.762-771(「マルグリット・デュラスについて(エレーヌ・シクススとの対談)」、中澤信一訳、『ミシェル・フーコー思考集成 V』所収、筑摩書房、二〇〇〇年、三八五-三九七頁、参照)。

*3 Cf. Jean-Paul Sartre, *L'existentialisme est un humanisme*, Nagel, 1970, pp.21-24(『実存主義とは何か』、伊吹武彦訳、人文書院、一九五五年、四一-四三頁)。

*4 こうした時間の様態を描いた映画に、ドゥニ・ヴィルヌーヴ監督の作品『メッセージ』(二〇一六年)があります。エイリアンの時制なき言語は、この映画においては実は何よりも過去と未来との同一性を示しているように思われる。つまり、この場合の時間の様態は、三つ(現在と過去と未来)ではなく、現在と非-現在という二つだけになります。この時制なき言語を解読しようとする主人公の言語学者ルイーズに与えられる一種の啓示、あるいはこうした言語を習得しつつあるなかで初めて与えられる直観は、まさに「未来を思い出せ」ということにある。それは、希望や恐怖という時間上の不確かな感情と混ざり合った運命論などではなく、意志なしに肯定しうる未知の思考における様相だと言えるでしょう。言い換えると、それは、まさに言語の〈道具から武器へ〉の移行です。

*5 Gilles Deleuze, *Cinéma 2, L'image-temps*, Minuit, 1985, p.329［以下、*IT* と略記］(『シネマ2 時間イメージ』、宇野邦一・他訳、法政大学出版局、二〇〇六年、三四八頁)。

*6 Cf. Aristotelis *Physica*, W. D. Ross, Oxford, 1950, 218b21-219b9(アリストテレス『自然学』、藤澤令夫訳、『ギリシアの科学』所収、中央公論社、一九八〇年、一一六-一一九頁)。この場合の運動とは、或る一定の運動をするもの、つまり等速的で周期的な運動を繰り返すもの(振り子、天体、等々)のことであり、それゆえ時間の観念とは、それらの運動を数えることで与えられることになる。

＊7 G. Deleuze, *IT*, pp.355-356（373頁）。

＊8 この言葉自体は、heautou と Autonomie との合成語であり、あたかも一つのカバン語のようである。これについてカント自身は、次のように述べています。「したがって、判断力は、自然の可能性のためのア・プリオリな原理を自己のうちに有しているが、しかし主観的な観点においてでしかない。つまり、この原理によって判断力は、（自律として）自然に向けてではなく、（自己自律として）自然を反省するために自己自身に向けて法則を定めるのである」（Immanuel Kant, *Kritik der Urteilskraft*, Philosophische Bibliothek, Meiner, 7. Aufl., 1990, Einleitung, V, p.22（イマヌエル・カント『判断力批判』、篠田英雄訳、岩波文庫、一九六四年、上・四七頁））。

＊9 G. Deleuze, *IT*, p.335（三五三頁）。

＊10 「音声的なものと視覚的なものが無限遠点で「触れること」」、「二つのイメージの共通点に、つまり無限に触れること」（Cf. G. Deleuze, *IT*, p.335（三五三－三五四頁））。

＊11 G. Deleuze, *IT*, p.330（三四八頁）。

＊12 「私は、俳優の「無人化」ということさえ語ったことがある。それは、『インディア・ソング』には、全体にわたる無人化があると思う。誰一人としてその場には、私がその人を置いたところにはいない。（……）ここでは彼らが現在を創造する。俳優がね。彼らは自分自身に対して以外何に対しても現前してはいない。それは、弛緩し、放心し、ぼんやりした現前なの」（マルグリット・デュラス／ドミニク・ノゲーズ『デュラス、映画を語る』、岡村民夫訳、みすず書房、二〇〇三年、七〇－七二頁）。

骨と血からなる〈非－存在〉

立教大学の現代心理学部映像身体学科に所属している江川と申します。私の専門は、西洋哲学です。とりわけ二〇世紀のジル・ドゥルーズという哲学者を研究していますが、自分自身、単なる「哲学研究」をするような学者ではなく、「哲学者」になりたいと考えたときに、とくにスピノザとニーチェの哲学が私にとってきわめて大きなものでした。そして、徐々に気づいたことですが、スピノザとニーチェとドゥルーズという一つの系列を展開することに自分の哲学的課題のすべてがあるのではないかと思うようになりました。この課題を一言で言うと、それは、まさに「倫理（エチカ）」です。哲学と言えば、ほとんど人間精神を中心にして考えますが、スピノザは哲学に人間身体を本質的に導入した最初の哲学者です。初めて哲学的思考のうちに身体を導入して、精神と身体とはまったく異なるけれども、存在論的には対等であるという衝撃的な考え方――存在の一義性――を提起しました。これは、言い換えると、精神と身体を相互に分離し抽象化して、双方を単独でしか考えないということを徹底的に否定する立場です。精神（イメージや意味や価値、等々）について考えていても、つねにそれに並行する仕方で身体の存在あるいは身体の触発が考えられなければならないでしょう。そして、身体の触発は、第一次的には精神において感情として表現されます。この〈エチカ〉の系列は、この意味において精神と身体との、あるいは精神のアフォリズムと身体の遠近法主義との、あるいは言表作用の集合的作動配列と身体の機械状作動配列との間の並行論を展開するもっとも強力な哲学的思考だということです。そして、本日のテーマにつながりますが、ドゥルーズがアントナン・アルトーの「器官なき身体」という考え方を取り上げているのをきっかけにして、私はアルトーを知りました。

私は以前に『死の哲学』(二〇〇五年)という本を書きましたが(本書に収録)、その表紙はスピノザとアルトーが二重写しになっています。死(あるいは不死)をテーマにしたものですが、私にとってスピノザとアルトーは、ほとんど同じ系譜のうちにあります。もちろんそれぞれに恐るべき隔絶した諸特徴があります。しかし、身体についてスピノザが言っていなかった部分を、アルトーによって補完できるという面もあります。あるいは当然のことながら、スピノザにけっして還元されえないようなアルトーの思考というのもあります。そういう観点から私は、二一世紀における〈エチカ〉を書こうと努力しています。ちょうど二年前に『アンチ・モラリア』という著作を出版しましたが、そこでも私は、つねにアルトーについて考えていました。私は、アルトーを単に学問上の研究対象にしてきたわけではなく、むしろアルトーが問題化していたことを生の問題あるいは実存の様式としていかに哲学的に表現できるのかという仕方で考え続けてきました。

ところで、哲学においては、その哲学に固有の概念的人物というものが含まれています。例えば、プラトンであれば、ソクラテスがその典型的な概念的人物像に当たります。カントであれば、

「市民」あるいは「裁判官」が、マルクスであれば、「労働者」あるいは労働者からプロレタリアートへの生成変化がまさに概念的人物だと言えます。ニーチェだったら、ツァラトゥストラあるいはディオニュソスがそれに値しますね。ドゥルーズだったらどうでしょうか。「ノマド（遊牧民）」という概念的な人物があります。遊牧民だったらどういう風に物を配分するのだろうか、どのように身体が触発されているのだろうか、そういうことから人間を考えたり自然を考えたりするわけです。あるいは「来たるべき民衆」もそうだと思います。では、アルトーの概念的人物とは何か。それは、私にとっては「難民」になります。移民ではありません。しかも、それは、言わば〈絶対的難民〉と称されるべきもののことです。存在上どこにも行くことができず、移動できる場所がこの世界にないような存在者のことです。つまり、絶対的難民とは、存在そのものに対する難民ということです。このことは、アルトーが存在を嫌悪したことと深くつながっています。

　さて、本日、お配りした資料は、『アルトー後期集成』の第二巻がようやく今年（二〇一六年）出て、全三巻が完結しましたが、それに関する私の書評です。今回、出版されたこの『アルトー後期集成』のなかで、とりわけ『手先と責苦』のこの第二巻の翻訳は、画期的だと思います。また第三巻の『カイエ』は、同様に重要なものです。最近、ドゥルーズがフーコーやガタリやクロソウスキーらに送った書簡を集めたものが出版されましたが、そのなかにアンドレ・ベルノルドという文学研究者に送った手紙があります。そこにアルトーについての言及があります。簡単に言うと、ドゥルーズは、はっきりと『ヘリオガバルス』と『カイエ』が最重要であると書いています。アルトーの作品のなかで比類なき仕方で君臨するのは『ヘリオガバルス』であり、また『カイエ』のなかにすべての最終的な理由を見出すことができるという言い方さえしています。あるいは非有機的な生気が関係づけられるのは『ヘリオガバルス』と『カイエ』の内部だけである、と（『ドゥルーズ　書簡とその他のテクスト』）。私は、アルトーについて何かを書く場合、自分の精神のうちで彼の言葉がどのように展開するのかを密かに見守る、そういうことを大事にしたいと思っています。書かれたものの外側に視点を置いて読み解くということでは、アルトーのテクストがもつ意味あるいは非意味は失われてしまいます。映像身体学というのも、実はそういうものだと思っています。自分の知性や精神のうちで、自分の意志とは関係なく、その対象が自ずからどのように展開していくのか――それらを静かに見て行く、そして書き取る、あるいは聞き取ること。これは、単なる視点ではなく、視線や遠近法のなかでそれらを知覚するということです。

さて、これから読んでいきたいのは、この「骨と血からなる〈非−存在〉」という表題の私の書評です。骨と血というのは、器官なき身体のことです。しかし、それは、単に存在するものではないんですね。この場合の身体とは、存在に対する抵抗性の身体のことであり、身体のそうした触発あるいは変様のことです。副題は「アントナン・アルトーにおける脱−墓石化の身体」と書いてありますが、これは、墓場に葬られない永遠の身体のことであり、アルトー自身が言っていることです。では、少しずつ読んでいきたいと思います。

＊＊

骨と血からなる〈非‐存在〉
アントナン・アルトーにおける脱‐墓石化の身体

（『アルトー後期集成Ⅰ、Ⅱ、Ⅲ』宇野邦一・鈴木創士監修、河出書房新社・書評）

アントナン・アルトーは、「残酷演劇」を提唱した。では、残酷とは、そもそも何であるのか。おそらくそれは、一つの情動である。残酷とは、スピノザによれば、自分の愛する者あるいは憐れむ者に対して害悪を与えるようにわれわれを駆る欲望のことである（『エチカ』）。つまり、残酷は、人間におけるもっとも本質的なものとしての欲望の一つの特異な在り方なのである。そうだとすれば、アルトーは、いったい何に対してこの「残酷」という情動に刺激されたのであろうか。あるいは、アルトーは、どのようにして「残酷」という既知の感情をまったくの未知の情動として提起しようとしたのであろうか。残酷演劇の問題は、おそらく実現可能とか上演不可能とかといった水準にはない。そんなことは、どうでもいいのだ。というのも、残酷演劇は、存在上の実現をまったく問題にしていないからである——残酷演劇、それはむしろ反‐実現の欲望である。

宇野邦一氏と鈴木創士氏の二人が監修者となって刊行された『アルトー後期集成』全三巻が、ようやく完結した。世界的に見ても、稀有な集成であることは、間違いない。第一巻と第三巻がともに二〇〇七年に、そして残っていた第二巻が今年の三月に出版された。全三巻で一四〇〇頁以上になるまさに記念碑的な書物である（訳者による各テクストの「解題」も付されており、読者にとって大きな助けとなる）。アルトーは、一八九六年生まれで、一九四八年に五一歳で亡くなっている。この後期集成には、アルトーによっておよそ最後の五年間に書かれたテクストが中心に収められている（ただし、一九三六年のメキシコ旅行中から書かれていた『タラウマラ』が含まれているので、監修者が言うように、この場合の「後期」は、広い意味では、むしろこの「メキシコの旅以降」を意味すると考えた方がよいかもしれない）。

第一巻には、『タラウマラ』、『アルトー・ル・モモ』、「アンリ・パリゾーへのロデーズからの手紙」、「此処に眠る」、等々が収められている。第二巻は、『手先と責苦』の全訳である。第三巻は、「アルトー・モモのほんとうの話」、「アンドレ・ブルトンへの手紙」、そして「カイエ1945〜1948」からなる。このなかでも、評者がとりわけ画期的だと思うのは、『手先と責苦』と「カイエ1945〜1948」（四〇〇冊以上に及ぶ、小学生用のノートに書かれた断片的なテクスト群から重要な部分を抜粋したもの）の翻訳であろう。

さて、アルトーがつねに刺激されるのは、存在しない〈事例〉である。というのも、とくに一九四五年以降のアルトーは、まさに存在を嫌悪して、身体が存在に帰属することに最高の強度を以って抵抗したからである。こうした身体は、墓場に葬られるような身体ではなく、不滅で、不死で、変化する身体である（「演劇と科学」、「魔術にかかると」）。それは、単に存在している身体のことでも、あるいはかつては存在していたが、今ではその〈存在〉が否定され、墓場に葬られて、言わば〈否－存在〉となった身体のことでもない。アルトーが言う「変化」は、或る身体の存在に生起するものでもなければ、或る身体の〈存在〉からその身体の死としての〈否 - 存在〉への移行のことでもない。「俳優にはこの、身体を移すという役目がある／……／というのも、叫びと、／有機的に、／それに伴う気息は／あの力をもっているからだ。身体を高め、／生気の状態、自らの内壁の閃光の状態、力と才能と声の真なる沸騰の状態で身体を投射するという力を」（「ピエール画廊で読まれるために書かれた三つのテクスト」）――そう！　すべての問題は、〈別の身体へ〉ということにある。

アルトーのこの後期集成は、まさにこの〈別の身体へ〉の叫びであり、気息であり、これらをともなった声（無限の外部）からなる。これらの集成は、こうした意味で、或るまとまりをもった作品でも、まとまりのないテクストを一つに集めた断章群でもない。つまり、これらは、単に別の存在を主張するために書かれたものでも、現行の存在を単に否定しようとして存在しないものの側から無への意志によって書かれたものでもない（宇野邦一『アルトー　思考と身体』の「存在と身体」と「対決」を参照）。こうした叫びや気息は、意味や価値といった非身体的なものの変形と限りなく反転しうるようなもの、つまり残酷性の演劇言語である。それらは、〈別の身体へ〉を直接に触発するものであり、盛り狂わされた「記号 - 微粒子」（ガタリ）からなる言表態である。アルトーのテクストは、存在しない身体から発生した生ける痕跡である。言い換えると、それは、「或る身体から別の身体へ」という仕方でしか存在しえないような身体が有する属性そのものである。

評者は、アルトーをスピノザと同じ系列あるいは系譜に位置づける者である。というのも、この二人だけが、上述したような意味での〈別の身体へ〉を真に人間の臨床の問題として意識していたからである。スピノザにとっての〈或る身体から別の身体へ〉とは、自己の身体の存在からその身体の本質への移行であり、言い換えると、自己の身体の存在上の触発からその身体の本質における触発への転換のことである。しかし、アルトーは、「身体の本質」などという言い方はけっしてしない。アルトーは非本質主義者であり、したがってそれに代わるのが、まさに器官なき身体である。ここには、身体に関する〈非‐存在〉の全観念がある。それは、このようにして身体の強度的本性と器官なき身体という系譜学的諸要素から発生したものとしてわれわれのうちでもっとも確実なものとなる。

アルトーには、固有の非論理がある。あるいは、この非論理には、徹底的に何かを避けるという或る種の減算の論理が含まれている、と言うことができる。避けるべきもの、それは、存在の論理と有機体の感覚のなかで処理されただけの言説との集合体である。すでに述べたが、アルトーは、徹底的に〈存在〉を嫌悪した。しかし、だからと言って、アルトーは、単に〈存在しない〉ことを称揚したわけではない。〈存在しない〉には、実は二つの仕方が、つまり〈否〉と〈非〉という様式がある（これらを区別するのに、とくにギリシア語がもつ二つの否定辞――〈ウー〉と〈メー〉――が有効となる）。これらは、すでにシェリングが提起し、ドゥルーズが大胆に展開した考え方でもある。アルトーのテクスト群は、存在するのであれ、存在しないのであれ、〈非‐存在〉（メー・オン）からなる。より正確に言うと、こうした〈非‐存在〉を支えている限りでのテクストは、肯定的で積極的な或る実在性とその言表作用とからなる。第一に、この或る実在性とは、まさに〈別の身体へ〉の実在性である。第二に、この身体が発する気象現象のごとき言表作用があるが、それが特異な非論理的方法を有するのである。この方法は、実はドゥルーズによって「対言＝矛盾」（コントラ・ディクション）の論理に抗して提起された、まさに「副言」（ヴィス・ディクション）という出来事の論理あるいは非論理でもある。アルトーのテクストには、〈存在〉（オン）と〈否‐存在〉（ウーク・オン）との間の「対言＝矛盾」の関係を変形する力がある。端的に言うと、別の身体へ、あるいは器官なき身体は、非共可能性を唯一の様相とする諸々の出来事の発生的要素なのである。

副言は、あくまでも一つの方法であり、また非論理的である限り、形式化できないであろう。というのも、副言がもつ非論理性は、身体の受動的な異他的変様＝触発をそのまま能動的な自己変様＝触発へと反転させうるような力能に由来しているからである。副言が見出され意識化されるのは、とりわけ何らかの抵抗性においてである。出来事を特異化する諸抵抗は、〈否‐存在〉に相関するのではなく、まさに〈非‐存在〉を支持する連続性のうちにある。アルトーの驚嘆すべき言説がある――「ありのままの自分の身体によって抵抗し、日常生活が要求するなすべき努力を前にしての、あらゆるなりゆきまかせに対する日々の抵抗の意志によって身体を知ろうとすることは、まさにそれだけが、人間にできること、なすべきことだから」（『手先と責苦』）。これは、言わば〈副言の身体〉についての言及である。アルトーは、こうした方法を一つの極限にまでもたらす。それは、存在と否‐存在を非‐存在へと変質させ落下させる過程そのものである。アルトーは、そうした非物体的なものの変形を出来事として発生させる身体しか信じない。身体は、もっとも実在的な〈非‐存在〉なのである。しかし、それは、まさに血と骨だけでできた〈非‐存在〉、すなわち器官なき身体である。それは、表象の言語や論理だけでなく、物理的因果性が刻印される有機体にさえも先立つような、出来事の変形の身体である。〈矛盾の存在〉は、こうした〈副言の身体〉に由来するのだ。アルトーには、この〈非‐存在〉をめぐる思考上の苛烈な系譜学がある。アルトーのテクストは、奇妙な副言についての異様な直観から存立している（この意味でアルトーのテクストあるいは狂気は、言語化も、制度化も、対象化もできないような、副言のもっとも明晰判明な非論理のもとにある）。まったくの非論理的な出来事の〈非‐存在〉は、最後には器官なき身体になる。それは、〈非論理から反物質へ〉の身体である。それゆえ、アルトーのテクスト（＝副言）は、つねに叫びと気息をともなっているのだ。

この後期集成は、まさに器官なき身体から発生するもっとも反時代的な〈気息‐気象〉である。残酷とは、一つの流産＝逆流する情動である。ここに、残酷の哲学が生起する――〈アルトーにはアルトーを〉。しかし、私は、アルトーを少し概念化しすぎたのではないかと畏れる。（『図書新聞』、三二六〇号、二〇一六年六月二五日掲載）

＊＊

以上が、今回の私のアルトー論です。私は、アルトーが問題提起する身体の問題を演劇の領域を超えた、人間一般に関わる一種の臨床の問題だと考えています。アルトーは、人間の或る身体を別の身体へと作り直すことをつねに考えていました。たしかに病気の身体から健康な身体へというのも、一つの臨床的な問題ですが、しかしアルトーは、明らかにまったく別の臨床の問題を、つまり有機的身体から無機的身体への移行を欲望していました。スピノザも、同じような臨床の問題を捉えていました。「われわれは、この生において、とくに幼児期の身体を、その本性の許す限り、またその本性に役立つ限り、もっとも多くのことに有能な〈別の身体〉に、そして自己と神と物とについてもっとも多くのことを意識するような精神に関係する〈別の身体〉に変化させようと努める」（スピノザ『エチカ』、第五部）。さらにアルトーには、こうした臨床の問題と同時に、精神の問題も、つまり批判の問題もあります。この二つの問題は、完全に並行論の関係をなしています。アルトーの批判の問題とは何か。それは、例えば、いかに演劇を文節言語から引き離して、非文節的な音調性と結びつけるのかということです。〈別の身体へ〉というのは、アルトーが存在を嫌ったということ、すなわち存在の論理をもつ精神を嫌ったということでもあります。

冒頭で述べたように、哲学は、精神をいかにして変化させるのかという問いを絶えず考えてきました。プラトンの哲学は、その典型だと言えます。というのも、それは、何よりもわれわれが用いるロゴス（言葉、言語、論理、等々）を上昇させることによって精神あるいは魂の上昇的変化を達成しようとするものだからです。われわれのロゴスは、最初は物に張り付いた仕方で「下に」存在しています。古代ギリシア語では、「下へ」という接頭辞は「カタ」であり、したがって、ロゴスの下向的な使用は、〈カタ・ロゴス〉——カタログ（catalogue）の語源——と言われます。要するに、それはカタログ言語ですね。プラトンは、そこから精神をもっと上昇させろ、ロゴスを上げるんだと言う。「上へ」という接頭辞は「アナ」です。それは、〈アナ・ロゴス〉、つまりアナロジー（analogy）のことです。アナロジーは、一般的には既知のものから未知のものへ向かって類推していくという意味をもっていますが、元はこうしたロゴスの上向的使用を意味していました。さて、どうでしょうか。この考え方は、実際には身体なんてあたかもないかのように、批判の問題だけが肥大化していく過程だと言うことができます。身体の触発も臨床の問題も、ここにはほぼありません。さらに言うと、例えば、ヘーゲルの『精神現象学』、それは立派な本ですが、どれほど画期的でも扱われているのは人間の半身、半分だけ、つまり精神だけです。身体の問題は、まったく考えられていない。精神が変化するならば、それとともに変様するような身体は現実に存在しないのかということです。スピノザの並行論は、実は単に精神と身体とが並行関係的に対応しているなんていう理説ではありません。それは、むしろこの両者の生成変化が並行しているということを肯定するものです。

こうした事柄については、まさにアルトーも同じ考え方を有していたと思います。さて、もう一度「残酷」について考えてみましょう。アルトーは、「残酷」について次のように述べています。「私が残酷の演劇を提唱するのはそのためである。――今日のわれわれは、何もかも低俗化する悪い癖をもっているので、私が「残酷」という言葉を口にすると、誰もが「血」という意味に理解する。だが「残酷演劇」とは、第一に、私にとって残酷で困難な演劇のことである。そして、上演の次元においては、互いに相手の身体を切り刻み合ったり、鋸を使って生体解剖したり、あのアッシリアの皇帝たちのように、人間の耳や鼻や巧みに切り取られた鼻腔を袋詰めにして、郵便で送りつけて与え合う残酷のことではなく、事物がわれわれに働きかける遥かに恐ろしい、遥かに必然的な残酷のことである」（『演劇とその分身』、「名作との縁を切ること」）。何かを切り刻もうとするとき、われわれの目の前に開かれるのは、切り刻もうとする対象に対するわれわれの無際限な分割の可能性です。つまり、もっと細かくしようかなとか、分けるのは一回だけにしておこうかなとか。こうした可能性の様相のもとにある限り、事柄は、けっして残酷にはなりえないということです。そうではなく、ただ一つの残酷、「必然的な残酷」しかないんだ、とアルトーは述べています。つまり、残酷には必然性の様相しかないということです。

　先ほど読んだ書評のなかで、私は、アルトーには或る種の〈減算の思考〉があると言いました。その一つとして、今述べた様相を徐々に減らしていくという演劇があります。それが、まさに残酷演劇なのです。われわれ人間は、様相――偶然性、可能性、必然性、現実性、潜在性、現働性、等々――の数が多ければ多いほど自由で豊かだと思っています。人間は、さまざまな様相があった方が良いと考えて、おそらく歴史的にその数を増やしてきたんだと思われる。ところが、スピノザは、それに逆行する仕方で様相をむしろ減算して、必然性しかないと言いました。アルトーも、まさに必然性のなかで「残酷」を考えていきました――「残酷は何よりもまず、明晰であり、一種の厳格な方針であり、必然への服従である」（『演劇とその分身』、「残酷についての手紙」）。可能性のなかでの言葉や情感をもとにして一つの演劇を作るのではまったくない。それしかない、それ以外にはありえないという必然性に関する〈情動〉（affect）のあり方を、アルトーは残酷と呼びたいんだと思います。

スピノザは、「残酷」を次のように明確に定義していました。残酷とは、「自分の愛する者あるいは憐れむ者に対して害悪を与えるようにわれわれを駆る欲望」のことである（『エチカ』、第三部、「諸感情の定義」）。自分の憎む者が、実は自分を愛してくれていると気づく、あるいはそのように表象すると、やはり愛されているならば、たとえ憎んでいたとしても何とか愛し返そうとするわけですね。言い換えると、たとえ憎んでいても、自分の憎む者から愛されていると想像する人は、憎しみと愛とに同時に刺激されるであろうということです。しかし、スピノザは、もしそうであっても憎しみが優位を占めるとすれば、つまりその者の憎しみがその愛を上回っているのだとすれば、たとえ愛されているとわかったとしても、その者は自分を愛してくれる者に対して害悪を加えようと努めるであろう、と言うんですね。このような感情は、たしかに残酷と呼ばれうるでしょう。そして、とりわけ愛する者が、憎しみの如何なる一般的原因も与えなかったと考えられる場合には、とりわけ残酷である、と。スピノザが述べているこうした感情は、情緒や情感、気分や情念のことではありません。それは、或る意味でそれに触発された者を超えたような、つまり知性や理性によって管理することのできないような、言わば〈被情動態〉とでも訳すべきアフェクトであり、言わば永遠の対象性をもったもののことです。

アルトーは、何故あのように存在を憎むのか。われわれは、例えば、存在に守られている、あるいは自分は単に実存しているだけでなく、人間の本質のもとにあると了解しています。人間は、たとえ自分の現実存在が多少の悲惨さにあったとしても、その本質だけは自分を肯定し愛してくれている、とそのように無意識的にも理解しているのではないでしょうか。しかし、そういう人間の本質や本性に対してさえも憎むという残酷の〈情動‐欲望〉を、われわれはアルトーのうちに感じることができるのではないでしょうか。このようにして、アルトーが考えている残酷性あるいは残酷演劇をスピノザの残酷の定義から考えることができます。

さて、最後に批判と臨床の問題に戻ります。アルトーの残酷演劇においては、〈別の身体へ〉という移行と、その身体が発する非論理的な、しかし出来事として存立する副言という位相とがまさに不可欠な要素なのではないか、そのように私は考えます。ここには、身体に関する〈非‐存在〉の全観念があるように思います。それは、身体の強度的本性を系譜学的要素として発生したものです。ここで言う系譜学的要素とは、精神における非物体的なもの、つまり意味や価値を変形するような要素――アルトーが求めた、俳優の非人間的な叫びと気息――のことです。

以上で私の話を終わりたいと思います。ご清聴、ありがとうございました。

中間休止と脆弱さの規模——天災と人災の究極的融合について

「自然のなかには、それよりももっと有力で強力な他のものが存在しないようないかなる個物も与えられない。どんなものが与えられても、その与えられたものを破壊しうる他のもっと有力なものが存在する」

（スピノザ『エチカ』、第四部・公理）

破壊的中間休止

物の自然において存在するものはそのすべてが変化のうちにある。すなわち、自然のうちには様態的な諸変様しか存在しない。自然のこうした諸変様は、それらが巨大なものであれ微小なものであれ、それだけで人間に対して災いの原因となったとき、「自然災害」と呼ばれる。大きな自然災害があるたびに人類が知るべき或る根本的な事柄が一つある。それは、自然が単に法則あるいは本質のもとに存在するというだけでなく、何よりも圧倒的な現実存在のもとに存在するということである。これが〈大自然〉と言われるものである。人間は、たしかに自然を習慣や記憶の秩序のうちで捉え、また諸法則のもとで理解することはできるが、しかし、こうした意味での〈大自然〉を自分たちの社会のなかで日常的に意識化し、また歴史的に対象化することはできない。自然を法則のもとで理解することは、自然を〈大自然〉としてその現実存在のもとで知ることとはまったく別の事柄である。この非歴史的な仕方で現実存在する〈大自然〉は、人間にとって言わば一回性の存在――例えば、これはめったに起きないような巨大な自然災害の原因という意味――であり、それゆえ法則化も歴史化もされえないような外部の現実存在である。それは、それまでのわれわれの行動や理解そのものをも破壊する「他のもっと有力なもの」の存在、短期的な取引が不可能な存在である。こうした一回性を示す存在上の自然をわれわれがもっともよく認識するのは、それがわれわれの生活や習慣や社会といった、人間の生存形態に必要不可欠な特定の継続的なものを破壊するときである。破壊とは何か。それは、或るものにおける〈それ以前〉と〈それ以後〉とを接続不可能なものにするということである。したがって存在上の自然とは、こうした〈それ以前〉と〈それ以後〉を生み出す或る〈間（あいだ）〉であり、また〈それ〉そのもののことである。

　一回性の大自然が人類に大災害をもたらした事例は、しかし歴史化された過去において無数にある。二〇一一年三月一一日に起きた東北地方の太平洋沖地震は東日本大震災を引き起こし、多くの人々がさまざまな度合で破壊的な切断を引き受けざるを得なくなった。それは、一回性の自然がまさに個体化し此性となるような〈間（あいだ）〉である。それは、生を死へと、日常を非日常へと、生活者を被災者へと、定住者を移住者へと変質させ、家族、地域、学校、職場、行政、等々といった継続的な諸形態を壊滅状態へともたらすような瞬間である。もはや今までのような「韻を踏むこと」はできない。それは、言わば破壊的な「中間休止」であり、その〈前〉とその〈後〉を不等なものに、接続不可能なものにする此性としての——めったに生成しない——自然存在である。[*1]中間休止は、人間の生存に必要な継続性をもつものの形成のためには必然的に忘却されるべきものであり、記憶しえない空虚な形式に帰属するものである。それゆえ中間休止は習慣化も歴史化もされえない。言い換えると、人間はこうした意味での中間休止あるいは大自然の順序と取引することができないのだ。大自然の中間休止とは、その〈前〉とその〈後〉を生み出すだけでなく、それと同時にそれらを非共可能的で不等なものとして自らの両端に配分するような、自然の存在力能に対応したその純粋形相のことである。三月一一日の大地震と大津波はまさに自然の中間休止を含むものである。しかし、そこに原子力発電所の崩壊による放射性物質の大量放出という事態と、これに対する行動の愚鈍なイメージ（東電や政府の反省的判断力の欠如）とが付け加わることによって、この中間休止は無限定に引き延ばされることになってしまった。つまり、この中間休止はいまだにその〈後〉を生み出せないものとなっている。われわれは、未来となるべきその〈後〉を今も見出せないような状況にある。しかし、復旧や復興の名のもとで無邪気で無反省な未来志向を単純に語るべきではない。復旧と復興は被災地と被災者についてのみ必要な事柄であり、それ以外の非被災地と非被災民に必要なことは〈それ以後〉を積極的に見出すための生成変化だからである（たしかにこれは稀なことである。しかし、真の復興とはこうした生成変化のなかでこそ生起するものであろう）。中間休止によって〈それ以前〉とは別の仕方で不等なものとして配分される〈それ以後〉は、〈それ以前〉における継続的なものの同一性が無数の多様なものへと炸裂するのをわれわれに強制的に経験させるような時間である。たしかに習慣的なものの持続可能性は人間の恐怖と希望の諸体制に深く関わっているが、しかしそれらと非共可能的なこうした多様性は至福と残酷の強度のもとに存在する。このように発生した〈それ以後〉には、或るまったく別の新しさが含まれるという意味で、われわれの通常の恐怖と希望という感情の体制をも無残に歪めるような、それとは非可換的な情動がともなうであろう。それは、感情の回路が大災害によって脱体制化することである。

脆弱さの規模／天災と人災の融合

人間は表面の動物である。これは、人間が意味や価値という形而上学的で超越論的な表面で生きているというだけでなく、大地や大気や海洋という地球の物質的で脱領土的な表面上で絶えず一つの動物に生成する動物であるということを示している。しかしながら、このような〈特異性‐生成〉を有するにしても、「人間が存在に固執する力は制限されており、外部の原因の力によって無限に凌駕される」ことに変わりはない。[*2] この点に関して、気象哲学の観点から以下のような考察が可能となる。人間は、たしかに自分たち以外の生物との交渉に対しては或る程度その制限を克服してきたが、しかし大地や大気や海洋に対しての取引の規模は依然として、空間的にも時間的にも、きわめて浅く短期的なままである。これは、人間がその活動において直接対象化し対応できるような、大地や大気や海洋における潜在的な変動域は、きわめて限定的であるという意味である。例えば、このことは、現代の気象予報や地震予知が人間にとって〈非物体的〉である――いかなる意味でも人間による物体的＝身体的な働きや作用が不可能である――とさえ言えるほどに大規模な気候変動や地殻変動に対してはまったく無能で卑小な活動であるということからも理解されるであろう。こうした予報や予知という人間の行為に典型的に現われているように、人類は、生活環境に直接関わるような、短期的な自然現象との間での取引にもっぱら従事してきただけであり、実はめったに起こらないような大地震や大津波、大規模な気候変動や地殻変動などを原因とする大災害に対する脆弱さは受け入れたのである。今回のような大災害の問題は、この限りでまさにわれわれ人間の「脆弱さの規模」(scale of vulnerability) を反映したものにほかならない。アメリカの考古学者ブライアン・フェイガンは次のように述べている。「かつて存在した多くの文明と同様、われわれも単に規模において取引したにすぎず、短期の干ばつや特別の豪雨の年のような、より頻繁に起こる小さな災害にうまく対処する能力を得る代わりに、めったに起こらない大災害に対する脆弱さは受け入れたのである」[*3]。人間の文明とは、気象や地質や海洋などに関して言えば、まさにそれらとの間での脆弱さの規模の取引過程そのものであり、また自分たちと同期化可能な自然とだけ交渉してきた過程であると言えるだろう。原発の問題も実はこれと同様である。われわれは脆弱さの規模をミクロからマクロまでの自然領域で取引してきた。しかし、それは、頻繁に起こりうる小規模の自然の脅威に対応するものであって、めったに起こらないような自然の大災害にはまったく無防備なままであり、そうした脆弱さをわれわれはむしろ受け入れたのである。こうした意味での気象哲学的で非歴史的な数百年や数千年という時間の規模は、人間社会の内部性の形式にはまったく含まれていない。

　人間と社会の脆弱さは、より頻繁に起こる比較的小さな自然災害に対しては顕在化せず、数百年、数千年単位でしか起こらないような大災害に対してはじめて露呈することになる。八六九年に起きた貞観三陸地震は大津波をともなって、今回の大災害と同様、当時の東北地方の太平洋岸を壊滅的な状態にしたと言われる。もしその記憶が人々に現働的なものとしてつねに作用していたとしたら（一部の村ではそれは伝承されていたようだが）、人々はそれ以後、海岸線に沿った比較的低い土地に再び住み続けることはなかったであろう。同様に原発がこうした地方の沿岸部に建設されることはなかったであろう。何故なら、原発も人が住めないほど危険な場所には建設されないからである。つまり、人間がそこに住み続け、また原発がそれと同種の地域に建設されるのは、ともに人間の「脆弱さの規模」が本質的に関わっているのだ。生ける現在は「千年に一度」の自然とは取引しないのである。そして、そこに神話が生まれる。人間がどれほど論理（ロゴス）を語ったとしても、人間の行動のほとんどは神話（ミュトス）に従ったものである。[4] 重要なことは、純粋な自然災害、純粋な天災は存在しないということである。天災とは、むしろ人災という概念のもとに捏造された考え方である。あるいは災害はつねに「天災と人災の融合」[5]であると言うべきかもしれない。これは人間やその社会がもつ脆弱さの規模に関わり，またその規模の自然との取引という意味をもつのだ。天災それ自体は存在しない。天災はつねに人災においてしか表現されず理解されないのだ。

あるいは天災は人災をともなった仕方でしか現実化されず理解されない。たしかに大自然の変動は人間に災害が及んだときに自然災害（天災）と言われるが、しかしわれわれは、実際にその災害の規模が人間やその社会がもつ脆弱性と不可分だということを深く知っておく必要がある。もう一度言う。それゆえ、その被害の大小に人為的な諸要素が深く関わっている以上、純粋な自然災害は存在しない。いかなる災害であっても、それが「想定内」であったか「想定外」であったかは単なる偶然性の問題しか提起しない。それよりも重要なことは、こうした言葉が〈われわれはいかなる自然と脆弱さの規模を取引しているのか〉という根本的な問いを前提としていること、またいかなる災害においても天災と人災は必然的に融合するということである。

いずれにせよ、人間はさまざまな度合で、〈それ以前〉に対して不等で接続不可能となった〈それ以後〉を生きていかなくてはならない。人間は、自分たちの歴史的な社会に破壊的な仕方で介入したにもかかわらず、感じることも考えることもできないほどに長期的で広範囲に及ぶような、その原因としての大自然の変動を配慮しないのだ。稀にしか起こらない大地震と大津波によって引き起こされた福島第一原発の事故は、こうした思考不可能で取引不可能な自然変動の愚劣と、思考すべきものを思考してこなかった、つまり脆弱さの規模を理解してこなかった無能な政府や電力会社（そして官僚や学者たち）の愚鈍との融合という仕方で、人間にもたらされたものである。これは、たしかに天災と人災の破壊的融合であるが、しかし究極的ではない。「中間休止」の〈後である限りの後〉――生成変化の時間形式――を生み出さないような、原発事故による放射性物質の漏出・拡散は、人間自身が新種のペストの発生的要素となった結果であろう。

人類の最初の哲学は自然哲学であった。そして、おそらく哲学は、そうした人類とともに再び自然哲学を以って、しかしまったく別の自然哲学、つまり気象哲学を以って終わるであろう。つまり、この最後の自然哲学としての気象哲学は、現代のように自然が特殊なかたちで問題化される時代——温暖化、気候変動、自然破壊、大気や海洋の汚染、大地の砂漠化、人口爆発、等々——を生きる人間が有すべき自然理解と、その根本原理——人間の脆弱性を通した限りでの自然とこの脆弱さの強度を含んだ大自然の変動——とを提起しなければならない。問題は、人間と自然との間の区別が不可識別になったことでも、それらの間の境界線が消滅したことでも、人工物と自然物との間の区別が曖昧になったことでも、人間を一つの動物種に還元することでもない。問題は、人間的なものが非人間的なものへと脱領土化し、また非人間的なものが人間的なものへと流れ込んでいることである。ただし注意されたい。これは、人間的なものと非人間的なものとを対立的に捉えているのではない。そうではなく、こうした脱化の運動という仕方で人間が自然の一部分でないことは不可能であるということを指摘したいのである。

天災と人災の必然的融合として現れた危機的な原発事故が世界史的な人的災害であることに間違いはない。しかし、それは究極的融合ではない。というのは、非被災地という外部が必ず存在するからである。したがって、天災と人災の究極的融合とは、非被災地や非被災者という外部がまったく存在しないことを意味する。まさにこうした観点から考えられるべき事柄が「地球高温化」という大自然の変動である（「地球温暖化」に代わって埼玉県の川口市が採用したこの言葉を私はあえて用いている。ただし、その理由は、「温暖化」では現代の人間が直面している深刻な自然環境の変化に対する危機意識を刺激しないということではなく、言い換えると、「温暖」という質的な言葉ではなく、「高温」という強度的な度合の意味を含めたかったからである）。気象現象と気候変動、地震や津波と地殻変動は、もはや気象学的に区別されるのでなく、言い換えると人間の脆弱さの規模との関係で現われる差異としてだけではなく、さらにより戦略的に、すなわち自然主義的に区別される必要がある。自然主義のもっとも意味のある定義はドゥルーズによって与えられている。すなわち、「〈自然主義〉のもっとも深い恒常性の一つは、悲しみであるものすべて、悲しみの原因であるものすべて、自己の能力を行使するために悲しみを必要とするもののすべてを告発することである。ルクレティウスからニーチェまで、同じ目標が追及され、達成された。〈自然主義〉は思考を肯定に、感性を肯定にする」[*6]。人間のあらゆる社会的な構成物は、もはや地球の半径の距離、絶滅種の沈黙の叫び、氷河の軋む音、アスファルトの下で窒息死し続ける大地……と無差異ではいられない。これらを感覚の対象とすることが有限なものの積極性として求められるのである。

世界は、地球としてではなく、人間の事柄に関してのみの浅くて短期的な世界であった。人間にとって都合のよい進歩・進展のストーリーに溢れた人為の歴史記述（人間社会の脆弱さの規模の相関物）ではなく、自然の絶大な変化とそれに対する人間の対応との融合に関する思考と感覚が必要であろう。人間も社会も経済も国家も資本も様態である。つまり、それらの本質には存在が含まれておらず、またそれらの定義にはそれらの数が含まれていない。様態とは、つねに外部の原因からその存在が規定されるもののことである。同様にその変様も外部の原因の力によって規定されている。つまり、それらは、その誕生や死をも含めて、外部の原因の力によってしか変化しないということである。こうした意味での地球規模の外部の原因となるもの、それが地球高温化という大自然の気候変動である。その〈前〉とその〈後〉を不等で接続不可能なものとして配分するほどの大きな変化を引き起こす強力な外部の原因はつねに存在する。天災と人災の究極的融合、それが地球高温化である。それは地球の大気の地層化であり、そのもとで大地と海洋の地層化をさらに総合するものである。ここに非被災地という空間上の外部はもはや存在しない。それにもかかわらず、地球規模の未来である限りの未来は、こうした中間休止の〈後〉にしかないのだ。このような〈それ以後〉を非被災地として産出すること。その限りで、これはたしかに大災害であるが、しかし促進でもある。それはこの世界を信じるための生成変化である。つまり、それは〈世界同時災害〉を含んだ〈世界同時革命〉である。地球高温化は、人間の活動をその発生的要素の一つとして必然的に含むという点で、あたかも大地震や大津波なしに生じる地球上のすべての原発の崩壊あるいはむしろ消滅のようなものである——天災と人災の究極的融合。それは、いかなる変化もなしにすべてが変化することである。しかし地球高温化は、おそらく一つの中間休止でもなければ、それを含むものでもないだろう。それは、むしろ無数の中間休止を重ね合わせた層位的時間を示すものである。地球はこの層位的時間の総合によって覆われるのだ。この無数の中間休止による〈それ以前〉と〈それ以後〉との非共可能性が至るところで重なり合うことで、地球それ自体のうちに地層化した世界からの実質的な脱地層化の運動が生起するのである。それは、世界が神学的な意味において最悪だからではなく、自然学的な意味において一義的だからである。

＊1 「ヘルダーリンは、時間は「韻を踏むこと」を止める、というのも、時間は、〔詩の〕始まりと終わりがもはや一致しなくなるような「中間休止」（césure）の両端〔前と後〕に不等に配分されるからである、と語っていた」（Gilles Deleuze, *Différence et répétition*, PUF, 1968, p.120（『差異と反復』財津理訳、河出文庫、二〇〇七年、上・二四六頁））。ただし、ここでの「中間休止」は個人としての人間の行動イメージとの関係で論じられるだけで、自然性あるいは集団性はそこではまったく想定されていない。しかしながら、この行動イメージは、〈判断の権力〉という神の裁きに依拠した引き延ばしに抗して、その〈後〉を決定的な速度を以って引き受けるような〈決断の力能〉が示されていると理解すべきである。また、ここに非記号性の「象徴」の機能を考えることができる（Cf. G. Deleuze, *Critique et clinique*, Minuit, 1993, pp.64-66（『批評と臨床』、守中高明・谷昌親訳、河出文庫、二〇一〇年、一〇三－一〇五頁））。

＊2 スピノザ『エチカ』、畠中尚志訳、岩波文庫、一九七五年、第四部・定理三。

＊3 Brian Fagan, *The Long Summer : How Climate Changed Civilization*, Basic Books, 2004, p.252（『古代文明と気候大変動——人類の運命を変えた二万年史』、東郷えりか訳、河出書房新社、二〇〇五年、三四四頁）。

＊4 われわれがもつ典型的な神話は、次のような「安全神話」であろう。「だが、われわれが人間社会のなかのスーパータンカーになったのだとすれば、これは妙に不注意な船だ。乗務員のうち、機関室に目を配っている者は一握りしかいない。他の人は物を売り買いしたり、もてなし合ったり、船体の流体力学や天空について学んだりしている。操船司令室にいる人は誰一人、海図も天気図ももっていず、それが必要だということすら賛成しない。それどころか、彼らのなかでもっとも権力のある者は、嵐など存在しないという説に与している。たとえ存在しても、その影響はしごく穏やかなものであり、うねりが険しくなるのも、アホウドリが避難するのも、神の恩寵のしるしとしか解釈しえないと考えている。指揮権を握る者のうち、立ちこめる雲が自分たちの運命と何かしら関係があると考えたり、乗客一〇人につき一人分しか救命ボートがないことを案じたりする人はわずかしかいない。そして、舵手の耳に、方向

転換を考えた方がいいとあえて耳打ちする人は誰もいない」(フェイガン、前掲書、同頁)。

＊5 ルクレティウス『万物の根源／世界の起源を求めて』、塚谷肇訳、近代文芸社、二〇〇六年、「訳者序文」、一五頁、参照。

＊6 G. Deleuze, *Logique du sens*, Minuit, 1969, p.323(『意味の論理学』、小泉義之訳、河出文庫、二〇〇七年、下・一七九頁)。

自由意志なき〈自由への道〉——行動変容から欲望変質へ

——自分たちを自由であると思いこむ動物の未来——すべての自然物を自分たちの利益のための手段だとみなす動物の終末[*1]

これは、単なる道徳的な意味での終末論ではない。これは、むしろ自然における一つの必然的結果である。これは、作用原因となりうるものだけが引き出すことのできる必然的な結論である。人間は、自分たちを自由であると思い込んでいる。それは、自らの意志を自由に発揮できるという自己理解や自己意識のうちに間違いなく存するであろう。こうした自由意志一般に貫徹されたライフスタイルの全体主義化は、言い換えると、現在のほとんどの人間が未だに反動的ニヒリズムのなかでのみ呼吸していることの証しである。反動的ニヒリズムは、まさに地上の神となった人間が欲するもの——拡大、戦争、開発、真理の探究、進歩、右肩上がり、等々——によって特徴づけられる。ところが、このウイルスによってこうした呼吸のための人間の諸器官や社会の諸装置は、ほぼ機能不全になろうとしている。つまり、このニヒリズムに感染した〈人間－動物〉は、そもそも自分たちの自由意志が発揮できないような事態についてほとんど考えることも意識することもできないのだ。ということは、結果的にこうした意識や思考を人間に顕在化させる力がこのウイルスにはあるということになる。これによって最終的には、現在のさまざまな国家装置の潜在的な無能力そのものも表面化することになるであろう。そして、この反動的ニヒリズムの空洞化と不可能性は、人間の〈力能の意志〉の言わば否定的な認識根拠となるであろう。[*2] このニヒリズムの物象化そのものである人間は、果たしてこれに抗して〈受動的ニヒリズム〉を分子的に起動させることができるであろうか。

めったに起こらない災害に対して人間は、自分たちの社会の脆弱性を完全に受け入れるしかない。危機はたしかに管理されうるかもしれないが、しかしそんな災いは、最初から内部化可能な要素でしかない。自然災害はわれわれにとって否定的なものであるが、弁証法の論理に感染している人間は、その否定性をつねに自分たちの目的論的欲望のもとで偽の肯定性――ピンチをチャンスに、等々――に置き換えて、ニヒリズムを継続できるものにしていく。何故、偽の肯定性なのか。それは、稀有な大災害による〈それ以前〉と〈それ以後〉との接続不可能性（＝中間休止）を怖れる無意識の分泌物であり、それゆえむしろより発展した〈それ以後〉を希望のもとに物語ろうとする自由意志の産物である。〈それ以後〉は未来の生成でなければならないが、弁証法の思考は、現代のあらゆる接続環境のなかで〈それ以前〉のほとんど偽のコミュニケーションを〈それ以後〉においても反復し続けようとする。しかし、ここで重要なことは、そうした事柄ではまったくない。中間休止によって分離された非共可能的な状況のなかではじめて実在的となるような内在的な交流、つまり分離の総合があるとすれば、それはいかなる動詞によって実現されうるのかと問うことである。〈それ以前〉の過剰な不要不急の活動とは、要するに行為の可能性に強度を与えるだけのことであった。つまり、こういうことである――今やっていることは、実はやってもやらなくても、どちらでもよいというなかで行われているだけのことであり、これは今やっていないことについても同様である。つまり、今あれこれのことをしているのは、してもしなくてもよい仕方で、それをしているだけのことである。今映画を観ているのは、観ても観なくてもよい仕方で観ているだけのことである。したがって、人は、自由意志にはそれを為すことあるいは為さないことを決定する排他的自由があると考えるのだ。

人間は、その活動のなかでの対象の有り様を諸様相――現実性、可能性、不可能性、偶然性、潜在性、等々――とともに意識している。ところが、その人間の自由意志は、この未曾有の事態においてこうした諸様相が減算されるというめったに起こらない事態に向き合う必要がでてきた。諸様相が減算することに対する自由意志があると考える人間の恐怖は、およそ不毛な砂漠や漸近する死に近いイメージを必然的にともなうであろう――自由意志の無力化、そして自由意志そのものの焼尽。今、世界中で〈行動変容〉が叫ばれているが、人間の活動の基底あるいは人間の本質には欲望（意志、本能、衝動）が存在する。つまり、行動変容がそもそも可能となるためには、必然的に人間の〈欲望変質〉が、すなわち人間の〈本質変様〉がそこに並行して存在していなければならないであろう。こうした欲望変質なしの行動変要は、現実には単なる上からの強制あるいは横からの抑制によるものでしかない。右肩上がりやグローバル化を至上の愛とする反動的ニヒリズムにおいてたとえ〈行動変容〉が起きたとしても、受動的ニヒリズムを部分的にでも形成しうるような動詞からなる〈活動変様〉を本質的に含んでいなければ、その変容は確実に無能なままであろう。[*3] 要するに、欲望変質をともなう活動変様には、行為の可能性ではなく、活動の必然性への様相転換が生起しなければならないのだ。今、必要なことは、あらゆる水準で反省する思考を一般的に作動させることである。その限りで必然的なことは、ここにおいて各人のなかで哲学的思考が作動し始めることにある。しかし、それは、哲学が何事かについて実質的有効性を有するからではない。それは、人間が構築したあらゆる規則の内部性の形式のためではなく、その外部性の形相についてまさに思考しうる唯一の様式のためである。他の動物も含めて人間は、そのなかでも完全に情動の動物である。人間は、動物のなかでもっとも感情的な生物なのである。何故なら、人間にとっての欲望は、諸々の感情のなかでもっとも本質的な情動だからである。例えば、〈人間とは理性的動物である〉といった定義は、もっとも妥当性の低い定義でしかない。しかし、私がここで言う欲望とは、理性を包摂した限りでの人間の本質変様のことである。人間の理性とは、欲望の一部であり、またその限りで機能しているのだ。

封鎖すべきは、各個の人間の自由意志である。自分たちの利益のためにすべての自然物が存在すると評価することは、それらを自分たちの自由意志の対象にできると認識することと一つである。自由意志なき活動変様には、いくつかの動詞——例えば、観光する、外食する、スポーツをする、集まる、等々——の減算だけではなく、それらに共通の〈移動する〉という自己同一性を強化するような動詞を根本的に変様させる力能がある。このウイルスによる感染症が容易に世界化したのは、経済活動だけではなく、それを基盤としたあらゆる領域でのグローバル化——言わば接続君主制あるいは結合過剰症――における人間の諸動詞によってである。動きすぎること、それはあらゆる意味での感染の加速を意味でする。これは、言い換えると、定住民がつねに過剰な可能的表象に刺激されていることの結果以外の何ものでもない。これに反して遊牧民は、ドゥルーズが言うように、むしろ動かない者たちであり、固定した対象を追求するよりも、はるかに〈間〉(あいだ)で生成変化する者たちのことである。動きすぎる定住民性とは、こうした問題を構成することもそれに触発されるもなく、ただただすべてを再認の対象(解)にすることにある。では、これに対する遊牧民性とはどのようなものであるのか。それは、与えられた対象へと没入することではなく、むしろ諸対象の間の結びつきの不在を見出し、その限りでの知覚や情動に触発されることにある。遊牧民性とは、或る特権的で特別な動詞を見出すことではなく、いくつかの動詞の意味が非物体的に変形することと一つである。さらに言うと、これは、気候変動における人間の欲望変質にとってもっとも本質的な特性である。このウイルスの発散に対する人類の対応のすべては、気候変動の未来に対する予行演習となるであろう。

〈恐怖/希望〉の同一の体制が全世界に共時的に生起している。この二つの感情は、それ以外の感情が時間のうちで現働的に継起する際に、それらにつねにともなう基本感情であると言える。つまり、〈恐怖/希望〉は、それ以外の感情のあたかも超越論的質料のようである(感情の体制)[*4]。この条件は、しかも実に力動的に変化するものである。というのも、この二つの感情は、つねに〈より多く〉あるいは〈より少なく〉という生成の度合のうちに存在するからである。それはまた、人々の間で容易に模倣される感情、感染する情動でもある。こうした感情のパンデミックを引き起こしたウイルスが人工物であるか自然物であるかは、ここでは問題ではない。すべては、発生した限りにおいては、自然に内在するものだからである。われわれは、これについてもっとも印象深い言葉を映画『ジュラシック・パーク』（スティーブン・スピルバーグ監督、一九九三年）のなかに見出すことができる。ジェフ・ゴールドブラムが演じる数学者のイアン・マルコム博士のセリフのなかに次のような印象的なセリフがある――「生命を抑えつけることはできない。生命は、危険を冒してでも垣根を壊し、自由な成長を求める。（……）生命は、繁殖する道を探すと言っているのさ」。地球上の生物を自分たちの利益に合うよう管理することなどできない。それは、気候変動や地殻変動を管理できないのとまったく同じである。狂牛病に感染した一頭の牛が歩く姿、あるいはむしろ歩けない姿の映像を見て、世界の人々は驚愕した。食べられるだけの目的で生まれた生命は、今度は食べられないように生成変化するであろう。

――これは戦争ではない

パンデミック（pandemic）という言葉は、周知のように、ギリシア語の（pandemos）を語源としている。〈pan〉は「すべて」、〈demos〉は「民衆」の意味である。すべての民衆に関わる事態、それがパンデミックであり、言い換えると、これは高次の均衡あるいは対等性をもたらすものである。現在、世界に蔓延したこのウイルスの作用は、こうした意味でも気候変動の部分的効果であり、またその先触れにほかならない。実は自然のうちに災害と呼ばれるものは存在しない。何故なら、自然の本質には、変化の普遍性しか存在しないからである。ウイルスによる人間への災いも、それによる人間の行動変容も、気候変動における天災と人災の究極的融合の先触れを意味しているようである。この融合とは、要するに被災地に対する非被災地がもはやどこにも存在しないような自然変様のことである。現在、世界で生起していること、それは、地域によって感染者数や死者数の違いはあるが、非被災地を次々と消尽していく過程である。地球上のあらゆる生命は、気候変動という内在性の諸条件の可塑性のうちに存在する。人間の全活動も、同様にこの可塑性のうちに存する。自由意志の無際限な拡大欲求に盲従する人間は、あるいは反動的ニヒリズムの人間欲望に合致した資本主義の無際限な欲求は、グローバル化という表地の特性によって大地を完全に覆い尽くすことになる。つまり、グローバル化の欲望は、非被災地が存在しないような仕方での災害をその裏地に準備し産出しているのである。[*5] それゆえウイルスは、人間がもつ活発で迅速なあらゆる移動経路を完全に経巡ることができる。またウイルスの側から考えると、感染という仕方で増殖するためにはその潜伏期間は長いほどよい。この新型コロナウイルスは、自然と人間による協働の産物であり、言い換えると、自然変様と自然破壊からなる微粒子群である。

　アントナン・アルトーは、次のように書いている――「ペストは最高の害悪だ。何故なら、その後には、死か極端な浄化しか残さない完璧な危機だからである。同様に、演劇も一つの害悪である。何故なら、それは、破壊なしには手に入らない最高の均衡だからである。それは、その活力を発揮させる錯乱に精神を招くのだ[6]」[強調、引用者]。ここでアルトーが語っているのは、ペストと演劇との間のコードなきアナロジーである。ペストには破壊なしにはありえない高次の対等性があり、それは、もっとも明確な所与の感覚にまで、もっとも恩恵に満ちた錯乱にまで人間精神をもたらすのである。肺を前提として存在するのは、言葉以上に、おそらく叫びと気息である。世界最大の熱帯雨林アマゾンでは、昨年、大規模火災が人間の行動を原因として発生した。アマゾンは「地球の肺」などと呼ばれたりするが、しかしその肺はすでに慢性の肺炎を起こしていた。それゆえその多くが、容易に燃尽してしまった。大気に覆われて、それを吸い込みかつ吐き出す大地は、その無数の肺を消失してしまったのだ。たしかに古代や中世の時代の人々がペストやウイルスと闘ったときと、現代の状況は多くの点で異なっている。現代では高度な医学的知識とその医療制度が確立されている。しかしそれらは、あくまでも質的な意味であり、その量的充実はと言うと、〈すべての民衆〉にとってはきわめて乏しいものであり、ここでもまた脆弱さの規模が見出されることになる。ところが、気候変動における究極的融合は、もはや感染症という仕方で医療や経済や政治といった制度上の問題に関わることなく、つまりいかなる媒介もなしにすべての人間身体の活動力能の現働性に作用するであろう。

人口爆発と感染爆発は、表裏一体であるが、まったく相反する増殖の意味を有している。ウイルスの問題は、実は人間にとっての増殖についての問題に還元されるであろう。つまり、性的差異に基づく遺伝子的再生産は、同一性に依拠した系統発生を予測させる。つまり、この類いの増殖過程は、例えば、経済活動の拡大だけではなく、それ以上に貧困層の増大と完全に同一化して実現されていく。これとは別の増殖の仕方、それがまさに感染性である。人間の生殖活動の意味は、ここではまったく変形されることになる。[*7]〈希望／恐怖〉の体制は、系統的に発生したものにつねにともないうるが、しかし感染性の経路に遭遇することによって残酷の情動へと発散するであろう。系統的発生とはまったく異なる肯定されるべき増殖の仕方があり、それが感染性の経路なのである。同一的なものの個体的差異を再生産し続ける愚鈍さに対して、異なるものの間でのたとえ部分的であっても、強度に充ちた生成変化に実質的に感染することの方が、はるかに来るべき民衆に相応しい恩恵をもたらすであろう。それは、「感染性や伝染病が、完全に異質な複数の項を、例えば、一人の人間、一匹の動物と一つの細菌、一つのウイルス、一個の分子、一個の微生物を動員することにある」[*8]。これは、人間の内在的触発と外部性の諸形相との部分的結合を肯定する言説である。人間の真の活動変様は、こうした外部性に触発された欲望変質のなかで実現されるである。それは、こうした外部性との分子的混合であり、また同時に内部性との部分的離反である。

「われわれは、戦争状態にある」（フランスのマクロン大統領の発言）。しかし、これは、本当に戦争なのであろうか。戦争という理解の仕方で、われわれは行動を変容させるべきなのであろうか。[*9]注意しなければならない。おそらくコロナ戦争という理解は、まったくの非妥当な観念であろう。われわれが言う〈世界〉とは、地球という存在ではなく、もっぱら人間の事柄に関してだけのきわめて表層的な意味しか有してこなかった。こうした〈世界〉のうちで生起するあらゆる表面的移動の意味や価値を変形し転換しなければならないであろう。まったく同様に〈戦争〉は、これまで人間の内部性の諸形相の意味しか有していなかった。次のように問うことができる。例えば、気候変動に対してわれわれは、それを戦争の対象だと言えるであろうか。否である。それは、人間の行為の対象にはならない、非物体的で決定不可能なものである。「環境エコロジーを機械的エコロジーと再規定することもできるだろう。というのは、宇宙に関しても人間の実践に関しても、機械――私はあえて〈戦争機械〉とさえ言いたい――がひとえに問題だからである。全時代を通して、「自然」は生に対して戦争態勢にあったのだ！」[*10]。ここで言われている〈戦争機械〉とは、第一に人間が形成する内部形式に対して外部に存立する自然そのものの力能のことである。自然は、外部性の力能として把握されなければならないのだ。人間は自分たちのあらゆる内部性の諸形式をつねに前提とし、それらを保存し続けたいと考えている。したがってその諸形式の変革や刷新が生じるとき、その原因は、絶えずその外からの強制としてしか理解されない。さらにその外部原因がまったくの未知のものである場合、自分たちの内部性の諸形式をそれに合わせて大幅に変形することは、まさに死への恐怖をともなって表象されることになる。死は、たしかに安定した内部性の形式のなかではつねに原因の多様性のうちにあり、それゆえ無数の仕方で実現される。ところが、非被災地なき究極的融合は、一つの死の仕方しかもたらさないであろう。人類全体がいっせいに呼吸器系の痛みをうったえる場面を想像してみよう。まさに自然の気息そのものとして気候変動を考えてみる必要がある。

現代の反動ニヒリズムにおける人間は、自由意志を最大限に用いてグローバル化という動きの過剰活動を実現する。それは、今や定住民の最大の特性の一つとなった。しかし、世界は、新たなウイルスの出現によって、たしかに時間上のズレはあるが、同一の生成の度合に晒されることになる——つまり、共通の希望は共通の落胆に、共通の恐怖は共通の絶望に、そして共通の欲望は共通の残酷に。現代の肥大化した人間精神は、無際限な喜びの追及のなかでしか変容することができず、それゆえ自由意志による決定をその内部枠組の拡大の観点からのみ完結させたいと欲する。外部が存在したとしても、それは内部利益の手段としてしか認識されない（自然は、自分たちの利益のために存在する）。人間は、ほとんど与えられた欲望だけを意識し、その欠如感を無上の消費感で充たすべく行為する。これが現代における超越の意味であり、不要不急の事柄への形而上学である。反動的ニヒリズムにおける内部性の諸形式は、こうした超越願望と形而上学的欲求とに完全に合致しているのだ。自然の外部性の形式は、こうした超越に反した人間の内在性の思考のまさに発生的要素である。哲学は、いかなる前提もなしに直ちに迫りくるものについての内在性の思考様式でなければならない。われわれは、自分たちのあらゆる構築物が、絶滅種の沈黙の叫び、氷河の軋む音、森林の息使い、アスファルトの下で窒息する大地、プラスティックと混合する海洋、変質する大気、地球の半径……と無差異ではないことを意識する必要がある。これらを自分たちの感覚と思考の対象にすることが、まさに有限なものの積極性として求められているのだ——自然に内在し直すこと。これは、受動的ニヒリズムの知覚と知性から自分たちを形成し直すことである。しかし、それは、ニヒリズムの諸様態そのものの破壊をともなっていなければもはや作動し始めないであろう。パンデミックは、自由意志なき〈自由への道〉となりうるであろうか。

*1 これらは、スピノザにおける自由意志批判に関わる重要な言説を用いた表現である（スピノザ『エチカ』、第一部、付録、参照）。

*2 「二〇二〇年は、人類の歴史が溶解した時とみなされなければならないだろう——というのも、それは、人間が地球という惑星から消滅するからではなく、人間の横暴さに疲労した地球という惑星が人間の力能の意志を破壊するための〈ミクロ‐運動〉を立ち上げたからである」（Cf. Franco "Bifo" Berardi, "Beyond the Breakdown : Three Meditations on a Possible Aftermath" (https://conversations.e-flux.com/t/beyond-the-breakdown-three-meditations-on-a-possible-aftermath-by-franco-bifo-berardi/9727（「破綻を超えて——その後の可能性について、3つの沈思黙考」、櫻田和也訳、『HAPAX』一三号所収、夜光社、二〇二〇年、一二‐一七頁）。

*3 こうしたニヒリズムの問題における四つのタイプとそれらの歴史的展開、そして二つの多様体、等々についての考察は、拙論「破壊目的あるいは減算中継——能動的ニヒリズム宣言について」（『すべてはつねに別のものである——〈身体‐戦争機械〉論』、河出書房新社、二〇一九年、二〇〇‐二一四頁）を参照されたい。

*4 スピノザは、人間の感情に関する〈感情の幾何学〉を形成したが、それとともに時間のなかでの諸感情の生起を規定する〈感情の体制〉をも考察している。この論点については、拙著『スピノザ『エチカ』講義——批判と創造の思考のために』（法政大学出版局、二〇一九年、七三‐八〇頁）を参照されたい。

*5 この非被災地なき災害——外部なき大災害——という考え方については、東日本大震災後に書いた拙論「中間休止と脆弱さの規模——天災と人災の究極的融合について」（『思想としての3・11』所収、河出書房新社、二〇一四年、本書所収）を参照されたい。

*6 アントナン・アルトー『演劇とその分身』、鈴木創士訳、河出文庫、二〇一九年、四七頁。

*7 これらの問題については、本書所収の「死の哲学」を参照されたい。

*8 ジル・ドゥルーズ／フェリックス・ガタリ『千のプラトー——資本主義と分裂症』、宇野邦一・他訳、河出文庫、二〇一〇年、中・一六七頁。

＊9 「親愛なる人間たちよ、あなたたちの馬鹿げた戦争への呼び掛けなど口に出すものではありません」(「ウイルスの独白」(http://lundi.am/Monologue-du-virus, http://hapaxxx.blogspot.com/2020/03/blog-post_30.html（HAPAX 訳、『HAPAX』一三号所収、四‐一〇頁)）。これは、人間が構成する組織内部性の形式に対する強烈な批判をともなった、擬人化とアナロジーの最良の使用法によって書かれたテクストである。「私は、皆さんには歯止めの利かなくなった機械を停止させるためにやって来ました」、「私は、ニヒリストたちに無をもたらしにやって来ています」、「私が葬り去りに来たのは、文明であって、あなたたちではありません」……。

＊10 フェリックス・ガタリ『三つのエコロジー』、杉村昌昭訳、平凡社ライブラリー、二〇〇八年、六七頁。

〈批判／臨床〉の平面論——『意味の論理学』と一義性の思考について[*1]

はじめに——問題提起

本日は、ジル・ドゥルーズの『意味の論理学』（一九六九年）出版五〇周年記念に講演者としてお招きいただき、誠にありがとうございます。今回の私の論題の基底には、この『意味の論理学』に対するいくつかの批判的観点が含まれています。というのも、このことを介してこの著作の哲学上の位置づけを改めて提起したいと考えているからです。ここでは、いくつかの問題提起を通してこの著作そのものの〈存在根拠〉に迫っていければと思っています。ここで言う〈存在根拠〉とは、とくに哲学においてしか肯定的に思考されえず、また表現されえないような、むしろ脱根拠的な諸問題を構成する諸要素のことです。しかし、こうした事柄を従来の様式ではなく、どのような新たなスタイルで論じたり書いたりすればよいのでしょうか[*2]——つまり、理由づけ、要約、追認、アナロジー、解答、注解、真理への意志、等々とは別の仕方で。哲学におけるスタイルとは、或る観念の対象に対する切り込み方そのもののことであり、その限りでそこにおいて問題の提起と構成と実現とが存立することだと言えます。

さて、『意味の論理学』の最大の特徴の一つは、たしかに「特権的なセリーはなく、セリーは収束せず、それらのあいだに意味が浮かび上がる」ことにあると言えます。[*3] しかしながら、その最大の意義は、超越論的領域そのものの発生を身体の触発のもとで問題構成することで、事物一般の表面を実現することにあると言えます。これによって『意味の論理学』が、『差異と反復』（一九六八年）における超越論的経験論よりも超越論哲学の発生論として——とりわけ言語と人間精神にとって——は実質的に一歩進んでいるということはたしかでしょう。ところが、ドゥルーズは、そのためにいくつかの水準あるいは次元、諸層を行ったり来たりと、せわしなく経巡ります。それは、あたかも自分で「注釈者の偉大な弱点」を引き受けるかのようです。西洋哲学における超越論哲学は、いかなる形態のもとで思考されようと、やはり本質的にはニヒリズムを支持する言説の総体以外の何ものでもないでしょう。超越論哲学に対するこうした批判的遠近法を意識しつつ、一つの多様体として『意味の論理学』を考えていきましょう。この著作は、何よりも〈身体的なもの〉と〈非身体的なもの〉との境界線を哲学史上はじめて明確に規定した初期ストア派の人々の考え方に依拠して展開されます。とりわけ次の言説は、本書の〈出来事の哲学〉——言わば超越論的出来事論——にとってもっとも基本的なものです。「すべての物体は、（それが別の物体に働きかけるとき）その別の物体に対して或る非物体的なものの原因となる」[*4]［強調、引用者］。つまり、物体間の相互作用は、必然的に非物体的なものを相互に発生させ結果するということです。非物体的なものは、人間身体であれ他の物体であれ、それらの間の相互作用やそれによる混合が生じる限り、つねに生起しうるものなのです。[*5] 非物体的なものとしてのプラトン的なイデアも、実際にはこの産出に巻き込まれ、自然に内在することしかできないでしょう。ところが、こうした原因としての物体は、結果（あるいは効果）としての非物体的なものに出会うこと、つまり混合し合うことはありません。何故なら、両者はまったく次元を異にし、非物体的な諸結果はけっして物体のように他の物体に対する原因とはなりえないからです。それにもかかわらず、われわれは、自由にそれらの間を移行して、それらについて傍観者のように、言わば無差異な中立者のように論じることができます。それは、ドゥルーズが述べているように、あたかも注解者の最大の欠点であるかのようです。ところが、実はドゥルーズ自身が、そもそも『意味の論理学』をあえてこの立場から書き上げていると考えられるのです。[*6] この限りでこの著作は、ドゥルーズ哲学における最大の弱みでもあると言えるでしょう。それゆえ反対に、これこそがこの書物の最大の魅力と意義でもあるように思われます——すなわち、この意味においてもっともドゥルーズらしい作品として。

『意味の論理学』における超越論哲学再考

われわれは、まず次のように問うことができるのではないでしょうか——何故、本書が、〈意味の論理学〉ではなく、〈表現の論理学〉として書かれなかったのか、と。例えば、ドゥルーズが頻繁に参照する、エミール・ブレイエの『初期ストア哲学における非物体的なものの理論』においては、「一般的に言うと、〈意味されるもの〉が一つの〈表現可能なもの〉であるとしても、われわれには、あらゆる表現可能なものが一つの意味されるものであるかどうかまったくわからない」と述べられています。[*7]『意味の論理学』における超越論的な発生論は、動的であれ静的であれ、その構成の側面において現実に運用されている言葉（あるいは事物の表面）の効用が過剰に目的論化されているように思われます。この著作のもっとも野心的な課題は、かなり古典的ではありますが、やはり超越論的領域そのものの発生を問うことにあるでしょう。そして、この領域の発生的要素がまさに身体の存在――第一次秩序と言われる深さの次元――にあることが明言されます。しかし、ここでの超越論的なものとはそもそも何であるのか。それは、きわめて限定されたもの、つまり第一に言語行為における諸作用を条件づけるもの、すなわち言葉の〈意味〉であり、第二にこうした諸々の〈意味〉からなる構造論的場所を配分する言わば絶対的位置としての〈無-意味〉である（第二次組織と称される高さの次元）。これらが、われわれの言語活動一般（指示、表明、意義）――第三次配置と呼ばれる表面の次元――を条件づける超越論的領域として定立されます。ところで、『意味の論理学』の前年に出版された『スピノザと表現の問題』（一九六八年）では、周知のように、表現の三つ組の論理――表現そのもの（属性）／表現するもの（実体）／表現されるもの（本質）――のもとに哲学の表現主義が探求され、またそこではこれを含めて、表現の七つの三つ組が提起されています。あくまでも形式的な側面からだけですが、それらは、実際にはストア派以来の言語の三角回路（意味するもの（セーマイノン）／指示されるもの（テュンカノン）／意味されるもの（セーマイノメノン））が有する関係性の応用だと言うことができます。[*8]このことは、スピノザには超越論的領域が存在しない以上、たとえ表現の論理における〈表現されるもの〉が表現の形相のうちにしか存在しないとしても、言語の三角回路との決定的な違いはないと言わなければなりません。スピノザにおける表現の論理はつねに思考の極限において展開されているため、ドゥルーズのスピノザ論でさえ、そこからさらに遡行しうるような思考の余地はまったく存在しません。しかしながら、いかなる意味においても、言語モデルからの脱化の運動を獲得するなら、つまり実体が徐々に解体されて、神の二つの力能から展開される〈表現／内容〉の並行論、言い換えると、その非対称的総合の並行論が思考されることとしかできないものとなるなら、表現の論理をめぐる非物体的なものの諸環境はまったく異なるものとなるでしょう。

『意味の論理学』における非物体的なものとしての〈意味〉は、言語活動の諸作用を経験的に条件づけるものとして、つまり超越論的条件として組織されます。そうだとしても、つまり〈意味〉がわれわれの言語活動における諸作用とまったく類似しないものとして定立されるとしても、この超越論的な組織体がつねにこれらの作用の媒介なしには理解されないということに変わりないでしょう。この限りで『意味の論理学』におけるこの超越論的経験論には実は〈複写術〉と〈媒介作用〉との後味が多分にあると言えるのではないでしょうか。ところで、この著作と同じ年に、ミシェル・フーコーの『知の考古学』が出版されています。前者は〈意味〉という超越論的位相、つまり言語活動における諸作用（指示作用、表明作用、意味作用）の条件を、また後者は〈言表〉の考古学的位相を、つまり言語における諸様態（語、文、命題、文法、等々）に先行する存在様態をそれぞれ明確に打ち出した画期的な著作であることに間違いありません。あるいはこうした基本的論点を改めて哲学史に位置づける仕方で言い換えるなら、例えば、前者はライプニッツ主義とその超克の哲学であり、後者はカント主義における言語以前の総合判断の諸機能と素材についての表現（言表）であると言うこともできます――すなわち、非共可能性の先鋭化と非汎通的規定性の根源性。いずれにしても、このように捉えていくなら、われわれは、カントのライプニッツ批判がいかなる点にあったのかをつねに意識し、またその再表現への努力を怠ってはならないでしょう。というのも、『意味の論理学』は、依然として超越論哲学を形成する諸問題とその意志のうちに存立していると考えられるからです。カントの批判は、端的に言えば、ライプニッツにおける認識の対象が物自体にとどまっているという点にあります。では、物自体とはいったい何のことでしょうか。現象の背後に想定される単なる基体のようなものでしょうか。物自体をより概念的に規定するなら、それは、〈存在するものはすべて汎通的に規定されている〉という考え方に依拠した対象性のことです。[*9] これは、言わばカント以前あるいは以外の諸々の形而上学的思想が容易に感染しうるような物の実在的存在の基本原理の一つであると言えます。これは個体とは完全な規定性を有するものであるという考え方の基本であり、ライプニッツにおける対象性はまさに個体のこうした意味での完全性概念に帰着することになります。この点を超越論哲学の観点から言い換えると、対象が汎通的に規定されているなら、それについての判断あるいは認識はすべて分析的でしかないということになります。これに対して、われわれの認識あるいは経験は、つねにこうした物自体性として表象されうるような完結可能性を否定する特質を潜在的に含んでいなければ、けっして成立することはないでしょう。[*10] カントにおいては、現象は、非汎通的規定性という根本特質のもとでのみ存立し、その限りにおいて非純粋でア・ポステリオリな総合判断の対象性となりうるのです。非汎通的規定性は、言わばこうした総合判断の積極的な存在根拠であり、その限りで現象の存在の認識根拠にほかならないでしょう。しかしながら、非汎通的規定性は、カントにおいては、最終的には、つまり理念の水準ではまったく無化されてしまうことになります。[*11] 要するに、この非汎通的規定性は、カントにおいては、諸能力の発散的行使にまで至らず、また多様体としての理念そのものの特性にまで届かなかったということです（この問題に応答したのが、ドゥルーズの強度の感性論と理念の弁証論です）。

　これと連関して、〈潜在性－十分な規定〉と〈現働性－完璧な規定〉との間の言わば様態的区別は、相互にどこまでも共可能的なままである。そうなると、意味の論理のもとで限定された超越論的領域は、必然的に根拠づけのあるいは目的論化された言語使用しか与えないものとなるでしょう。そうではなく、非共可能的な諸様態の間の齟齬や距離を肯定するもの、その条件が永遠回帰と言われるものの言表作用こそが問題となるのです。超越論的経験論――諸能力の発散と超越論的領域の非複写性からなる――は、たしかに諸能力の発散的行使を実現し、同一性に先立つ差異についての哲学的思考を可能にしましたが、意味の論理における齟齬や発散は依然としてきわめて限定的なままです。反－実現（脱－現働化あるいは非－表象化）は、超越論的領域あるいは第二次組織を囲い込むだけでなく、その組織そのものを発散させうるような身体の触発から投射される表現形相でなければならないでしょう。或る語を形相とした身体の触発（叫び、気息、等々）は、たしかに静的発生のもとでは事物の状態の一つになりますが、しかし他の隣接する諸帰結とはまったく異なるものとしての作用（実現）原因になりうるものでなければなりません。[*12]

現代の反時代的問題は、『意味の論理学』を形成する三つの次元の区別でも二つの発生の種別分けでもなく、むしろそれらの間を非共可能的にする諸要素が何であるのかを規定し、それを実践や戦略の言語にまでもたらすことにあるのではないでしょうか。要するに、超越論と経験論との間そのものに共立不可能性という様相の介入をいかにして認めるのかあるいはどのように実現するのか、とわれわれは問わなければならないでしょう。それは、意味の論理に普遍性をもたらすために必要不可欠な問いの仕方であると思われます。

ここまで述べてきたなかで、ドゥルーズにおける（とくに『差異と反復』と『意味の論理学』を中心とした）超越論哲学の意義を改めて哲学史のなかで言うとすれば、それは、カントにおける非汎通的規定性とライプニッツにおける共立不可能性との総合にあると言えるでしょう。それは、言い換えると、カントの構成説の根源にあるものとライプニッツの様式主義の先端にあるものとの非対称的総合です――あるいは理論の根源と実践の先端との結合、さらに言えば、非汎通的規定性のさらなる批判的な理論構成、非共可能的な出来事のプラクシス、あるいは発散する系列のポイエーシス。ドゥルーズは、たしかに潜在的な〈判明で－曖昧な〉位相と現働的な〈明晰で－混雑した〉状態との間の或る種の逆説的関係を明確にしたが、しかしライプニッツにおいては現働的な諸様態が有する「不一致対象物」（例えば、右手と左手）を非対称的に総合する感性は存在しない[*13]（強度の問題）。したがって、個体から個人へ、そして命題へと静的発生の過程を進捗させるなかでこうした非対称性は、たしかに命題の意味においては理解されるが、しかしながらけっして直観的には知覚されないことになります。これを知覚可能にするのがまさに〈副－言〉の使命だと言えます。ドゥルーズにおける超越論的経験論は、何よりも強度の超越論的感性論として存立しなければなりません。この感性論は、まさに感覚されうるものの非対称的総合を扱うことになります。また、『意味の論理学』におけるライプニッツの超克、つまり非共可能性という様相を有する他のあらゆる様相（可能性、不可能性、現実性）の総合態――離接的総合――の肯定は、意味や無意味そのものを発散に追いやり、それらの形相一般を別の水準に送り返すことができます。この先端は、次のような根源に結合されうるのです。カント哲学には言語論がまったくありませんが、それにもかかわらず、三批判書の本質には判断力があり、したがって判断の諸形式があります。こうした非言語的な判断が可能になるのは、超越論的観念論に限って言えば、現象という対象性が本質的に非汎通的規定性のもとに存立するからです。『純粋理性批判』におけるこの非言語性の構成を積極的に言い直すと、それは〈言表の認識論〉だと言えるでしょう。現象の多様体とは何か。それは、まさに言表の集積体だと言い換えることができます。つまり、この集積体とは、逆に言えば、物自体なき現象の多様体のことです。言表は、語、文、命題、文法、発話行為でもなければ、それ以上に意味、無意味をもたず、それらをむしろ自らの派生物とするような非カテゴリー的な機能であり、言語の外の機能素なのです。要するに、離接的総合の哲学は、カントにおける非汎通的規定性を非共可能性という様相のもとで再総合する力能を有するのである。それと同時に、ライプニッツに端を発した〈副-言〉は、カントにおける命題以前のあるいは言語を前提としない判断の力能に関わるまさに〈言表〉の位相との間での本質的な対応性を有するであろう。

ところで、前ソクラテス期の思想はまさに深さの哲学であり、それは物の自然についての思想でした。これに対してプラトンは、高さの哲学者であり、自然を象徴する仄暗い洞窟から出で、〈太陽－イデア〉を希求するような、自然を超えた思考を開始しました。言い換えると、前者の自然哲学には〈深さ－浅さ〉の差異の度合を有する運動の観念があり、また後者の形而上学（超自然学）には〈高さ－低さ〉の質的差異をめぐる道徳の視座があります。さて、これらの考え方に対して古代ギリシア哲学においてもっとも偉大な初期ストア派の人々は、いかなる操作を施したのでしょうか。彼らは、こうした深さでも高さでもない、それらとはまったく異なる表面の知性を開示しました。言い換えると、初期ストア派の哲学者たちは、とりわけここで述べた〈浅さ〉と〈低さ〉を物と思考の同一の表面として、上昇と下降という二つの観念的運動とともに総合したわけです。浮上過程の〈浅さ〉はまさに事物の実在的属性となり、また落下過程の〈低さ〉は命題の意味となっていきます。つまり、表面の一方にはつねにより浅い、つまり深さからの上向経路があり、他方にはより低い、つまり高さからの下向作用があるわけです。二つの観念的な、しかし力動的な運動を総合する〈表面－速度〉の哲学においては、こうした事物の属性と命題の意味との同一性を問題提起することが最大の課題であったと言えます。これは、後で述べるように、たしかに『差異と反復』では明確に論究されなかった一義性の遠近法に帰属します。

しかしながら、この本質的論点と同時に、『差異と反復』における強度空間に匹敵するような〈深さ／高さ／表面〉――その非対称的総合の意義――について思考することがなければ、もっぱら〈秩序／組織／配置〉という結果の構図に囚われた超越論哲学を、つまりその有機的な作品形成を跡づけ、また展開するだけになってしまうのではないでしょうか。[*14] ここで言う〈有機的〉とは、〈秩序／組織／配置〉という諸水準の間の共可能的な〈堆積化〉という意味です。それらは、この〈可能的‐現実的〉な目的論のもとに、あるいは超越論的図式主義のもとに依然として存していると言えます。これに反して、深さから浅さへの上昇過程と高さから低さへの下降過程とを必然的に含むような非対称性の表面の形成は、これと同じ必然性を以って表面から平面への脱‐超越論化の諸観念を形成することになるでしょう。

ところで、ブレイエは、すでにこうした一つの表面の二重性の論点を形式的には把握していました――「この両者〔事物の実在的属性と命題の論理的述語〕は、〈カテーゴレーマ〉という語によって指示され、またこの両者の表現を諸々の動詞のなかに見出すが、これらはともに非物体的で非実在的である。実在の側面から言えば、活動を生み出す恒常的な存在者の実在性を増すために、〈逆に〉その活動の実在性はいわば軽減されたのである。また論理学の側面から言えば、属性は、思考上の概念的対象というその尊厳を奪われ、もはや一時的で偶然的な事実しか含まなくなる。したがって、そうした属性の非実在性において、そしてこの非実在性によって、論理的属性(アトリビュ)と物の属性(アトリビュ)は一致することができるのである」[*15]〔強調、引用者〕。この言説は、ここでのわれわれの問題意識においては、次のように言い換えられるべきでしょう。第一に事物の実在性は、その深さにおいてはより増大するが、その活動＝行為というより浅さが増大する動詞的表現の方位においてはより減少するということです――深さにおける〈浅さ－非実在性〉。すなわち、動詞的表現とは、事物の深さから浅さへの実在性の減少を本質的に含むことなしには存立しえない形相だということです。言語における表面のプラグマティックは、言い換えると、高さと深さを嫌うということです。それは、深さを浅さへと、それと同時に高さを低さへと凝縮する作用を本質的に有するものなのです。第二の論理学の観点から言えば、初期ストア派の考え方を前提とするブレイエにとっては、事物の属性は概念の対象ではなく、偶然的事実としての出来事しか含まないということになります。しかし、出来事の超越論哲学の観点から言えば、高さから低さへの下降作用は、非物体的条件による条件づけられるものの静的発生の論理を本質的に有しています。高さから低さへの意味の論理の速度は、深さから浅さへのそれとは非対称的な運動を出来事化として共有していると言えます。つまり、それは、属性の非実在性を出来事化するわけです。非物体的なものの表面は、こうした意味での〈より浅い〉と〈より低い〉という生成の度合の位相差をつねに一つに総合するような存在の限界面なのです。

　出来事の哲学を考えるなら、ここでは、ニヒリズムや弁証法における基本特性の一つである否定性の優位（同一性中心主義、矛盾の論理、等々）は発散し、それに代わって存在の一義性の思考（差異の肯定、副－言の非論理）が形成されなければならないでしょう（副－言の機能とは、ライプニッツ主義を前提として言えば、感性の形式なしに反対のものを非対称的なものとして理解し、それを言語表現にまでもたらすことにあります）。つまり、この思考における観念は、諸様態において非共可能化された無数の出来事からなる、あるいはそれらの差異の積極的距離からなる一義的〈非－存在〉を形成するのです。[*16] 差異のエチカは、『意味の論理学』のこうした〈出来事の哲学〉においてはまさに〈存在の仕方〉主義として展開されます――存在の様式あるいは実存の様態、すなわち様式主義あるいは様態主義。至るところで、アリストテレスの帰属主義に対してライプニッツの様式主義が提起され肯定されることになります。初期ストア派の四つのカテゴリー（基体、性質、様態、関係）は、こうした思考を獲得するために必要な武器となりうるものです。つまり、これらのカテゴリーは、認識のための道具箱ではなく、まさに思考の武器庫となりうるものなのです。これらは、その限りにおいて非カテゴリー的思考に現前する機能素だと言えます（ガタリの『分裂分析的地図作成法』における四つの存在論的機能素も同様に考えられるべきでしょう）。

出来事の哲学は、哲学史の流れを踏まえて言えば、実体主義でも関係主義でもなく、まさに〈存在の仕方〉主義である、とすでに申しました。それは、端的に言えば、〈存在〉について一義的に思考する様式そのもののことです。つまり、それは、〈存在〉を実体化することも最高類と考えることもなく、どこまでも存在の仕方としての差異を肯定する思考のことです。誤解を畏れずに、これについてわかり易い説明をしたいと思います――神は〈存在する〉、人間は〈存在する〉、蟻は〈存在する〉……、とひとは言うことができます。存在の多義性においては、こうした〈存在する〉の声は、実はその主語に影響されて異なって聞かれる、つまり同名（あるいは同音）異義として理解されます。というのも、神の存在は、例えば、完全で無限であるが、人間の存在は不完全で有限であり、蟻の存在はそれ以上に不完全で有限であり、等々。このように理解された〈存在者の存在〉は、存在者の優劣的価値評価の先行性のもとに、つまり価値の位階序列がもつ否定性のもとにとどまり続けるでしょう。では、これに対して存在者の間の差異を肯定的に理解するには、どうしたらよいでしょうか。こうした存在者のうちには、人間や無機物、植物や動物とともに神も含まれます。そこで哲学の思考は、一義性という観念を見出しました。それは、先ほどの〈存在すること〉を主語に依拠することなく、すなわち先行する存在者の優劣の価値序列に囚われることなく、つまりこれに抗して同名（同音）同義として聞き取り、理解することにあります。そうすると、思考のうちで何が変化し、また何が生起し始めるでしょうか。人間、蟻、神、等々は、それぞれの存在の仕方のもとでしか存在していないことが理解されます。換言すれば、それぞれの存在者は、自らの差異の肯定のもとで存在するのです。存在の一義性においては、神とそれ以外の存在者との間に否定性が入り込む余地などまったくありません。〈存在すること〉とは、こうした意味での存在者の観念についての、つまり存在の仕方あるいは差異の肯定について概念――存在者の存在、肯定の肯定――にほかならないのです。要するに、存在は、あらゆる差異について唯一同一の意味で言われるということになります。

『意味の論理学』の「第二五系列」は、存在の一義性についての考察に充てられています。ここでは、『差異と反復』における言わば超越論哲学の到達点としての〈永遠回帰〉の系譜学的原理が改めて出来事の哲学の一義的平面として再構成されていきます。では、何故、一義性の思考が出来事の哲学に必要となるのでしょうか。ここで提起されている一義性の諸規定を改めて見ていきましょう。(1)「存在の一義性が意味するのは、存在は〈声〉であること、存在は言われ、また存在が言われるものすべてのものについて唯一同一の「意味」で言われるということである。存在が言われるものは、まったく同じものではない。しかし存在は、存在が言われるすべてのものに対して同じものである」。(2)「一義性が意味するのは、〈到来するもの〉と〈言われるもの〉とが同じ事物だということである。すなわち、あらゆる身体のあるいは事物の状態の〈帰属可能なもの〉と、またあらゆる命題の〈表現可能なもの〉」。(3)「一義性は、ノエマ的な〈属性〉と言語的な〈表現されるもの〉との同一性を意味する。すなわち出来事と意味[*17]」。(1)は、すでに『差異と反復』で言われていた〈存在の一義性〉についての言わば名目的定義の一つです。存在は、〈声〉である。つまり、存在は、つねに存在する（在る）と言われるもの――例えば、無限なものであれ有限なものであれ（スコトゥス）、実体であれ様態であれ（スピノザ）、反復であれ差異であれ（ニーチェ）――について唯一同一のものである。この場合の声は、動詞の不定法の声であり、不定法の形相に息を吹き込む声である。そうした声は、〈存在すること〉、〈表現すること〉、〈回帰すること〉といったように純粋な出来事としての内在性を徐々に獲得していきます。これは、無限に多くのノイズと言葉についての、言い換えると、無数の上昇と下降についての唯一同一の声だということです。一義的〈存在〉は、ここでは〈声 - 非意味〉として存立します。このようにして、差異の存在あるいは存在の仕方を肯定するには、〈存在〉は必然的に存在が言われるものについて一義的でなければなりません。

これに加えて、(2)あるいは(3)は、まさに『意味の論理学』において提起された存在の一義性としての永遠回帰についての新たな意義であり、またその表現であります。これは、出来事の哲学の先端における存在の差異、つまり到来することと、存在の反復、つまり存在が言われることとの一義性を述べたものです。『差異と反復』における〈無差異の中立性／差異の表現／差異の実現〉という存在の一義性の三つの水準は、実は出来事の表面そのものを形成し、またそこにおいて絶えず変様しつつ反復されています。これは、言い換えると、永遠回帰における一義性の最小回路、つまりその無際限な感染経路のことである。〈到来するもの〉と〈言われるもの〉、つまり表面における出来事と意味とは、差異の肯定的な一義性のもとで無限に多くの最小回路を形成するものである。さらに言うと、このようにして永遠回帰において〈到来するもの〉と〈言われるもの〉は、相互に反転して実質的に一つの同じもの、あるいは決定不可能なものを形成しています。存在の一義性は、表面においては二重の多様な運動を折り畳むような、理念的な速度をもった最小回路として存立するわけです。しかしながら、たとえ超越論的領域が新たに定立されたとしても、表面上の一方は単なる事物の状態というまさに〈帰属可能なもの－出来事〉であり、また他方は相変わらず命題の〈表現されるもの－意味〉であるといった事態にとどまっていることはたしかであろう。要するに、『意味の論理学』では言語活動あるいは言説的形成に関わる諸要素——主体、言葉、物、対象、文、命題、意味、無意味、等々——に先立つ存在の様態が、あるいはそれらを派生したものとする言表の機能が完全に見逃されています（後のガタリとの著作においては、「言表作用」という概念が重要な役割をもつ以上、その限りでこの基盤となる「言表」の不在についてこうした指摘をすることはそれほど間違っていないと思われます）。ここで私は、超越論的領域としての言表を提起したいわけではありません。つまり、私がこのように言うのは、超越論的条件としての言表の考察が欠如しているからではありません。ドゥルーズは、『フーコー』のなかで明確に〈言表可能なもの〉を実在的経験に対する超越論的条件の一つとして定立しています。しかしながら、言表をカント主義哲学における条件の一つの特性である自発性として考えるのは、〈比例性の類比（アナロジー）〉を端初とした思考のうちにあることは間違いないでしょう。言表は、むしろ人間身体の触発を含んだ外部の実在性を、つまり外の諸力を内含した多様体そのものであり、この限りで上述したような言語の他の諸要素を自らの派生物とするのです。超越論的に発生するものと基本様態の派生物とは、まったく異なるものであることに注意しなければなりません。あえて言うなら、前者がむしろライプニッツ的で、後者が実はカント的であるというのもかなり皮肉なことです。例えば、『差異と反復』の第五章において、感覚されうるものの〈非対称的総合〉という感性論の言わば究極的論究が為された以上、そこから超越論的経験論の真に非 - 言語的思考について考察することも可能だったのではないでしょうか。それにもかかわらず、何故その次の著作において出来事と意味についての言語的な超越論的思考に囚われていったのか。非 - 言語的思考は、例えば、カントにおける判断力論が可能となるまったくの非 - 言語論的な言表的基底といった問題を明らかにするものでもあります。そして、それは、後年のドゥルーズ = ガタリにおける〈言表作用〉の構成要素をなす〈言表〉という同じ存在様態を作動させるものでもあります。

以上のように、『意味の論理学』においては、深さの〈上昇〉と高さの〈下降〉が平面の一義性を実質的に構成する思考上の二つの理念的運動であった。この上昇過程が超越論的領域を発生させるまでに浮上するのが動的発生の意味であり、これに対してこの領域による下降作用は浮上が超出していく表面を絶えず形成し続けるという意味において静的発生である。ところで、それらは、まさに〈過剰 - 存在〉の真の機能素だと言えます。というのも、深さの浅さへの浮上は実際には平面に対していつのまにか落下が必要なほどまでに上昇してしまい、また低いところへの下降は今度は表面を突き抜けてどこまでも落下し続けることになるからです——〈過剰 - 上昇〉と〈過剰 - 下降〉。永遠回帰としての平面は、つねに深さと高さに対してこうした齟齬と非収束という特性を有しているのです。平面なしには、この〈過剰 - 存在〉は不可知のままでしょう。現在でも参照されるべき『意味の論理学』の書評のなかでフーコーは、次のように述べています。「しかし、『意味の論理学』は、とりわけ形而上学概論のもっとも大胆なもの、もっとも傲慢なものとして読まれなければならない。——ただしそれは、またしても形而上学を存在の忘却として告発したりはせず、今回こそ形而上学に〈過剰 - 存在〉を語らせるのだという単純な条件においてである。自然学、それは、物体、混合、反作用、外部と内部の機構をめぐる観念論的構造についての言説である。形而上学、それは、非物体的なもの、幻影、偶像、模像の物質性についての言説である」[*18][強調、引用者]。ブレイエが述べているように、初期ストア派の人々のカテゴリー論は自然学の問題であり、それゆえ非物体的なものも自然のうちに内在するものです。したがって、たとえ表面が形而上学的と呼ばれるにしても、それは自然に内在する観念の運動のことであり、その限りにおいてその〈対象性〉(objectité) を有することになります。形而上学は、そこでは物体の表面においてのみ成立する非物体的な〈出来事‐意味〉の一つのトポスなのです。しかしながら、それ以上に形而上学それ自体がすでに錯覚の所産であることも事実でしょう。何故なら、錯覚あるいは幻影は、つねに真理とともにあるからです。正確に言うと、あらゆる意味での形而上学が成立するのは、何よりもその対象性ゆえに、われわれが真理と錯覚とを完全に混合して理解することによるとさえ言えます。形而上学とは物の状態の表面で成立する知であると言ったところで、それはこうした意義を有する限りでのことでしかないでしょう。『意味の論理学』では、精神分析だけでなく、形而上学もまったく無傷のまま、ただし発生論のもとで存続し続けることになります。『ベルクソニズム』のなかでドゥルーズは解のレヴェルでの問題提起をもっぱら〈偽の問題〉として扱いましたが、より本質的に言えば、それはむしろ〈悪い問題〉ということです。それは、冒頭で述べたように、結局は補完、再認、根拠づけ、注解、目的、追認、等々に還元されうるような思考の仕方だからです。〈偽の問題〉とは、実際には問いなき問題であり、問いの力能のない形式と解答への意志とからなるもののことです。

自然の本性から必然的に生じるものは、自然法則という一般的真理だけでなく、人間身体、芸術作品、文学言語、等々の存在過程も同じ必然性のもとで、しかし非‐科学的な知を形成しつつ特異性の法則のもとで産出されるでしょう。ところで、それぞれの実在的な経験のもとでわれわれは、つねに真理の観念を希求しているでしょうか。隠されていると考えられた真理ほど、実は愚鈍なものはないでしょう。というのも、真理が存在するとすれば、それは、むしろわれわれに内在し、またつねに現前しているはずだからです。スピノザは、真の観念はいかなる意味でも他の観念を媒介することなく、われわれに現前し内在すると言います。[*19] しかし、この問題は、ここで扱うにはあまりに大き過ぎます。それでも、真理の内在性において哲学はいかなる過程を成立させるのか、という問いをここで提起することはできるでしょう。これは、端的に言うと、アナロジー（優越性、類似性、矛盾、多義性、等々）の思考が徐々に消尽する物質的過程であり、また存在と価値の位階序列における上層部の下向過程と、それに必然的にともなう下層部の上向過程との諸運動による一義性の平面の実現につながっています。表面のプラグマティックは、こうしたあらゆる位階序列の解体と平面化の創建につながっているのです。形而上学は、その対象性の〈存在－価値〉が下落したなかで、はじめてその価値の真価、つまり表面の構成要素としての真価が明確になるのだと言えます。いずれにしても、形而上学が表面の価値以外の何ものも有していないことが理解されるはずです。こうした意味において形而上学それ自体は、どこまでも行っても人間存在や人間精神の痛みや疲労の表出でしかない以上、これらの〈認識根拠〉にしかならないでしょう。というのも、それは、ニヒリズムの最大の派生物であり、人間精神における希望と恐怖の代替物にほかならないからです。それは、例えば、われわれの歯の痛み（あるいはその意識）が実際に歯の存在の認識根拠にしかならないのとまったく同様です。では、歯は、日々のなかで何を肯定する存在なのでしょうか。痛みなしに、すなわち否定性なしに、つまりこれらに先立ってその肯定的な存在根拠の観念を有すること、これが平面上への落下の意義です。それゆえ、歯の存在根拠とは、まさに落下の痕跡をともなった〈噛み砕くこと〉という肯定的な不定詞として、われわれの無意識を形成する多様な観念の一つとなっているもののことです。こうした観念を対象性として現働的に思考すること、これこそが一義性の平面の哲学的思考であり、また自然のうちに内在する観念の機能なのです。精神分析は、こうした意味での人間精神の認識根拠における表面の科学あるいは芸術以上でも以下でもないものでしょう。では、人間精神そのものの〈存在根拠〉とはいったい何であるのか。問いの力能を有した〈一つの問い〉は、つねにこうした存在根拠の諸問題のために存するかのようである。[*20]

ここまで述べてきたいくつかの問題提起によって、どのような変形や触発が意味の論理において考えられるであろうか。この著作におけるもっとも〈悪い問題〉、それは、おそらく言葉の成立（第三次配置）を目的論化することにあるように思われます。『意味の論理学』では、媒介の思考や共可能性のもとでの諸地層（秩序／組織／配置）の間の移行の言説（動的発生／静的発生）が相互に基礎づけ合いつつもっぱら展開されています。自然が放った矢を捉えて、丁寧に磨くことは重要なことであるが、しかしそれはおよそ解を与えるための手段にすぎないでしょう。この矢の最大の行使は、問題投射することにあります。こうした論点も含めてまさに成立する思考の仕方、それが〈批判の問題〉なのです。それは、現行の意味にも無意味にも関わることなく、むしろ非物体的なものの変形やあらゆる価値の価値転換についての問いの力能を問題構成することにありまます。では、これと同時に哲学における身体の問題、つまり臨床の問題はどのように考えられるべきでしょうか。それは、有機的身体が有する視点に先行するような非有機的な変容的遠近法がいかにして身体の変様のうちに存立しているのかという、非身体的変形や価値転換の発生的要素となりうる限りでの身体の強度的変様の問題なのです――すなわち、超越論なき並行論、〈深さ／高さ〉なき自然哲学、表面なき平面の内在性の哲学、ニヒリズムなき〈変形／転換〉についての倫理学。ドゥルーズは、次のように批判と臨床について規定しています。批判の問題――「無-意味が姿形を変え、カバン-語が本性を変え、言葉全体が次元を変える異なる水準の決定の問題」。臨床の問題――「或る有機体から別の有機体への地滑りの問題、前進的で創造的な脱有機体の形成の問題」[21]［強調、引用者］。これらは、必然的に一つの並行論を、つまりここで言われる決定と形成の問題を含んだ〈批判／臨床〉の平面論を形成することになるのではないでしょうか。スピノザにおいては、まったく不確定のまま残された〈精神／身体〉の並行論における言葉の問題があります。これに対して『意味の論理学』においては、〈批判／臨床〉の平面論におけるとりわけ言語の同じ問題に対する具体的で異質な創造的な問いの諸要素が内含されているように思われます。[22] こうした並行論は、まさに反転の一義性として存立しています――中立性から表現へ、そして実現から反転へ。ここでは〈到来するもの〉と〈言われるもの〉との同一性は、身体における強度の差異とその言表の様態機能とに発散していくものである。こうした一義性の平面論においては、語や文や命題を予め前提しつつ、それにもかかわらずそれらを超越論的に条件づけるという〈意味-無意味〉のア・プリオリ性に奉仕するよりも、むしろ言語のあらゆる様態や作用をもっぱら派生物とするような〈言表-言表作用〉に関する問題を構成することの方がより本質的である。

最後に

さて、初期ストア派の、カントの、ガタリのそれぞれ四つのカテゴリーは、いかなる思考をわれわれに提起しているのでしょうか。これらは、すべて〈非物体的なもの〉の特性、非言語性、変形と転換の変革論につながるものです。かつてドゥルーズは、今や哲学は反時代的でなければ、歴史的でも科学的でも永遠でもありえないと言い、もはやこれまでのような仕方で哲学の書物を書くことはできないであろうと述べていました。皆さん、私は、ぜひこうした問題について真剣にかつ継続的に考えていただきたいと思っております。哲学とは、ニーチェが言うように、そもそも反時代的――つまり、非現働的――でなければ存立しえない唯一の思考なのです。哲学あるいはその思考の発生的要素は、或る反時代的で非現働的なものにあるということです。この『意味の論理学』を通して、二〇世紀の現代思想的表層面だけでなく、より本質的で内在的な哲学の思考の様態を捉え、またこの著作を基にして、人間精神をその限界にまでもたらすような転換の仕方を作動させていただきたいと思っております。

本日の私の話は、以上になります。ご静聴、ありがとうございました。

＊1　本稿は、ジル・ドゥルーズの『意味の論理学』（一九六九年）出版五〇周年記念の特別企画――「『意味の論理学』を本質変形する」（二〇一九年一二月七日、於 慶応義塾大学・三田キャンパス、主催：秋田大学教育文化学部小倉研究室、DG-Lab（ドゥルーズ・ガタリ・ラボラトリ））――での講演会を基に、その際の配布資料とともに再構成するだけでなく、新たな論考として成立させたものである。講演会では、フェリックス・ガタリの地図作成法におけるとりわけ〈非物体的なもの〉の機能素（U）についても話題にしたが、残念ながら、本稿では省略せざるをえなかった。

＊2　「ひとはかくも長きにわたって哲学の書物を書いてきたが、そのように書くことがほぼ不可能になる時代が間近に迫っている。「ああ、古いスタイルよ……」」（Gilles Deleuze, *Différence et répétition*, PUF, 1968, p.4［以下、*DR* と略記］（『差異と反復』、財津理訳、河出文庫、二〇〇七年、上・一八頁））。

＊3　これは、この企画の当日に配布された資料、小倉拓也「導入――『意味の論理学』の地図作成」からの引用である。まさに「（……）表面には意味の論理学のすべてがある」、またそれは、「純粋な出来事の理論であり、線状のあるいは表層の凝縮の理論」である（G. Deleuze, *Logique du sens*, Minuit, 1969, pp.114, 209［以下、*LS* と略記］（『意味の論理学』、小泉義之訳、河出文庫、二〇〇七年、上・一七〇頁、下・一一頁）。最近、次の著作が出版された――鹿野祐嗣『ドゥルーズ『意味の論理学』の注釈と研究――出来事、運命愛、永久革命』（岩波書店、二〇二〇年）。本書は、ドゥルーズの哲学の基本特性の一つである分類の哲学としての意義や厳密性に徹底的に配慮して書かれた、『意味の論理学』についての特権的な研究書であると言える。これは、『意味の論理学』における諸概念とこれについてこれまで書かれた多くの言説とに対する言わば〈トポス論〉（カント的な意味で）の方法が発揮された成果であると言えるだろう。

＊4　セクストス・エンペイリコス『学者たちへの論駁』、第九巻、二一一（『初期ストア派断片集 2』、水落健治・山口義久訳、京都大学学術出版局、二〇〇二年、〔三四一〕、四五二頁）。「彼ら〔初期ストア派の人々〕とってこの考え方の重要性は、つねに言語において動詞によって結果＝効果を〈表現する〉ということに向けられた彼らの関心を通して示される」（Emile Bréhier, *La théorie des incorporels dans*

＊5 l'ancien Stoïcisme, Vrin, 1908, p.12［以下、TIと略記］（エミール・ブレイエ『初期ストア哲学における非物体的なものの理論』、江川隆男訳、月曜社、二〇〇六年、二六頁）。

諸著作を時系列的あるいは発展史的に、つまり有機的に読むことを拒否すれば、例えば、次のような平面は、まさにここで考察しているストア派由来の出来事の哲学に現前し、またこの哲学が取り入れるべき物体と非物体との並行論からなるであろう――「内在平面は、〈思考〉と〈自然〉、あるいは〈精神(ヌース)〉と〈自然(ピュシス)〉という二つの面をもっている。それゆえ、一方の回帰が瞬間的に他方を投げ返す限り、一方が他方のうちに取り込まれ、一方が他方のうちに折り畳まれるような多くの無限運動がつねに存在するのであり、その結果、内在平面は絶えず織り上げられる巨大な杼のようである」［強調、引用者］（G. Deleuze et F. Guattari, Qu'est-ce que la philosophie?, Minuit, 1991, p.41（『哲学とは何か』、財津理訳、河出文庫、二〇一二年、七〇－七一頁））。この言説は、後で述べるような、〈到来するもの〉と〈言われるもの〉との間の存在の一義性をより普遍化した平面上での反復を示している。

＊6 Cf. G. Deleuze, LS, p114（上・一六九－一七〇頁）。

＊7 E. Bréhier, TI, p.15（三一頁）。ところが、〈表現可能なもの〉についての誤った解釈が流布している。それは、物の属性、つまりその存在者が有する特質としての〈肯定されるもの〉が、つねに〈意味されるもの〉と同一化されるという解釈である。この〈表現可能なもの〉あるいは〈肯定されるもの〉を、例えば、スピノザにおける「積極的なもの」と考えるならば、この解釈の違和感はより明確に理解されることでしょう（スピノザ『エチカ』、第四部、定理一、参照）。ブレイエは、この解釈が流布した理由を次のように述べています。「それは、アルニムが初期ストア派の人々に関する編纂書のなかの論理学に関する諸断片に「〈意味されるもの〉あるいは〈表現可能なもの〉について」という表題をつけることでこの解釈を正しいものとしたからである」E. Bréhier, TI, p.15（三一頁））。

＊8 ドゥルーズ＝ガタリは、デンマークの言語学者イェルムスレウを「スピノザ主義的地質学者」と称している（G. Deleuze / F. Guattari, Mille Plateau, Minuit, 1980, pp.57-58［以下、MPと略記］（『千のプラトー』、宇野邦一・他訳、河出文庫、二〇一〇年、上・一〇〇頁））。ということは、あえてオランダの

哲学者スピノザを〈イェルムスレウ的言語学者〉と言うこともできるであろう。そこで、実際にイェルムスレウにおける基本概念である〈表現／内容〉を適用してスピノザの『エチカ』を読解してみてもらいたい。ドゥルーズの表現の三つ組を前提にしたままで、この基本概念を適用していくと、つねにどこかで行き詰まり、また矛盾に陥り、それ以上まったく進まないことを何度も経験することになるでしょう。しかし、そのときはじめて、〈表現／内容〉で思考することの意義がどこにあるのかを真に思い知ることになるでしょう。つまり、問いの力能を有した諸問題としてはじめて〈表現／内容〉について思考できるようになると思われます。それは、まさに非カテゴリー的なアナロジーなき思考である。

＊9　イマヌエル・カント『純粋理性批判』、A573=B601、A576=B604 参照。

＊10　こうした超越論哲学においてもっとも本質的な論点に関しては、例えば、福谷茂「存在論としての「ア・プリオリな総合判断」」（『カント哲学試論』所収、知泉書館、二〇〇九年、一二一－一三七頁）において、カントのライプニッツ批判が簡潔に論述されており、ぜひ参照していただきたい。また同様に、石川求『カントの無限判断の世界』（法政大学出版局、二〇一八年）においては、無限判断の特性を通して「汎通的否定」というきわめて重要な概念が提起されています――「否定が具体化するためには媒介が、あるいは共通の類が必要である。しかし、無限判断の主語と述語はそれをもたない。もたないがゆえに、無限判断の不定性は、数え切れないいない否定の集積すなわち汎通的否定となる」［強調、引用者］（六二頁）。

＊11　『純粋理性批判』の「弁証論」のなかで、神は、排他的離接（選言）の三段論法（ＳはＰあるいはｑである――Ｓはｑではない――ゆえに、ＳはＰである）の原理として、つまり〈超論論的基体＝Ｓ〉として定立されています。これによってカントにおいては、「各個の物の完全な〔汎通的〕規定は、この実在性の全体〔理念〕を制限することに基づく。すなわち、この物に或る実在性が付与されるが、他の実在性は、排除されるのである」（『純粋理性批判』、A575-577=B603-605）、と述べられることになります。これに対抗する仕方で、『意味の論理学』の「付録」として収録された「クロソフスキー、あるいは〈身体－言葉〉」においては、選言の三段論法の「悪魔的原理」としての強度的使用法が提起されて

います。ドゥルーズは、要するに、超越論哲学を脱出する思考法が言語と身体との並行論にあることを理解していたと言えるでしょう——「クロソウスキーの作品は、身体と言語活動との驚くべき並行論のうえに、あるいはそれら相互の反映のうえに構成されている」(G. Deleuze, *LS*, p.325(下・一八五頁))。『意味の論理学』には五編の論文が「付録」として収録されています。これらは実はこの著作のほぼ四分の一以上の分量を有しており、この「付録」の意義は改めて考えられるべき事柄であろう。私がここで言えるのは、この「付録」は、まさに〈意味の論理〉に対する〈外の思考〉であり、また別の異なる非整数的で非対称的な強度空間を多様な方向性のもとで与えうる大気のような論文群であるということです。

*12 自己原因と作用原因に関してスピノザとはまったく異なる原因の一義性としての永遠回帰に関する論究は、拙著『存在と差異——ドゥルーズの超越論的経験論』(知泉書館、二〇〇三年、二三二-二三八、二四九頁)を参照されたい。

*13 「不一致対象物」については、カント『プロレゴメナ』、第一三節、参照。さらに、この問題の逆説性を強度の総合に接続する論点、またその非対称的総合と理念との関係については、G.Deleuze, *DR*, pp.298-299, 314-316(一六九-一七〇、二〇二-二〇六頁)を参照せよ。

*14 「この『意味の論理学』でうまくいっていないことは何であっただろう。たしかにそれは、まだ精神分析に対して無邪気で、罪深い愛嬌を振りまいていた。それを弁解するなら、こういうことである。つまり、それでも私は、実はおずおずとではあるが、表面的な存在者性としての出来事に関わる表面の芸術としての精神分析を提示しながら、これを無害なものにしようとしたのだ(……)。しかし、いずれにしても、精神分析の概念は無償のまま尊重されているし、メラニー・クラインもフロイトもそうである」[強調、引用者](G.Deleuze, *Deux régimes de fous : texts et entretiens 1975-1995*, Minuit, 2003, p.60(「『意味の論理学』イタリア語版への覚書」、宇野邦一訳、『狂人の二つの体制 1975-1982』所収、宇野邦一監修、河出書房新社、二〇〇四年、八七-八八頁))。私が『意味の論理学』を〈有機的超越論〉とここで称するのは、ドゥルーズ自身が述べているような、この著作での「うまくいっていないこと」の

とりわけ精神分析的部分についてです（このことはまた、この考察の冒頭で述べた注解する者の意志がもつ大きな弱点につながっているように思われます）。これに反して、『意味の論理学』には、例えば、非‐有機的で脱‐超越論的な言わば〈無機的並行論〉の思考の萌芽をむしろうまくいっている哲学的部分として積極的に見出し問題構成していくという課題が残されていると思われます。

＊15　E. Bréhier, *TI*, pp.21-22.（四〇‐四一頁）

＊16　〈副‐言〉と不可分な〈非‐存在〉の概念については、とりわけ拙論「現前と外部性──非‐論理の革命的思考について」（『すべてはつねに別のものである──〈身体‐戦争機械〉論』所収、河出書房新社、二〇一九年、一三‐九八頁）を参照されたい。

＊17　Cf. G. Deleuze, *LS*, pp.210-211（下・一三‐一四頁）。

＊18　Michel Foucault, «Theatrum philosphiicum», in *Dits et Ecrits, Tome II, 1970-1975*, Gallimard, 1994, p.79（「劇場としての哲学」蓮實重彥訳、『ミシェル・フーコー思考集成　III』所収、筑摩書房、一九九九年、四〇一‐四〇二頁）。

＊19　スピノザ『エチカ』、第二部、定理四三、備考、参照。

＊20　こうした〈認識根拠〉（ratio cognoscendi）と〈存在根拠〉（ratio essendi）の違いについては、G. Deleuze, *Nietzsche et philosophie*, PUF, 1962, pp.198-199（『ニーチェと哲学』江川隆男訳、河出文庫、二〇〇八年、三三四‐三三七頁）を参照されたい。

＊21　G. Deleuze, *LS*, p.102（上・一五四頁）。批判は第一に有限な肯定的作用であるが、ドゥルーズはこうした意味での批判作用をまさに総合的に実現した哲学者の一人である。ベルクソンやスピノザ、ライプニッツやニーチェについてのドゥルーズの論考は、すべてこうした批判によってはじめて思考され見出されうるような肯定的な強度的部分からなる。ということは、こうしたドゥルーズの哲学について論究し、それを研究する場合、ひとは、やはり同様の批判作用を対象として、つまり諸観念の多様体を真に批判の問題として作動させる必要があるのではないでしょうか。

＊22　こうした問題については、すでに以下の著作のなかで考察しているので、ぜひ参照していただきたい

——拙著『スピノザ『エチカ』講義』（法政大学出版局、二〇一九年、三五三 - 三六九頁）、拙稿「〈身体 - 戦争機械〉論について——実践から戦略へ」（『すべてはつねに別のものである』所収、二四〇 - 二五九頁）。またドゥルーズは、こうした並行論をガダリとともに『千のプラトー』において、〈身体の機械状作動配列〉と〈言表作用の集合的作動配列〉からなる平面の脱領土性並行論として考察しています（Cf. G. Deleuze / F. Guattari, *MP*, p.112（上・一八八頁））。

あとがき

本書は、二〇〇五年に出版され、長らく入手困難であった『死の哲学』（河出書房新社）を中心に、この主題に関連する既出の論文や評論等々を加えて成立したものである。本書のなかの「書き下ろし」は書名と同じタイトルをもつ、冒頭に置かれた「残酷と無能力」であり、これは改めて『死の哲学』の意義――死についての哲学的な内在的実践の有り様――について論究したものである。

『死の哲学』は、当時、河出書房新社の編集者であった阿部晴政さんからの依頼で、「シリーズ・道徳の系譜」の一冊として刊行されたものである。死を主題化した著作というのも、阿部さんからの提案だった。これは、自分ではけっして選ばないであろう、私にとってきわめて難しいテーマであった。しかし、この〈死〉という主題が、実はそのときの私をまったく別の思考の仕方を行使するよう強制したように思われる。その頃、大田区の蒲田駅近辺の居酒屋で阿部さんとよく飲んだことを懐かしく思うとともに、それまでの自己の思考をさらに非身体的に変形させることなしにはけっして成立しえないような、死についての著作を実現したいと考えていたことが思い出される。しかし実際には、この主題に苦しんだというよりも、むしろこれについて思考するなかで、まさにアントナン・アルトーというまったく別の永遠の突風に内側から晒されることができたとさえ言える。

しかし、この突風に触発され、これを具体的に知覚できたのは、これより少し前に書いた「スピノザと分裂分析的思考」（二〇〇四年）という論文においてである。この論文は言わば広い意味での超越論的思考から訣別するために書かれたもの――言わば脱‐超越論としての並行論――であったが、これがまさに死の問題と結びついたのである。今回、この論文をそのまま本書に収録することができた（ただし、注については、『死の哲学』とほぼ重複しているが、あえてそのまま収録した）。この論文は、『死の哲学』のなかのとくに三つの「欲望する並行論・分身論」において用いられている。

さらに、本書『残酷と無能力』を刊行するにあたっては、「死の系譜学」という論文が不可欠のものとなった。これは、今年の七月に刊行される雑誌『イリュミナシオン』（イーケーステイス）に掲載されたものであり、この冊子の企画者である原智広さんからの依頼を受け、書きあげた論文である。ここでその機会を与えていただいた原さんに感謝の意を表わしたいと思う。

すでに述べたように、『死の哲学』は、超越論的思考とは異なる別の水準において思考することによる成果であると考えている。それは、言い換えると、特異な実践哲学に定位するものである。スピノザにはたしかに本質から存在への自己への配慮があるが、しかしアルトーには存在の仕方によるその本質の過酷な自己変形がある。これは、さらに換言すると、単なる個体化への意志だけでなく、それとともに個体の崩壊あるいは消滅そのものについての思考の様式でもある――個体化すると同時に、根源的なディオニュソスのもとでの個体の溶解あるいは解消（ニーチェ『悲劇の誕生』）。このことは、またパンデミックの二つの側面（時代的、反時代的）として考えられなければならない問題でもあろう。

本書は、私にとって前著『すべてはつねに別のものである』（河出書房新社、二〇一九年）と同様の意義をもつ著作である。再録にあたって、修正等はいつものように最小限にとどめたが、『死の哲学』においては数行加筆した部分がある。

最後に、本書に収録された論文を書く機会を与えていただいた編集者の方々には、たいへん感謝しています。また、月曜社の神林豊さんには本書の刊行にあたって、ご尽力をいただき、誠にありがとうございました。

今回も、本書を実現していただいた阿部さんには深く感謝しております。いつものように、阿部さんの的確なアドバイスと温かい励ましの言葉に支えられて、ここに一つの書物が成立したことに私自身深い喜びを感じています。本当にありがとうございました。

二〇二一年六月

江川隆男

初出

「残酷と無能力」　書き下ろし

I

「死の哲学」　『死の哲学』河出書房新社、二〇〇五年一二月

「死の系譜学」　『イリュミナシオン』一号、イーケーステイス、二〇二一年七月

II

「スピノザと分裂分析的思考」　『情況』二〇〇四年七月号、情況出版

「ドゥルーズと死の哲学」　『道の手帖　ドゥルーズ　没後一〇年、入門のために』河出書房新社、二〇〇五年一二月

「死体を触発する」　『VOL』一号、以文社、二〇〇七年五月

「デヴィッド・リンチと様相なき世界」　『日本病跡学会雑誌』九〇号、日本病跡学会、二〇一五年一二月

「貧素であれ、離脱的であれ」　『立教映像身体学研究』六号、立教大学大学院現代心理学研究科映像身体学専攻、二〇一八年

「骨と血からなる〈非‐存在〉」　『立教映像身体学研究』五号、立教大学大学院現代心理学研究科映像身体学専攻、二〇一七年

「中間休止と脆弱性の規模」　『思想としての3・11』河出書房新社、二〇一一年六月

「自由意志なき〈自由への道〉」　『思想としての〈新型コロナウイルス禍〉』河出書房新社、二〇二〇年五月

「〈批判／臨床〉の平面論」　『hyphen』五号（オンライン）、DG-Lab（ドゥルーズ・ガタリ・ラボラトリ）、二〇二〇年九月

江川隆男　えがわ・たかお

一九五八年生まれ。立教大学現代心理学部映像身体学科教授

著書

『存在と差異――ドゥルーズの超越論的経験論』知泉書館、二〇〇三年
『死の哲学』河出書房新社、二〇〇五年
『超人の倫理――〈哲学すること〉入門』河出書房新社、二〇一三年
『アンチ・モラリア――〈器官なき身体〉の哲学』河出書房新社、二〇一四年
『スピノザ『エチカ』講義――批判と創造の哲学のために』法政大学出版局、二〇一九年
『すべてのつねに別のものである――〈身体-戦争機械〉論』河出書房新社、二〇一九年
ほか

訳書

アンリ・ベルクソン『ベルクソン講義録〈3〉――近代哲学史講義・霊魂論講義』（共訳）法政大学出版局、二〇〇〇年
エミール・ブレイエ『初期ストア哲学における非物体的なものの理論』月曜社、二〇〇六年
ジル・ドゥルーズ『ニーチェと哲学』河出文庫、二〇〇八年
ジル・ドゥルーズ、クレール・パルネ『対話』（共訳）河出書房新社、二〇〇八年／文庫版『ディアローグ――ドゥルーズの思想』河出文庫、二〇一一年
ほか

残酷（ざんこく）と無能力（むのうりょく）

著者　江川隆男（えがわたかお）

二〇二一年八月三〇日　第一刷発行

発行所　有限会社月曜社

発行者　神林豊

〒一八二-〇〇〇六　東京都調布市西つつじヶ丘四-四七-三

電話〇三-三九三五-〇五一五（営業）／〇四二-四八一-二五五七（編集）

ファクス〇四二-四八一-二五六一

http://getsuyosha.jp/

編集　阿部晴政

装幀　中島浩

印刷・製本　モリモト印刷株式会社

ISBN978-4-86503-119-5